新看護学

13

老年看護

● 執筆

梶井　文子　東京慈恵会医科大学教授

亀井　智子　聖路加国際大学大学院教授

草地　潤子　松蔭大学教授

小林小百合　駒沢女子大学教授

篠原　真咲　三重県立看護大学助教

中村　明子　園田学園女子大学助教

平生祐一郎　三重県立看護大学助教

六角　僚子　お多福もの忘れクリニック顧問

医学書院

新看護学 13　老年看護

発　　行　1990年1月6日　第1版第1刷
　　　　　1992年2月1日　第1版第3刷
　　　　　1993年1月6日　第2版第1刷
　　　　　1997年2月1日　第2版第6刷
　　　　　1998年1月6日　第2版新訂版第1刷
　　　　　1999年5月1日　第2版新訂版第3刷
　　　　　2000年1月6日　第3版第1刷
　　　　　2004年2月1日　第3版第6刷
　　　　　2005年1月6日　第4版第1刷
　　　　　2012年2月1日　第4版第11刷
　　　　　2013年1月6日　第5版第1刷
　　　　　2017年2月1日　第5版第5刷
　　　　　2018年1月6日　第6版第1刷
　　　　　2021年2月1日　第6版第4刷
　　　　　2022年1月6日　第7版第1刷©
　　　　　2024年2月1日　第7版第3刷

著者代表　六角僚子（ろっかくりょうこ）

発 行 者　株式会社　医学書院
　　　　　代表取締役　金原　俊
　　　　　〒113-8719　東京都文京区本郷1-28-23
　　　　　電話　03-3817-5600(社内案内)
　　　　　　　　03-3817-5657(販売部)

印刷・製本　山口北州印刷

ISBN978-4-260-04712-8

はしがき

学習にあたって

長寿・高齢社会という喜ぶべき現実のなかで，その反面として障害をもつ高齢者は増加している。近年の高齢化問題は，高齢化の進展の「速さ」だけではなく，割合(高齢化率)も問題となっている。2020年10月の65歳以上人口は3619万人であり，高齢化率も28.8％と非常に高いものであった。65歳以上人口は今後も増加傾向が続くとされ，2042年に3935万人でピークを迎えると推計されている。さらに，認知症高齢者数は2025年には700万人をこえるという推計がある。

厚生労働省は，2025年をめどに，住み慣れた地域で，自分らしい暮らしを人生の最期まで続けることができるよう，地域の包括的な支援・サービス提供体制(地域包括ケアシステム)の構築を推進している。地域包括ケアシステムは，市町村や都道府県が地域の特性に応じてつくりあげていくことが必要であるとされている。つまり，この高齢社会をのりこえるためには「地域づくり」が不可欠であり，これは地域住民1人ひとりの努力によってしかなしえない。この地域包括ケアシステムが普及すると，在宅医療を提供する医療機関と，介護サービスを提供する事業者の多機関・多職種連携が進み，療養者は在宅で一貫した医療・介護サービスを受けられるようになっていくと展望されている。

高齢者介護の確立はわが国全体の大きな課題であり，そのなかで看護に求められていることは多い。とくに高齢者の暮らしの場は，自宅・施設・病院と多様化しており，その意味では保健・医療・福祉の各機関の連携の強化も重要である。看護は，そこにおいても大きな役割を担っている。

これからの高齢者看護には，高齢者が現存能力を発揮し，安全にそして安心してその人らしい生活が継続できるように，地域や家族とともに支援していくことが求められている。そのためには，身体面の正確なアセスメントに加え，心理・社会面や生活習慣などの多角的なアセスメントが必要となる。

本書は，准看護師教育課程のテキストとして編集されたものである。そのなかでも，とくに高齢者の暮らしを支えることに学習の力点をおいた。本書での学習によって，必要とされる知識・技術・態度を身につけ，私たちの目ざす，高齢者への理想的な看護を実現するための能力を養ってもらいたい。

改訂の趣旨

第7版の改訂では，全体的な内容の更新に加え，高齢者看護において近年とくに重要視されている，地域包括ケアシステムや胃瘻，フレイル，サルコペニア，アドバンスケアプランニングなどについて，新規に項目を設けて解説した。また，高齢者の在宅療養と看護について，第8章の内容を拡充した。各章で加筆・修正を行ったおもな点は以下のとおりである。

第1章では，近年拡大してきているアドバンスケアプランニング（ACP）について項目を新たに追加した。

第2章では，高齢者の家族に関する内容について記述を新しくした。

第3章では，高齢者総合的機能評価（CGA）について，評価項目とともに解説を追加した。

第4章では，胃瘻に関する項目を新規に設けた。また，排泄，清潔，衣生活，運動と睡眠・休息について，図版を含め内容を刷新した。

第5章では，高齢者看護において重要となる，フレイルとサルコペニアの項目を追加した。また，褥瘡やスキンテアといった，皮膚の症状・疾患と看護について内容を新たにしている。

第6章は，全面的に記述を見直した。患者が安心して安全に治療・処置を受けられるような看護や，寝たきりを防ぎ早期に退院ができるような支援について解説している。

第7章では，認知症についてより広く学習ができるように，軽度認知障害（MCI）と若年性認知症の項目を新規に設けた。

第8章は，全体の構成を見直し，高齢者の在宅療養と看護について大きく扱った。訪問看護と家族への看護を含め，具体的な事例とともに丁寧な解説を心がけた。また，近年ますます重要となっている地域包括ケアシステムについても，理念や制度について学習ができるようにした。

なお，編集にあたって，文中での表現の煩雑さを避けるため，特定の場合を除いて看護師・准看護師に共通する事項は「看護師」と表現し，准看護師のみをさす場合には「准看護師」として示した。また，保健師・助産師・看護師・准看護師など看護の有資格者をさす場合には「看護職」あるいは「看護職者」としたので，あらかじめご了解いただきたい。

執筆者は，それぞれが高齢者看護における専門性をいかしながら本書にかかわっており，准看護師教育課程の学習に有用で，活用しやすいテキストとなるように努力していきたいと考えている。積極的で，かつ批判的なご意見をお寄せいただければ幸いである。

2021年11月

著者ら

目次

第3章 高齢者の暮らしを支える看護の視点

第4章 高齢者の暮らしを支える看護の実際

第1章 高齢者の理解

A 人としての高齢者を理解する

私たちがケアをしようとする高齢者は，たとえ寝たきりであったり認知症であったりしても，それまでの長い人生の道のりを一歩一歩たどってきた人生の先輩である。

高齢者の多くは大正から昭和，戦後すぐにかけて生まれた人たちであり，わが国の社会の発展とともに，激動の時代と大きな価値観の転換を経験してきた人たちである。また，貧困をくぐり抜け，戦争を経験し，経済の繁栄をつくり出すなど，私たちとは比べものにならないほど大きな歴史的変化のなかで生きてきた強者でもある。

それゆえ，高齢者1人ひとりの身体のなかには，その人が生きてきた歴史と，その間につちかってきた知恵と意思がたくさん詰まっている。言いかえれば，高齢者と看護を提供する私たちとは，年齢も体力も，生きてきた歴史にも大きな違いがある。しかし，そうした違いがあっても，高齢者と私たちは「人間である」という点においては，まったく同じ立場にあるということを忘れてはならない。

1 加齢と成長すること

加齢による変化●

加齢(エイジング aging)とは，生命体が年齢を重ねることによって生じる身体的・心理的・社会的変化および衰退の過程をいう。生物学的な原因としては，感染症や栄養失調，化学物質による影響，遺伝的影響などによって細胞が正常に機能しなくなったり，新しい細胞で補充できなくなったりすることがあげられる。

したがって，高齢になると全身の細胞が減少し，それに伴い各臓器が萎縮を始め，おのおのの身体部位の機能が低下する。残念ながら，こうした変化はそれを途中でとめたり，逆戻りさせたりすることはできず，自然に衰退していく。こうしたからだの特徴を考えれば，高齢者は病気にもかかりやすい状況であることがわかる。

加齢をしてもかわらないもの

一方，加齢をしても，人としてもちつづけるものもある。人は誰しも「自分らしくありたい」という願いをもっているという点で共通している。ここでいう「自分らしさ」あるいは「その人らしさ」とは，その人の「個性」である。個性はその人固有のものであるが，高齢者の場合はそれを維持しつづけていくことがむずかしくなることもある。

たとえば，他人の介助が必要となったとき，人は「自分らしさ」が半減したと感じるかもしれない。食事の介助をされながら，看護師にいろいろな文句や注文を言っている高齢者を見かけるが，一見わがままのようにみえるそれらの行動も，実は自分らしくありたいという，人間がふつうにもつ願望の必死の表現なのかもしれない。それは「自分らしく」あることが，人間としての誇りをもつことにつながっているからである。

生涯発達

私たちは「自分らしく」あるために，毎日「もっともっと」と向上心をもちながら，昨日よりは今日を，そして今日よりは明日を少しでも豊かに過ごしていきたいと願っている。こうして生きているいまも，「もっと成長したい」という気持ちがある。

その成長したい，もっと吸収したいという気持ちは，何歳になっても同じであるといえる。高齢者にも，70歳，80歳になってもなにかに悩み，もっとこうでありたいと願いながら生活をするというポジティブな側面がある。看護職者には，その気持ちを正確に理解することが求められる。悩み，願うこと自体も「成長する」ことであり，人間は生涯にわたって成長するのである。

2 エイジズムとサクセスフルエイジング

エイジズムとは，年齢による差別をあらわす言葉であり，そこには加齢に対する一方的なマイナス評価や，嫌悪などが基礎として存在する。一方，**サクセスフルエイジング**とは，老いていくことそれ自体を受け入れながら，社会生活に適応して豊かな老後生活を送れている状態のことである。

高齢者へのマイナスイメージ

皆さんは「老人」「高齢者」と聞いたとき，どのようなイメージをもつだろうか。江戸時代後期に臨済宗の僧侶，仙厓和尚(1750-1837)によって書かれた詩に「老人六歌仙」というものがあるが，そこでは老人がおもしろおかしく，そして悲しく，さらにたくましさをも感じさせるように描かれている(➡図1-1)。現代にも通じる若者の高齢者への見方，思い込みがみえるようだ。

およそ半世紀のうちに，高齢者つまり65歳以上の比率は7.1%(1970年)，10.3%(1985年)，17.3%(2000年)，23.0%(2010年)，28.7%(2020年)へと高まり，私たちは高齢社会のなかで生活するようになってきた(➡19ページ，図2-2)。そこから生じた高齢者の就業の問題，核家族化や少子化などからくる高齢者の孤立化，認知症や寝たきりなどの増加といった現実は，とくに若者にとって恐怖であり，それが「歳はとりたくない」というさらなるマイナ

(所蔵・写真提供：出光美術館)

しわがよる　ほくろができる　腰曲がる　頭ははげる

ひげは白くなる　手は振るう　足はよろつく　歯は抜ける

耳は聞こえず　眼はうとくなる　身に添うは　頭巾襟巻(ずきんえりまき)　杖(つえ)眼鏡

たんぽ温石(おんじゃく)*1　尿瓶(しゅびん)孫の手　聞きたがる　死にともながる*2

淋(さび)しがる　心は曲がる　欲深くなる　くどくなる　気短になる

愚痴(ぐち)になる　出しゃばりたがる　世話やきたがる　またしても

同じ咄(はなし)に　子を誉(ほ)める　達者自慢に　人はいやがる

*1…湯たんぽとカイロ　　*2…死にたくないという

図 1-1　老人六歌仙画賛

スイメージにつながっている。

高齢者福祉政策の歴史

そのように偏見(へんけん)をもたれがちな高齢者に対する福祉政策はというと，わが国では昭和初期までは制度的なものがまったくなかった。古くは病気の治療を神仏に祈る一種の儀式に頼り，精神をわずらっている多くの高齢者は放置され，座敷牢(ざしきろう)や神社，寺院に収容されていた。

わが国の高齢者福祉にかかわるはじめての施策は，1963(昭和 38)年に制定された**老人福祉法**である。1970 年代にようやく「養護老人ホーム」「軽費老人ホーム」「特別養護老人ホーム」といった高齢者施設が体系化され，老人病院なども立ち上がり，寝たきりや認知症などの介護が必要な高齢者の入所・入院が増えた。この人たちを社会は「社会的弱者」とよんだ。

高齢者の社会問題

このように福祉制度が整い，社会的弱者である高齢者の受け皿は準備されたが，その一方で，生活環境をかえられて混乱した高齢者に対するケアの根拠や方法はまったくない状態であった。そこでの介護は，病気の高齢者をなぐる，縛(しば)る，食事を与えない，薬づけにする，高齢者の家族へなにかを要求するなど，一般患者の介護とはほど遠い劣悪なものであった。

このような時代背景や，一部の高齢者の外観・行動様式などから，高齢者に対する思い込みやエイジズム，高齢者虐待(ぎゃくたい)が増えていったと推測できる。また，テレビや新聞をはじめとするさまざまな媒体で，社会問題としてこのような高齢者・高齢社会の暗い，マイナスの側面がことさら強調されて宣伝される結果となり，神話のような高齢者イメージがつくりあげられたのであろう。

エイジズムを背景とした社会で高齢者がサクセスフルエイジングを行うためには，周囲からの援助や社会的な福祉が必要となる。同時に，医療職として高齢者を援助する看護師も，高齢者についての認識を改めていかなければならない。

3 倫理的な課題

高齢者への偏見の払拭

「高齢者」「認知症」などへの偏見は，患者を不幸せにしているようだ。私たちは偏見の残る看護の場を，高齢者の幸せな生活の場へと転換していかなければならない。高齢社会で過ごしている事実と向き合い，その社会背景からくる偏見を払拭(ふっしょく)していくためには，臨床現場に①現存機能の活用，②人権の擁護(ようご)，③自己決定権の擁護，の視点を組み込むことが必要である。

1 高齢者へのまなざしの転換

国際生活機能分類

2001(平成13)年，世界保健機関(WHO)により**国際生活機能分類** International Classification of Functioning, Disability and Health(**ICF**)の理念が提示され，障害のとらえ方の是正(ぜせい)や，暮らしのなかで現存機能をいかす考え方が打ち出された。また，人間が生活するうえで使用しているすべての機能を**生活機能**とし，それは心身機能・身体構造，活動，参加の3要素で構成され，健康状態と環境・個人因子に左右されるとした(➲ 図1-2)。

ICFにおいて，活動とは課題や行為に対する主体的な人間の行動であり，参加とは生活・人生に関与する社会的な行為であると考えられている。活動と参加は人間が生活するうえで欠かすことのできない重要な要素であり，障害者福祉にはそれを機能させていくための前向きな支援が求められる。それは老年看護においても同様であり，自立支援に向けて医療的・社会的要因を十分にアセスメントし，課題に対する視点を転換することによって，高齢者のプラス面や可能性の課題を多く見つけることができる。

求められるケアの視点

看護の現場では，患者の「できないこと」「おそれ」「リスク」などを把握したうえで，それらを取り除き，回避するためのケアが行われている。「できなくなる」要素を多くもつ高齢者対象の看護では，できないことをかわってあげよう，させないでおこうという傾向がより強くあらわれているように感じられる。

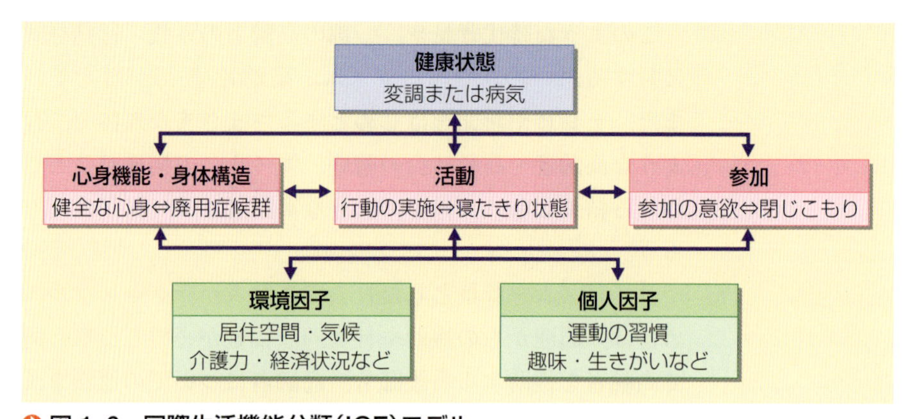

➲ 図1-2　国際生活機能分類(ICF)モデル

しかし，高齢者のいまある力を見きわめて，やる気をもって行えるような環境をつくり参加につなげること，つまり活動と参加を支えることが，私たち看護師の役割といえるのではないだろうか。そのためには，いままでの視点を転換し，現存能力(いまある力)の発見をしていくことが重要となる。悲しく，さびしく老いていくイメージではなく，老いても「できること」を多くもつ高齢者というまなざしをもちたい。

2 高齢者の人権

人権とは，人間が生まれながらにしてもっている権利のことである。それは国籍や民族，人種，性別，年齢などの違いにかかわらず，いつどこにいても，安心してその人らしく生活していくために必要な条件が，誰にでも平等に保障される権利であると考えられている。

医療における人権侵害

医療の世界においても，エイズ患者やハンセン病患者への差別の問題や，尊厳死のあり方など，人権をまもることは重要な課題である。高齢者についても，とくに認知症やコミュニケーション障害をもつ高齢者が直面している問題として，「身体拘束」という人権侵害がある。わが国では1998(平成10)年に「抑制廃止福岡宣言」が採択され，翌年厚生省(現厚生労働省)は，介護保険施設運営基準のなかに「身体的拘束における禁止規定」を告示し，規定条項をつくりあげた。

また，2016(平成28)年には，身体疾患治療のために入院した認知症患者に対する，病棟の対応力とケアの質の向上を目的とした**認知症ケア加算**が導入された。認知症ケア加算では，①認知症患者が入院する病棟に，認知症患者のアセスメントや看護方法などについて研修を受けた看護師を複数配置する，②身体的拘束の実施基準を含めた認知症ケアに関する手順書を作成して保険医療機関内に配布し活用する，といった施設基準などが設けられている。

これらの国の取り組みを受け，介護保険施設や医療施設などの現場では，拘束をしない管理や技術について，試行的な取り組みが繰り返し行われている。しかし現在でもまだ，からだのずり落ち防止と称して「安全ベルト」を装着したり，胃瘻(いろう)やチューブを抜いてしまう患者に「ミトン」をはめたりしている状況が存在していることも事実である。次の事例を読み，感じたことをグループで話し合ってみよう。

■事例　人の手が信じられない

Nさんは83歳のアルツハイマー型認知症と診断された女性である。以前は在宅で生活していたが，心疾患治療のため，1か月ほど入院していたことがある。その病院では1か月の間，24時間身体拘束を受けていた。下肢の筋力が低下しているため，歩行すると転倒する危険性があり，実際，ベッドや車椅子から立ち上がり，何度か転んだことがある。そのため病院は，「ベッドでは寝かせられない」という判断を下した。Nさんは車椅子に座らされ，安全ベルトを着用させられ，手は車椅子のアームレストに縛りつけられた。壁などが足に触れると蹴飛ばしてしまうので，ポツンと広い病室の真ん中に置かれた状態が1か月も続いた。

ようやく心疾患の症状が落ち着いたころ，Nさんは介護老人保健施設へ入所することになった。身体拘束の状況を知っていた施設のケア提供者は，お迎えをしたとき「もうだいじょうぶですよ」と手を差しのべ，やさしく声をかけた。するとなんとNさんは，そのやさしい手を上からぐっと押さえつけたのだ。他人の手が信じられなくなっていたのだろう。Nさんは動いた。ケア提供者の手を払い，かみつき，ひとりでたくさん動いた。ベッドをやめてふとんを敷いて横になってもらったが，10秒と寝ていなかった。とにかく動きつづけたのである。

しかし，それから1年後，Nさんはゆったりと車椅子に座り，おだやかな表情を取り戻していた。それでも，人の手を信用してもらうために，1年という期間がかかったのだった。身体拘束は10秒もかからず行えるが，その手の信頼を取り戻すのには長い時間を必要とした。人間の尊厳をふみにじり，その人らしさを失わせた結果，まわりの人々は大きなつぐないをすることになったのである。

3 自己決定権

私たちは朝起きてから，いろいろなことを自分で決めている。もう少しゆっくり寝ていようかな，朝ごはんはなにを食べようか，なにを飲もうか，服はなにを着ようかなど，一日に数えられないほどの自己決定を下すのである。そういった無数の自己決定が自分らしさを支えているとも考えられ，その人の尊厳を維持していくためには，**自己決定権**が保障される必要がある。

しかし，高齢患者は自己決定が十分にできないことも多く，毎日の無数の自己決定を，看護師にゆだねなければならない状態になっている。また同時に，看護師も自分ではない他者の，しかも自分よりも多くの経験をもった高齢者の自己決定をかわりに行うこととなり，重い役割を担うことになる。自己決定権の侵害，これも人権侵害つまり倫理的配慮にかかわる課題である。

ノーマライゼーションの視点●

老年看護における看護師の姿勢など，実際の現場にも多くの倫理的な問題がみられる。たとえば，高齢者とくに認知症高齢者は自分たちとは違う存在だから，自分たちと同じことができなくてあたり前と決めつけて，患者の行動を制限したり，プライバシーをまもらなかったりすることは，人権の侵害にあたる。

ここで重要なことは，たとえ認知症高齢者でも，そうでない人たちと同じように生活をしていく権利があるという，**ノーマライゼーション**の考え方である。ノーマライゼーションを理解しないままの行動が，このような人権の侵害を生むということを，私たちは心にとめておく必要がある。

4 アドバンスケアプランニング(ACP)

人生の最終段階における医療やケアについて，本人が家族や医療・ケアチームと繰り返し話し合う取り組みを，**アドバンスケアプランニング** advance care planning(ACP)という。2018(平成30)年，厚生労働省はACPを身近なものとして考えてもらえるよう「人生会議」という愛称を公表した[1, 2)]。

総務省の推計によれば，2020(令和2)年9月15日現在の高齢化率は28.7％であり，このことは人生の最終段階にある高齢者や，認知症などにより意思決定能力が低下している高齢者が多数にのぼることを意味している。しかし，人生の最終段階では，約7割の人が，医療やケアなどを自分で決めたり，望みを伝えたりすることができなくなるといわれている。そのため，疾患の進行状態や本人の準備状態・思いなどをもとに，ACPを行う時期を早期から検討し，積極的に話し合いを行うことが必要となる。

ACPは本人が望む生き方についての会議である。そのため，医療職者だけでなく多職種からなるチームで対応する。また，本人や家族の意思が変化することもあるため，何度でも繰り返し考え，話し合うことが重要となる。とくに認知症の患者の場合は，症状の進行状態をふまえながら，ケアにかかわるチーム全体でACPの時期を決定していくことが大切である。

■ACPにおける話し合いの進め方

ACPでは，繰り返し話し合うことが重要である。話し方の一例を以下にあげる(➡図1-3)。

①価値観を共有する　人生の最終段階にある高齢者，つまり終末期にある高齢者は，さまざまな医療処置・ケアの過程をたどることとなるため，その

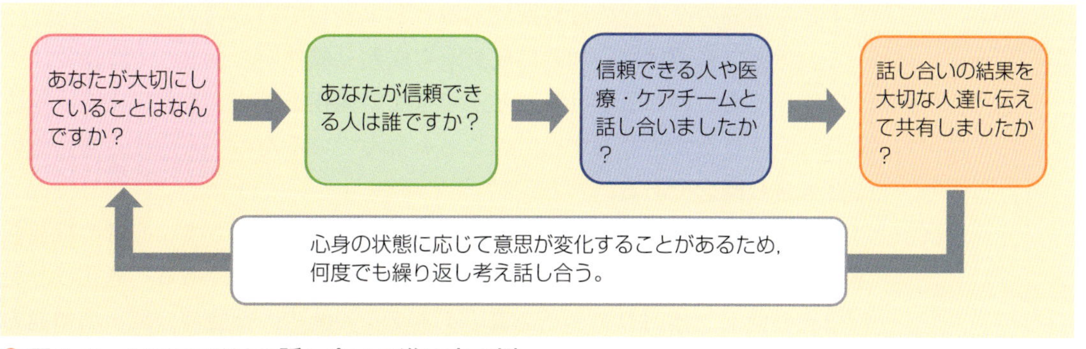

➡図1-3　ACPにおける話し合いの進め方の例

1）厚生労働省：人生会議(ACP)普及・啓発リーフレット(https://www.mhlw.go.jp/content/10802000/000536088.pdf)(参照2021-6-16)
2）厚生労働省：「人生会議」してみませんか(https://www.mhlw.go.jp/stf/newpage_02783.html)(参照2021-6-16)

前段階から話し合うことが重要である。この段階では，「大切にしていること」「してほしいこと」「してほしくないこと」などを中心に話し合い，多職種チームが本人や家族の価値観を理解し，共有をはかっていくことが大切である。

②代弁者を決定する 本人の意思表示ができない状態で，医療処置やケアに対する大きな決定が必要となるときに備え，本人の意思を代弁する代弁者や，相談できる人を事前に決定しておく必要がある。重大な場面でなくとも，日常生活でのささいな決めごとなどがあるときに，代弁者と本人，多職種チームが話し合うことで，代弁者にとっても役割の自覚がすすむ機会となる。

③信頼できる人や医療・ケアチームと話し合いを重ねる 話し合いのプロセスを通して，本人，代弁者と多職種チームの信頼関係は構築されていく。話し合いを繰り返すことで信頼関係がさらに深まっていき，本人の意思決定支援も円滑に進むようになる。

④話し合いの結果を共有する 本人の意向を，本人や代弁者，多職種チームとともに繰り返し考えて話し合い，それを家族や支援者などの周囲の人々に伝え，共有していくことが重要となる。

B 加齢による身体的側面の変化

1 老化と老化現象

加齢と老化● 加齢や老化，老衰などは，ひとくくりに「老化」という言葉であらわされることも多いが，マテソン Mateson, M. A. は，加齢とは「生物体が年齢をとる過程で自然におこるすべての変化の総体」であり，老化とは「生涯を通して生じる加齢の全過程の最終期である」と定義している[1)]。

この考えに基づけば，加齢は成長から成熟，成熟から衰退への経過と，それに伴ってあらわれる避けることができない変化をさすものといえる。年を重ねていくことで生じるすべてのことを含んでいるため，よいこともわるいことも含む概念である。

一方で老化は，成熟期以降の衰退を中心とした変化をさす。心身の機能低下という意味合いが強く，この意味では老衰とほぼ同義である。老化は，免疫機能の低下，体内のタンパク質・ミネラルの減少，細胞の分裂・増殖能力の低下などとなってあらわれる。これにより，生体の恒常性維持機能が低下するため，高齢者は疾患にかかりやすくなる。

1）メアリー A. マテソン・エレアノール S. マコーネル著，石塚百合子ほか訳：看護診断に基づく老人看護学 2——身体的変化とケア．p.2，医学書院，1993.

生理的老化と病的老化● 加齢に伴う生理的な機能低下(生理的老化)は，不可逆であり避けることはできないが，疾患などの影響で機能低下が著しく加速された状態(病的老化)は，治療によってある程度の回復が見込める。高齢者の健康状態をアセスメントするときには，心身の変化を生理的老化によるものと決めつけるのではなく，病的老化かもしれないと注意する視点が必要となる。

生物学・老年学の研究者であるストレーラー Strehler, B. L. は，生理的老化の原則として以下の4つを示した。

(1) 普遍性：老化は誰にでも不可避に生じる。
(2) 内在性：老化はあらかじめ遺伝的にプログラムされている。
(3) 進行性：老化の過程は進行するもので，不可逆的なものである。
(4) 有害性：老化は個体の生存に対して有害的に生じる。

2 加齢に伴う身体の器質・機能の変化

加齢に伴う身体の器質・機能のおもな変化を ➲ 表1-1 に示す。

C 加齢による心理・社会的側面の変化

1 加齢に伴う心理・精神的機能の変化

1 知能

心理学者のウェクスラー Wechsler, D. は，「知能とは，目的に合った行動をとり，合理的に考え，環境からのはたらきかけに効果的に対処できる能力である」と述べている。つまり知能は，知覚・言語・記憶・推理・判断などの認知機能をもとに，生活のなかで知識や情報を用いて活用する総合的能力であるといえる。そして知識や情報は，動きや感覚を経験することで得られた知識(経験知)によってより活用できるようになる。このことから，知能には加齢によって低下するだけでなく，維持もしくは向上するという側面がある。

同じく心理学者のキャッテル Cattell, R. B. は，知能について，形成されてきた経緯と対応する能力の違いから，**流動性知能**と**結晶性知能**に分類した。

流動性知能は，新しいものごとを覚えたり，対応する能力とされる。たとえば，推理・暗記・計算など，問題解決や空間認知，情報処理速度の向上と安定に関する能力である。

結晶性知能は，個人的経験や文化的および教育的体験により形成される能力とされる。語彙(ごい)量や言語知識，日常生活における理解・判断，一般常識に関する能力である。

それぞれの発達については，流動性知能は20歳代にピークに達し，60歳

表1-1 加齢に伴う器質・機能の変化

器官・機能など		変化の内容
外皮系	顔のしわ	口輪筋収縮，歯槽萎縮，歯牙脱落により生じる。
	毛髪・眉毛の変化	毛髪が減少し，白髪となる。加齢のほかに遺伝的要因やストレスとの関連も指摘されており，個人差が大きい。眉毛は，男性では長毛化し，女性では短毛化することが多い。
	爪の変化	肥厚するとともに割れやすく，表面に縦の筋が目だつようになる。
	皮膚の変化	皮膚が乾燥し，かゆみや裂傷(スキンテア)がおきやすくなる。圧力や温度の感覚が鈍くなる。
	汗腺の変化	汗をかきにくくなり，体温調節機能が低下する。
	老人性疣贅	加齢とともに増加する良性上皮性腫瘍であり，俗に「いぼ」といわれる。
	老人性紫斑	真皮結合組織の編成脆弱化が原因で生じる大きな紫斑である。手背・前腕伸側などの外傷を受けやすい部位に生じる。
筋・骨格系	活動・姿勢	身長や姿勢の変化(円背など)，動作の緩慢化，可動性の低下をきたし，腰痛や関節痛を引きおこす。不安定な歩行は転倒や骨折の原因となるため，動作や行動範囲，活動範囲を狭めるようになる。
	骨の変化	骨粗鬆症や軟骨の弾力性低下(椎間板・股関節・膝関節など)がみられる。
	筋の変化	筋萎縮と筋重量の減少がみられる。筋力低下のため最大筋力・持久力ともに下降する。
	関節痛	関節の変形や姿勢の変化に伴う関節の負担増加によっておこり，とくに膝関節でみられる。これは関節軟骨に特徴的におこる，消耗・すりきれ・骨の新生による影響といえる。
	関節可動域	関節包や靱帯の弾力性低下・収縮などにより，関節可動域が狭くなる。
循環器系	器質的変化	心臓では左室壁厚と心房容積の増加，心室容積の減少，心筋細胞数の減少，心筋の肥大，間質の線維化，異物沈着，弁や弁輪の石灰化などが生じる。
	機能的変化	心拍出量の減少，予備能力の低下による労作時の動悸や息切れ，大動脈の伸展性低下による収縮期血圧の上昇と拡張期血圧の軽度低下，刺激伝導系の細胞消失および線維化による不整脈や伝導障害，冠動脈硬化による心筋の虚血などが生じる。
呼吸器系	ガス交換効率の悪化	肺胞表面積の減少，胸郭の弾性や収縮力の低下，肺活量および酸素飽和度の減少，全肺気量および分時最大換気量の減少，残気量および残気率の増加などに起因する。
	呼吸不全	ガス交換効率が低下し，運動負荷時の最大換気量も減少するため，呼吸不全をおこす。
脳・神経系	脳の正常な生理的変化(年齢相応の変化)	総合的な知的機能を多少低下させるが，日常生活に大きく支障をきたすことはなく，ほぼ自立した生活ができる。
	脳の病的な変化	疾病やストレス，環境因子，遺伝因子などによる異常をきたすと，知的機能は低下する。
	器質的変化	ニューロンの喪失や脳重量の減少，シナプスにおける伝達の緩慢化，末梢神経機能の喪失などが生じる。
	機能的変化	反応時間の遅延，体温調節機能の低下，脳波の変化などがみられる。
消化器系	口腔・咽頭の変化	歯牙の脱落や，唾液腺の萎縮による唾液の分泌量の減少，唾液濃度の減少による咀嚼機能の低下などが生じる。唾液分泌の減少は消化機能の低下や誤嚥につながる。
	食道の変化	蠕動運動が低下し，食道から胃へ食物を送る機能が低下する。
	胃の変化	胃粘膜の萎縮により，胃液分泌量が減少する。消化不良がおこりやすくなる。
	小腸・大腸の変化	粘膜の萎縮がみられるとともに，蠕動運動が低下する。消化物の腸内における停滞時間が長くなり，便秘の原因となる。
	肝臓の変化	肝細胞の減少と肝重量の減少が生じる。タンパク質の合成や，各種代謝経路に関係する酵素にも変化がみられ，薬物の代謝にも影響を及ぼす。

表1-1 （続き）

器官・機能など		変化の内容
腎・泌尿器系	腎皮質の変化	濾過機能(糸球体濾過値，腎血流量，腎血漿流量)の低下がみられる。
	腎髄質の変化	尿の濃縮機能の低下がみられる。ナトリウム保持機能が低下し，排尿量が増加する。
	排尿障害	膀胱の萎縮や骨盤底筋群の弛緩，男性では前立腺肥大などがおこり，頻尿や尿失禁，残尿などの原因となる。
内分泌系	性腺の変化	男性はテストステロン，女性はエストロゲンが徐々に減少し，エストロゲンは50歳前後の閉経以後著しく減少する。それに伴い更年期障害があらわれる。
	ホルモンの産生の変化	筋量・骨量の減少，睡眠障害などがあらわれる。
代謝系	水代謝の変化	細胞内液が減少し，水分が欠乏しやすく，電解質バランスもくずれやすい。また，老化による渇中枢の機能低下も，脱水になりやすい要因の1つである。
	基礎代謝の変化	エネルギー必要量が低下し，体温が低くなる。
	糖代謝の変化	空腹時は正常であっても，糖負荷後に血糖値の上昇がみられ，もとに戻るにも時間がかかるようになる。
	脂質代謝の変化	血清コレステロールや中性脂肪は加齢とともに増え，50歳ごろまで直線的に増加する。
感覚器系	視覚の変化	水晶体や毛様体の調節機能が低下することによる，視力の低下(老視)，羞明，暗順応・明順応の減退などがおこる。
	水晶体の変化(白内障)	水晶体が混濁して不透明になるため，視力が低下したり，色の区別が困難になったりする。症状や自覚症状には個人差がある。
	聴力の低下	高音域が聞きとりにくくなり，語音聴力も低下する(単に耳垢が外耳道をふさいでいるために聞こえないということもあり，注意が必要)。聴力が障害されると，コミュニケーションに支障が出ることが多い。また，聞くという外界からの刺激の低下による精神機能の低下をきたすおそれがある。
	その他の感覚器の変化	嗅細胞や味蕾の細胞，触覚受容器数の減少などによって，各感覚器の機能が低下する。また，半規管の機能低下に伴い，めまいを生じやすくなる。

ころまで維持されて，その後急速に低下する(➲図1-4)。結晶性知能は60歳ころにピークを迎え，その後はゆるやかに低下する。

2 記憶

記憶は，①記銘(ものごとを覚える)，②保持(覚えた内容をためておく)，③想起(ためておいた内容を思いおこす)という3つの段階からなりたっており，ものごとを思いおこすためには，記銘と保持の段階を経る必要がある。高齢者は「記憶力がわるくなってきた」と訴えることが多いが，これは加齢による神経機能の変化により，記銘し保持することが困難になるためである。覚えられない，覚えた内容をためておけないという状況が増えるので，記憶力がわるくなったと感じるのである。

記憶のしくみとしては，アメリカの心理学者アトキンソン Atkinson, R. L. とシフリン Shiffrin, R. M. の情報処理モデルがよく知られている。このモデルでは人の記憶を，情報が認知処理される間保存されている**短期記憶**と，情報を貯蔵して必要時に再生可能な**長期記憶**の大きく2つに分けている。

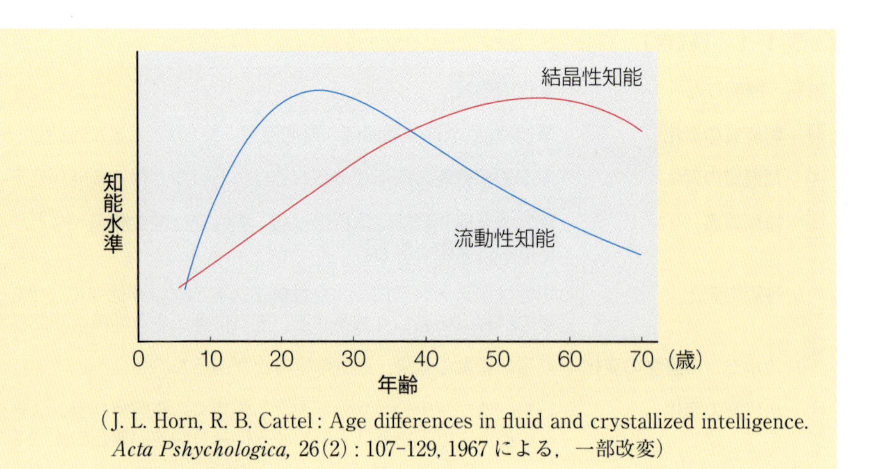

（J. L. Horn, R. B. Cattel : Age differences in fluid and crystallized intelligence. *Acta Pshychologica,* 26(2) : 107-129, 1967 による，一部改変）

➲図 1-4　知能の発達曲線

高齢者には，最近のことはすぐに忘れてしまうが，昔のことをよく覚えているといった現象がみられる。一度覚え込んで長期記憶となった内容は加齢の影響を受けにくいと考えられており，ある言葉から連想されることで検索され，昔のことであっても言葉の意味やイメージを思いおこすことができる。

③ パーソナリティ（人格）

パーソナリティは，個人のもつ一貫した行動の傾向や情動の特性のことである。また知能を含めた広義の概念として，**人格**と表現されることもある。

パーソナリティは，自分のおかれた状況や周囲の環境からの影響に対して，みずからが考え受容した結果あらわれる個人特性である。そのため，老年期における変化や，その自覚・受容などが高齢者のパーソナリティに影響する。

老年期における変化●

老年期の人格に影響を与えるおもな要因は，心身機能の変化，ライフイベント（環境の変化），記憶であるといわれる。

①**心身機能の加齢変化**　運動機能の低下は，他者との交流の機会を減少させ，視覚・聴覚機能の低下は，コミュニケーション能力を低下させる。

②**老年期のライフイベント**　老年期には子どもの独立や定年退職，親しい人との別離などの喪失（そうしつ）を複数経験する。さらに住み慣れた場所からの転居を余儀なくする場合もあるため，孤独や悲観の感情をもちやすい。

③**記憶**　記銘力が低下し，新しいものごとを覚えることがむずかしくなる一方で，長期記憶としてとどめていた内容が自分の思考や行動のもととなる。高齢者はこうした過去の回想を繰り返すことによって，人生をふり返る。回想は，自分がなにを大切に生活してきたのかを認識し，意味づけをする重要な機会となり，残りの人生を生きる支えとなる。

老いの自覚と受容・適応●

生物学的な老化現象に個人差があるように，老いの自覚においても大きな個人差がみられる。1人ひとりがさまざまな体験を経て，さまざまな老いの

表 1-2　中高年の人格の類型(ライチャードらによる)

円熟型	過去の自分を後悔することなく受容し，未来に対しても現実的な展望のある統合された人格をもつ。	適応タイプ
安楽椅子型	受身的・消極的な態度で現実を受容する。引退した事実に甘んじて安楽に暮らそうとする。	
装甲型	老化への不安に対して強い防衛的態度でのぞみ，若いときの活動水準を維持しつづけようとする。	
憤慨型	自分の過去や老化の事実を受容することができず，その態度が他者への非難や攻撃という行動であらわれる。	不適応タイプ
自責型	憤慨型の反対で，過去の人生を失敗とみなして自分をせめる。	

表 1-3　老年期の社会的変化とそれに伴う特徴(バトラーによる)

1. 時間間隔の変化
2. ライフサイクルへの感覚の変化
3. 人生を回顧する傾向
4. つぐないと決意
5. 伝承のための保守主義
6. 財産を残したいという強い欲望
7. 権力の委譲
8. 人生をまっとうしたいという感覚
9. 成長する能力

自覚をしていると考えられている。

一般に，老いを自覚する代表的なことがらとして，足腰の変調がある。こうした身体機能の低下は，自覚できる場合とそうでない場合があるが，現在の状態とみずからの認識との間のずれが小さいほうが，心は老化しにくいといわれる。たとえば，久しぶりにスポーツをしたときに，できると思っていた動きができなかったときは，日々できなくなっていった場合よりも，より強く老いを自覚する。

心理学者のライチャード S. Reichard らは，中高年者の人格を若年期の適応状態をもとに分類した(➲ 表 1-2)。さまざまな老いを自覚して上手に処理できるということは，老いの受容と適応ができているといえる。人によってはこの処理がうまくできずに欲求不満になり，攻撃的行動をとったり，自分をせめたり，自分のなかに閉じこもり，抑うつ状態になる者もいる。

2 加齢と社会的変化

精神科医であるバトラー Butler, R. N. は，老年期の社会的変化とそれに伴う特徴を ➲ 表 1-3 のようにまとめた。人は高齢になると，暮らしている社会よりも自分の内的世界に関心をもつ傾向があるが，バトラーは従来否定的にとらえられていた老年期における回想の傾向を肯定的にとらえた。

高齢者は過去を思い出し回想することで，罪悪感や精神内部の葛藤(かっとう)の解消，家族関係における和解，次世代への知識や価値観の継続などを行う。バトラーは，高齢者が自分の送ってきた人生に新たな意味づけをし，それを生きがいにつなげていくことの重要性について，臨床研究を通して示した。

またバトラーは，高齢者は残された時間がないという感覚から，量よりも

表1-4 老年期に体験する社会的な関係の変化(キャバンによる)

成人としての社会的関係の放棄	老人としての社会的関係の受容
1. フルタイム労働からの引退・家事一般の放棄(女性) 2. 社会的活動からの引退・組織の指導的立場からの引退(男性) 3. 配偶者の死亡による夫婦関係の崩壊 4. 独立的な家計の喪失 5. 興味と活動性の減退 6. 将来の目的と計画に対する関心の喪失	1. 他人からの支援・助言・資産管理の受容 2. 壮年者やソーシャルワーカーへの従属 3. 高齢者グループへの加入 4. 家族との同居あるいは老人ホームへの入居 5. 生活設計の目的の直接化 6. 興味の対象が自分の生活経験から離れ,子どもや孫に変化

質を重要視したり,ほかの年齢層の人よりもつぐないの意味をこめた行動をとりがちであったり,独立心や自分を頼ること,誇り,倹約などを心の糧として,みずからの行動に強い責任をもとうとしたりすると述べている。

さらにバトラーは,財産を残したい,権力を譲りたい,人生をまっとうしたいという強い欲望や,好奇心・独創性などの成長する能力は,加齢により衰えるものでないとも述べている。

3 老年期の社会的変化とストレス

社会的な関係の変化

社会学者のキャバン Cavan, R. S. は,老年期に体験する社会的な関係の変化を「成人としての社会関係の放棄」と「老人としての社会的関係の受容」という,2つの側面から示した(➲表1-4)。

老年期に体験されるストレス

老年期には,社会的な関係の変化以外にも,施設への転居などの住み慣れた環境の変化,家族の病気や配偶者・友人との死別などの「喪失」を経験する。また本能的・生物的欲動の充足を妨げる原因となる体力減退や疾患,後遺症による心身の制約といった「抑制」などがおこりやすい。これらの老年期に体験するさまざまなできごとは,個々の高齢者にとって大きなストレスとして体験される。

とくに喪失の体験については,身体と精神の健康,経済的自立,家族や社会とのつながり,生きる目的など,さまざまなものが対象に含まれるが,高齢者は長年にわたる豊かな経験から得られた英知を発揮して,今後の生活の目標を無理のないものに調整し,適切な対応を選択しながら適応していると考えられる。

D 高齢者と発達課題

1 高齢者の発達のとらえ方

人間の誕生から死にいたるまでの変化の過程を説明しようとする発達理論

では，おもに乳幼児期・児童期・青年期という心身の機能が上昇する時期に関心が向けられてきた。そのため，成人期や老年期は，加齢に伴い心身機能が減退・衰退する，老化過程であるとされ，負のイメージでとらえられてきた。しかし，平均寿命の延伸や，活動的で健康な高齢者が増加したことを受けて，老年期における精神発達の研究が多くなされるようになり，「人は生涯を通して発達しつづける」という生涯発達の考え方がとられるようになった。

老年期は，人の生涯をあらわすライフサイクルの最終段階にあり，老年期には，退職に伴う社会的地位や経済的変化，身体機能の低下，近親者や友人の死，家族や社会からの孤立，生活環境の変化などの多くの喪失を経験する。そうした経験によって社会的評価や自尊心の喪失を体験することもある。高齢者にとって，こうした喪失体験をどのように受容し，適応していくのかが大きな課題となる。

人は，生まれてから死を迎えるまでの間に，いくつもの発達段階を経て成長する。各発達段階において，心理・社会的側面の成長・発達を促すために達成しなければならない発達課題を解決することによって，次の発達段階へと成長・発達していく。

2 エリクソンの発達課題

アメリカの精神科医エリクソン Erikson, E. H. は，人間性の心理・社会的な段階として，ライフサイクルにおける8つの人生段階と，対立する2つの発達課題を提唱した(➲ 図 1-5)。各段階それぞれに，社会から解決すべきなんらかの要求が出されており，その要求に自分を適応させ，解決することで次の段階へ進んでいくとしている。

またエリクソンは，老年期の発達課題は「統合対絶望，嫌悪」であると述べている。すなわち，これらのバランスのとり方が課題ということである。絶望とは，死に最も近い時期におそってくる，加齢に伴う老いの自覚や数多くの喪失に対する認識である。絶望感に負けそうになる自己を認識しながら，人は自分の過去や人生の過ごし方について，よいこともわるいことも，すべてそれなりに意義のあるものとして受けとめること(自我の統合)によって克服する。エリクソンは，この過程で私たちは英知を得て，やがて統合された人生の最終段階を生きることができるとしている。

3 ハヴィガーストの発達課題

アメリカの教育学者のハヴィガースト Havighurst, R.J. は，人間は学ぶことによって成長する学習者であるという考え方にもとづいて，人生を6つの時期(乳幼児期，児童期，青年期，壮年初期，中年期，老年期)に分けた。そのうえで，それぞれの時期の教育において，人が成長していくために直面する

	1	2	3	4	5	6	7	8
老年期 Ⅷ								統合 対 絶望，嫌悪 英知
成人期 Ⅶ							生殖性 対 停滞 世話	
前成人期 Ⅵ						親密 対 孤立 愛		
青年期 Ⅴ					同一性 対 同一性混乱 忠誠			
学童期 Ⅳ				勤勉性 対 劣等感 適格				
遊戯期 Ⅲ			自主性 対 罪悪感 目的					
幼児期初期 Ⅱ		自律 対 恥，疑惑 意志						
乳児期 Ⅰ	基本的信頼 対 基本的不信 希望							

（エリクソンほか著，村瀬孝雄ほか訳：ライフサイクル、その完結，増補版．p.73，みすず書房，2001 による）

図 1-5　エリクソンの心理社会的人生段階

課題を示している。

老年期の発達課題としては，①肉体的な力と健康の衰退に適応すること，②仕事からの引退と収入の減少に適応すること，③配偶者の死に適応すること，④自分と同世代の人々と明るく親密な関係を結ぶこと，⑤社会的・市民的義務を引き受けること，⑥肉体的な衰退に伴う生活を満足に送れるように準備すること，の６つをあげている。

まとめ

- 人間の身体は加齢によって衰える。しかし，高齢になっても「自分らしくありたい」「もっと成長したい」という気持ちは，若いころとかわらずにもちつづける。
- 身体的に衰えたり，病気にかかりやすいことから，高齢者は昔から差別を受けてきた。豊かな老後生活を送れる状態をつくるためには，偏見を改める必要がある。
- 高齢者への偏見を払拭するためには，臨床現場に①現存機能の活用，②人権の擁護，③自己決定権の擁護，の視点を組み込むことが求められる。
- アドバンスケアプランニングとは，人生の最終段階における医療やケアについて，本人が家族や医療・ケアチームと繰り返し話し合う取り組みである。意思が変化することもあるため，何度も行うことが重要となる。

- 老化とは，人間が成熟期を過ぎたのちにおこる不可逆の変化である。全身の細胞数の減少などにより，生体の恒常性維持機能は低下する。これは，避けることのできない生理的現象である。
- 老化は身体的側面だけでなく，心理・社会的側面の要因とも相互に影響しながら進行している。そのため，加齢に伴う変化の個人差は大きくなる。
- 老年期になると，さまざまな社会的変化がおこる。また，老年期に体験する多くのできごとは，高齢者にとって喪失や抑制などのストレスとなる。
- エリクソンは，自分の過去や人生の過ごし方を意義のあるものとして受けとめ，加齢に伴う老いの自覚や喪失体験などを克服することにより，やがて統合された人生の最終段階を生きることができるとした。

復習問題

1 次の文章の空欄を埋めなさい。

▶高齢になると全身の細胞が(①　　　　)し，それに伴い各臓器が(②　　　　)を始め，身体機能が低下する。

▶老いていくことそれ自体を受け入れながら，社会生活に適応して豊かな老後生活を送れている状態のことを(③　　　　)エイジングという。

▶国際生活機能分類(ICF)における「生活機能」の要素は心身機能・身体構造，(④　　　　)，(⑤　　　　)である。

▶記銘や計算などの能力を(⑥　　　　)知能という。

▶エリクソンによる老年期の発達課題は「(⑦　　　　)対 絶望，嫌悪」である。

2 老年期におこる変化について，〔　〕内の正しい語に丸をつけなさい。

①生理的老化の過程は〔 可逆・不可逆 〕的なものである。

②細胞内水分量は〔 増加・減少 〕する。

③爪は〔 薄弱・肥厚 〕化する。

④骨は〔 もろく・かたく 〕なる。

⑤心拍出量は〔 増加・減少 〕する。

⑥収縮期血圧は〔 上昇・低下 〕する。

⑦肺胞表面積は〔 増加・減少 〕する。

⑧残気量は〔 増加・減少 〕する。

⑨尿の濃縮機能は〔 向上・低下 〕する。

⑩心身の健康や経済的自立，社会とのつながりなどの〔 統合・喪失・放棄 〕を経験する。

第2章 高齢者を取り巻く社会と社会システム

A 高齢社会の統計的理解

わが国では，一般に65歳以上の人を高齢者とよぶ。さらに，高齢者は65～74歳の**前期高齢者**と，75歳以上の**後期高齢者**に大きく分けられる。

30年ほどの間に，わが国は世界有数の長寿国となり，100歳をこえる人もそれほどめずらしくはなくなった。また，寿命がのびたことで老年期を生きる時間は長くなり，高齢者の定義の見直しが検討されるなど，社会のなかでの高齢者のあり方もかわってきた。ここでは，統計を通して高齢社会への理解を深める。

1 高齢者人口の推移

2020(令和2)年の「国勢調査」によれば，わが国における65歳以上の高齢者が総人口に占める割合(**高齢化率**)は29.0％であり，年齢別人口の推移をみると，15歳未満人口と15～64歳人口は減少しているが，65歳以上の人口(**老年人口**，**高齢者人口**)は増加している(➲図2-1)。0歳の平均余命である**平均寿命**も年々のびており，2020(令和2)年の「完全生命表」では男性81.56歳，女性87.71歳である。

少子高齢化を背景としたわが国の人口構成の変化は非常に早く，1950(昭和25)年には5％未満であった高齢者人口が，20年後の1970(昭和45)年には「高齢化社会」の水準である7％をこえ，1994(平成6)年には14％をこえて「高齢社会」となった。2010(平成22)年には「超高齢社会」の水準を上まわり，さらに上昇を続けている。諸外国に比べても，わが国の高齢者人口の割合は最も高い水準にあり，高齢化の速度も速い(➲図2-2)。

また，わが国の特徴として，後期高齢者人口が前期高齢者人口を上まわる増加率を示していることがあげられる。

人口動態の重要な指標である**合計特殊出生率**[1)]は，2020(令和2)年では

1）1人の女性が再生産年齢の期間に生む平均出生児数。

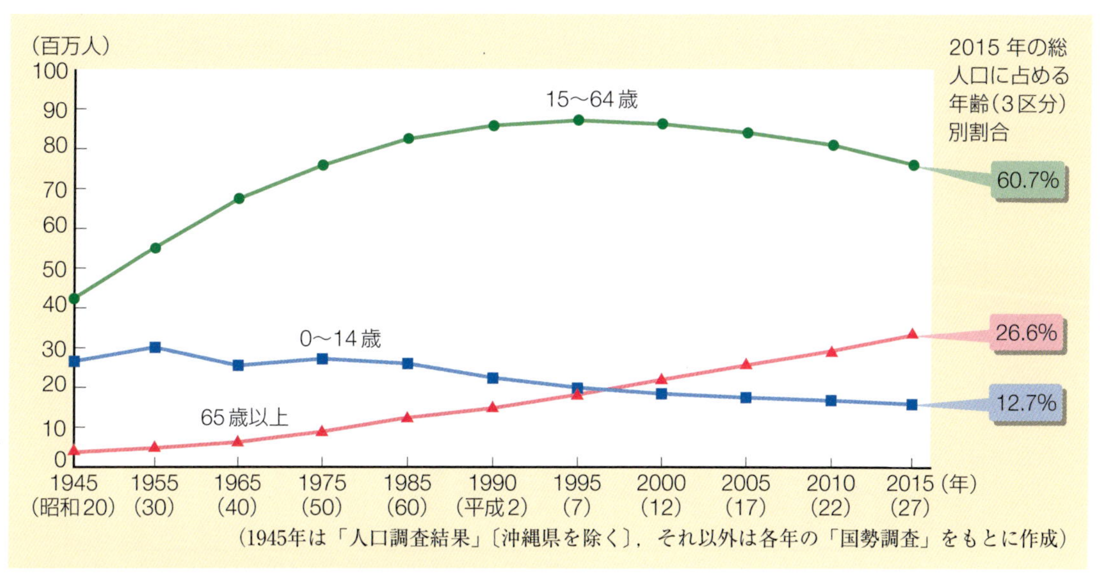

図 2-1 年齢 3 区分別人口の推移(2015 年まで)

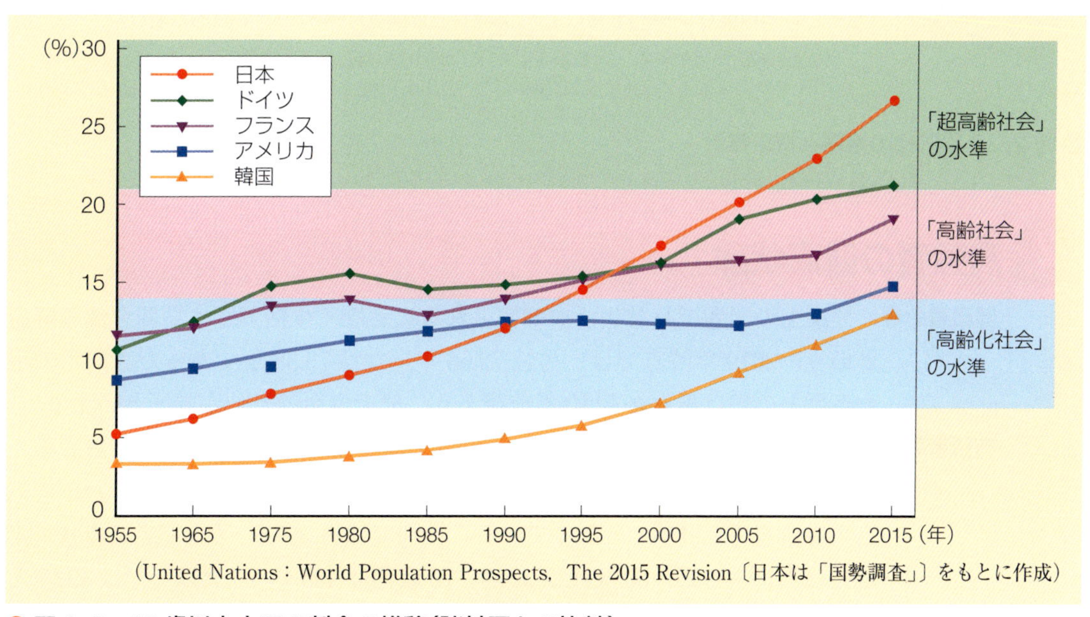

図 2-2 65 歳以上人口の割合の推移(諸外国との比較)

1.33 であり，年々低下している。「日本の将来推計人口」によれば，2065 年には総人口 8807 万人，高齢化率 38.4 % という，高齢者 1 人を 15〜64 歳の生産年齢人口約 1.3 人で支える社会が到来すると推計されている(図 2-3)。

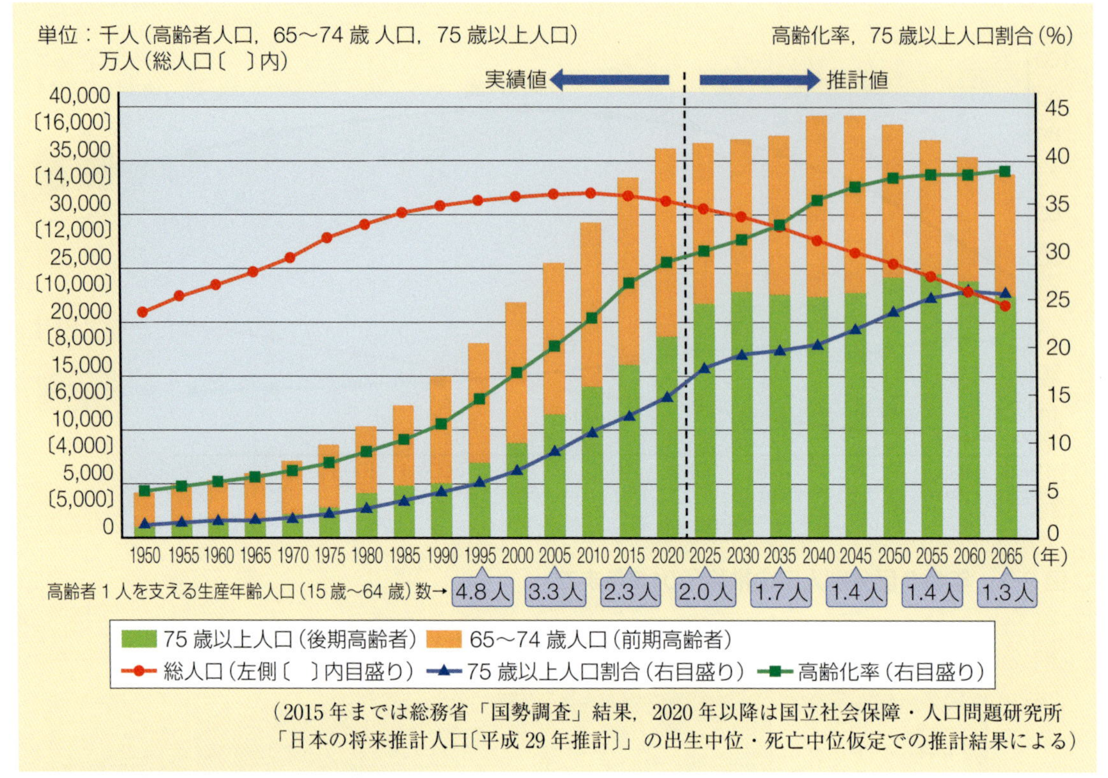

➲ 図 2-3　高齢化の推移と将来推計

2 高齢者の健康状態

健康寿命●　健康上の問題で日常生活が制限されることなく生活できる期間を**健康寿命**という。2019 年時点では，男性 72.68 年，女性 75.38 年であった。同年の平均寿命との差は男女とも 10 年前後あり，健康寿命の延伸が課題といえる。

有訴者率●　病気やけがなどで自覚症状のある人の，人口千人あたりの数を**有訴者率**という。2022（令和 4）年の「国民生活基礎調査」によれば，わが国の 65 歳以上の有訴者率は 418.2 となっている。性別では男 397.6，女 435.2 であり，年齢階級別にみると，60 歳代は 321.4，70 歳代は 408.4，80 歳以上では 492.7 と，年齢が高くなるにつれて割合が増加している（➲ 図 2-4）。

65 歳以上の具体的な症状をみると，「足腰に痛み」を訴えるものが男性 204.2，女性 249.4 と最も多く，ついで男性では「頻尿」「きこえにくい」，女性では「肩こり」「眼のかすみ」が多い。

受療率●　それでは，実際に高齢者はどのような理由で医療サービスを受けているのだろうか。高齢者人口 10 万人あたりの推計患者数の割合である**受療率**でみると，入院では「精神および行動の障害」「脳血管疾患」「悪性新生物（がん）」が高く，年齢が高くなるにしたがって増加している（➲ 表 2-1）。一方，外来では「消化器系の疾患」「高血圧性疾患」「脊柱障害」が高い。

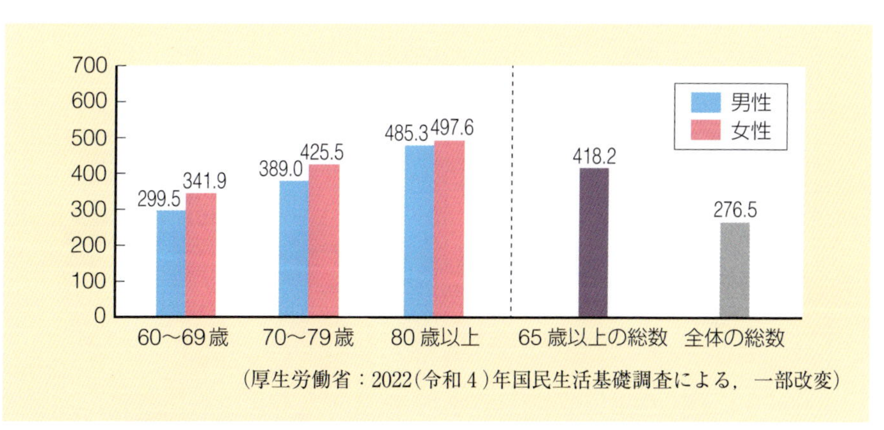

図 2-4 高齢者の有訴者率(人口千対)

表 2-1 おもな傷病別にみた受療率(人口10万人対，2020年)

		全年齢	65歳以上	年齢階級別(歳)					
				65～69	70～74	75～79	80～84	85～89	90以上
入院	総数	960	2,512	1,207	1,544	2,204	3,234	4,634	6,682
	悪性新生物(がん)	89	243	163	223	278	296	298	279
	精神および行動の障害	188	370	371	360	353	369	392	429
	循環器系の疾患	157	479	164	239	383	614	961	1,715
	高血圧性疾患	4	12	2	3	5	11	26	81
	脳血管疾患	98	296	110	157	252	397	592	904
	呼吸器系の疾患(肺炎など)	59	187	37	65	126	247	450	801
	消化器系の疾患(胃炎・歯肉炎など)	48	124	58	77	111	163	233	304
	脊柱障害	19	53	27	35	59	78	83	95
	骨折	77	238	56	89	168	338	582	880
外来	総数	5,658	10,045	7,951	9,649	11,527	11,847	10,728	9,255
	悪性新生物(がん)	144	344	282	358	423	399	304	200
	精神および行動の障害	211	183	188	159	165	163	201	322
	循環器系の疾患	652	1793	1114	1529	1912	2254	2458	2711
	高血圧性疾患	471	1,295	867	1,151	1,368	1,602	1,687	1,791
	脳血管疾患	59	173	78	134	182	225	275	341
	呼吸器系の疾患(肺炎など)	371	258	222	253	297	296	254	207
	消化器系の疾患(胃炎・歯肉炎など)	1007	1,484	1,406	1,613	1,695	1,529	1,222	938
	脊柱障害	345	844	525	738	1,140	1,219	943	474
	骨折	77	142	89	113	158	190	196	194

(「令和2年患者調査」(確定数)をもとに作成)

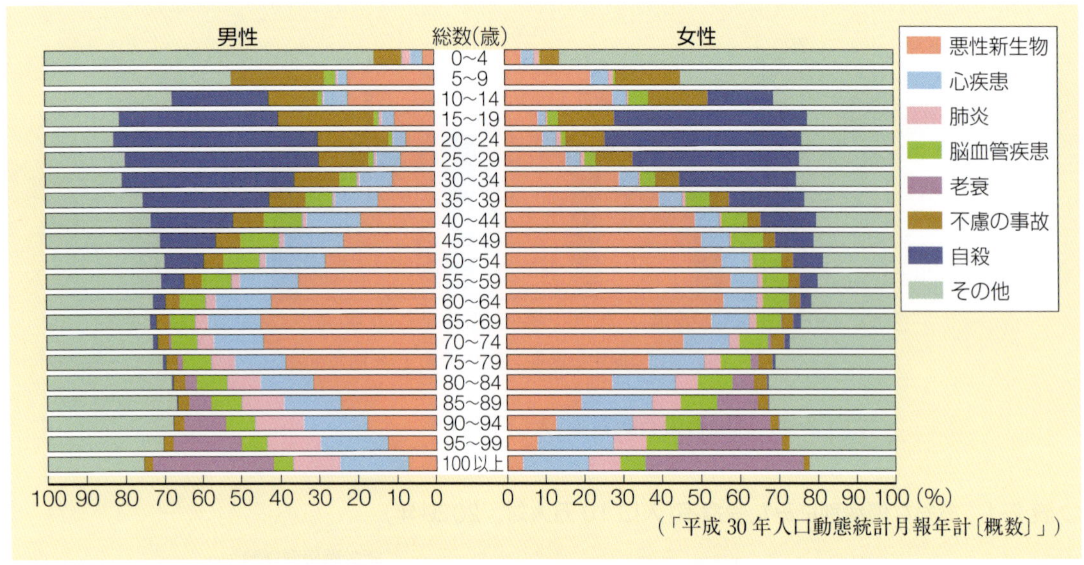

図 2-5 性別・年齢階級別にみたおもな死因の構成割合(2018年)

死因● 高齢者の死因としては，84歳までは「悪性新生物」「心疾患」「脳血管疾患」が占める割合が多く，また，それ以上になると「老衰」「心疾患」「肺炎」の占める割合が増えてくる(図 2-5)。

新たな感染症● 2019年の年末にはじめて確認された新型コロナウイルス感染症(COVID-19)は，世界規模で大流行し，日本においても2020年1月に感染者が確認された。2022年8月末には国内の死亡者数は約4万人となった。高齢者や基礎疾患のある患者は重症化しやすいとされ，ワクチンの接種をはじめとしたさまざまな感染対策が行われた。高齢者施設の面会中止や通所サービスの縮小なども実施され，2023年5月から5類感染症となったものの，高齢者の交流の機会の減少や生活の質 quality of life(QOL)への影響が懸念されている。

3 高齢者の生活構造

1 家族・世帯

高齢者のいる世帯の数と，それが全世帯に占める割合は増加傾向にあり，2022(令和4)年の統計では2747万4千世帯(全世帯の50.6%)となっている(図 2-6)。高齢者のいる世帯をさらに世帯構造別にみると，最も多い「夫婦のみ世帯」と「単独世帯」があわせて6割以上を占め，ついで「親と未婚の子のみの世帯」が多かった。

高齢者のみの世帯では，健康上の問題や要介護状態が発生した際に，家庭内での人的資源が限られる。「孤独死・孤立死」に象徴されるような状況を防ぐためにも，近隣の地域住民のネットワークや，行政や地域包括支援センターなどの公的機関からの支援が重要となる。

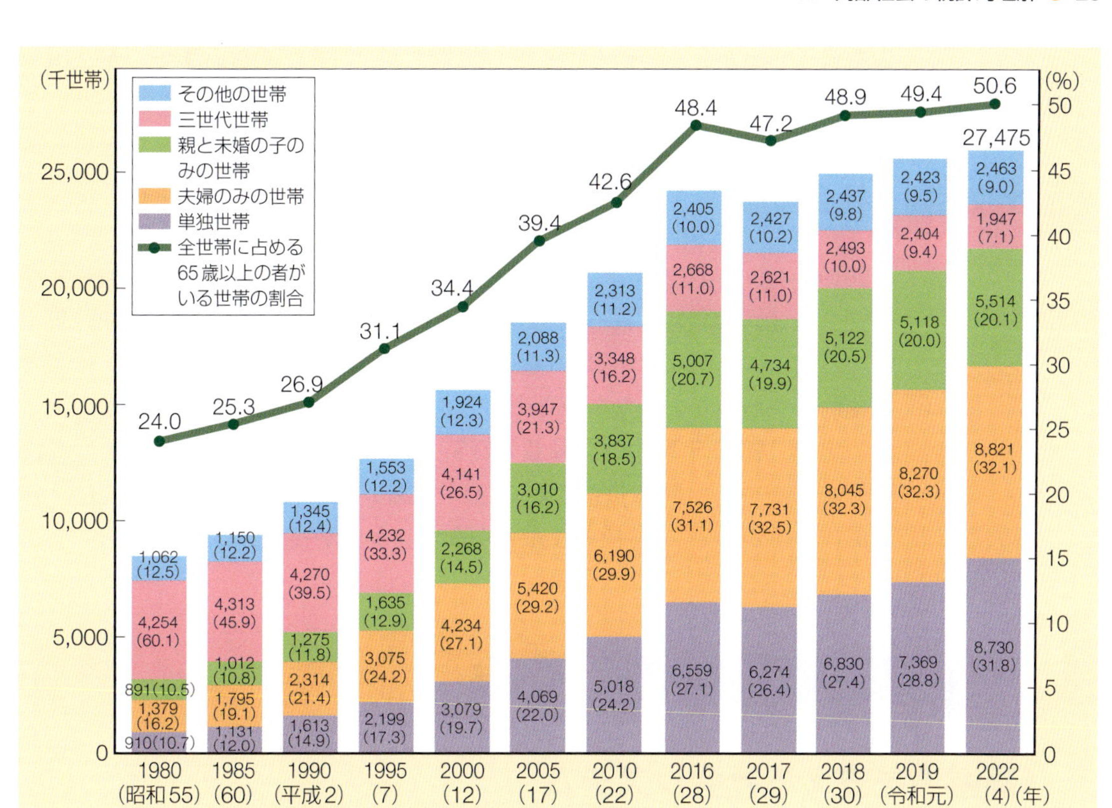

注 1 ：1995 年は兵庫県，2016 年は熊本県を除いた数値である。
注 2 ：(　) 内の数字は，65 歳以上の者のいる世帯総数に占める割合(%)を示している。
注 3 ：四捨五入のため合計は必ずしも一致しない。

（1985 年以前は「厚生行政基礎調査」，1990 年以降は「国民生活基礎調査」による）

図 2-6　高齢者のいる世帯数および構成割合とそれが全世帯に占める割合の年次推移

2 経済・就業

高齢者の所得●　2022 年の「国民生活基礎調査」によれば，全世帯の平均所得は 545 万 7 千円，世帯人員 1 人あたりの所得は 235 万円である。一方，高齢者世帯の平均所得は 318 万 3 千円であり，世帯主が 65 歳以上の世帯の場合は，世帯人員 1 人あたりの所得は 206 万 5 千円であった。高齢者世帯の所得の種類別構成割合では，「公的年金・恩給」が 62.8 %，「稼働所得」が 25.2 % であった。なお，「公的年金・恩給」が総所得に占める割合が 100 % の世帯は 44.0 % であった。

高齢者の就業●　2016 年の「労働力調査」から高齢者の就業状況をみると，労働人口 6830 万人に占める 65 歳以上の者は 875 万人(12.8 %)であり，年々上昇している。少子化により労働人口の減少が危惧されるなかで，高齢者も労働力として期待されている。同調査によれば，65～69 歳の就業率は男性 57.2 %，女性 36.6 % であり，70～74 歳、75 歳以上の年齢階級においても年々上昇している。2019(令和元)年の「高齢者の経済生活に関する調査」では，何歳まで収入を伴う仕事がしたいかという問いに対して，「65 歳くらいまで」が 25.6 %，「70 歳くらいまで」が 21.7 %，「働けるうちはいつまでも」が 20.6 % という回答順であった。このことから，高齢期であっても就業意欲は高いといえる。

3 社会活動・社会参加

2019 年度の「国民健康・栄養調査」によると，高齢者が社会参加している割合はほかの年代に比べても遜色（そんしょく）がない。とくに「町内会や地域行事などの活動」は，男女ともに 60 歳以上で約半数の者が参加しており，社会と積極的にかかわりをもちながら生活しようとする高齢者の姿勢がうかがえる。

一方で，2019 年度の「高齢者の経済生活に関する調査」では「とくに活動していない」と回答した者が 63.3 % であった。おもな理由としては「体力的にむずかしい」「時間的な余裕がない」が多かった。

B 保健医療福祉のしくみ

1 高齢者を支える社会システム

高齢者を支えるおもな社会システムは，➲ 図 2-7 に示したような社会資源からなりたっている。これらは，公的なもの（フォーマルな社会資源）と公的でないもの（インフォーマルな社会資源）に大別でき，公的な社会資源には①社会保険方式によってなりたっている公的年金制度・医療保険制度・介護

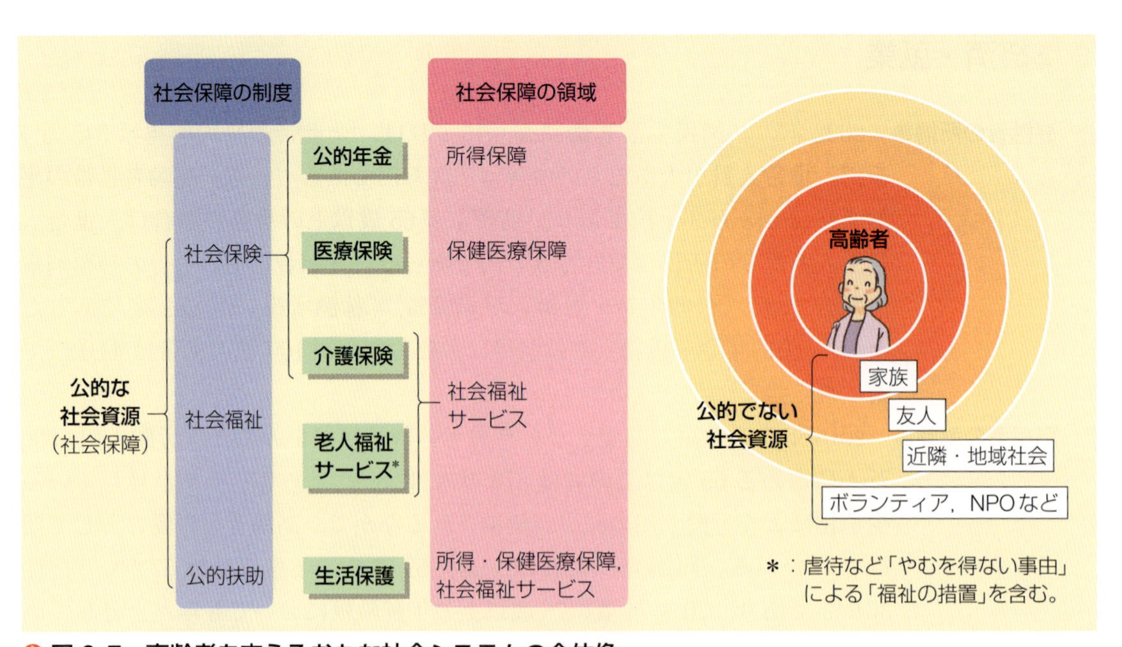

➲ 図 2-7　高齢者を支えるおもな社会システムの全体像

保険制度，②公的扶助として国や地方自治体の税金によってまかなわれる生活保護，③その他の社会福祉サービスなどがある。

こうした制度は，国や社会が高齢者の生活・健康を支えるために，第二次世界大戦以降の社会情勢の変化に応じて，さまざまにかたちをかえてきた。おもな制度の変遷は，➡表 2-2に示したとおりである。

一方，公的でない社会資源には，高齢者自身が築いてきた家族や友人，近隣との関係や，ボランティアなどによる支援などがあげられる。援助が必要な状態になった場合はもちろんのこと，健康なうちから両方の社会資源を活用できるように援助を行っていきたい。

高齢者が住み慣れた地域で健康的に，できるだけ自立した生活を継続することができるようにするためには，このような公的なものとそうでないもの，両方の資源を取り入れ，社会システムを機能させていくことが重要である。

2 高齢者を取り巻く医療制度

1 医療保険制度の概要

わが国の医療サービスは，1961(昭和 36)年の国民皆保険実現以降，国民がおさめる保険料と公費によって支えられている。医療保険は，①被用者保険，②国民健康保険，③後期高齢者医療の 3 種類に大別される。

①被用者保険 民間企業や国・自治体などで働く人を対象とした医療保険である。全国健康保険協会(協会けんぽ)管掌健康保険，組合管掌保険，共済組合などがある。2018(平成 30)年には，医療保険適用人口のうち，6 割以上の人がこの保険の適用となっている。

②国民健康保険 ①の対象ではない 75 歳未満の地域住民と，退職被保険者を対象とした保険であり，同じく 2018 年には，約 23％ の人がこの保険の適用となっている。

①，②いずれの場合も，医療給付は被保険者とその被扶養者に対して行われる。自己負担は一律 3 割だが，70 歳以上の人は 2 割負担となる。ただし，70 歳以上でも現役並みの所得がある場合は，3 割の自己負担となる。

③後期高齢者医療 2008(平成 20)年に創設された医療保険制度である。老人保健法を改正した**高齢者の医療の確保に関する法律**により，75 歳以上の人と 65 歳以上 75 歳未満で一定の障害状態が認定された人が給付対象と定められている。2018 年には約 14％ の人が適用となっている。

後期高齢者医療制度における運営主体は，市町村が加入する後期高齢者医療広域連合であり，その財源の内訳は公費が 5 割，現役世代からの支援が 4 割，高齢者の保険料が 1 割である。実際に受診・入院した場合には 1 割(現役並みの所得がある場合は 3 割)の自己負担が発生するが，ひと月ごとの上限額が設けられている。

➲表 2-2　高齢者を支える社会保障制度の変遷

年	おもな社会情勢	社会保障制度のおもな変遷	
		所得	保健医療・社会福祉サービス
1947(昭和22)年	日本国憲法施行	第25条「生存権」による，社会福祉・社会保障・公衆衛生における国の責務の明確化	
1950(昭和25)年		生活保護法制定	
1961(昭和36)年		国民皆保険・皆年金の実現	
1963(昭和38)年	核家族化やひとり暮らし老人，寝たきり老人の問題が顕在化		老人福祉法制定
1970(昭和45)年	高齢化率が7%をこえ，高齢化社会へ		
1973(昭和48)年	福祉元年 オイルショックによる経済不況 老人医療費の急増，「老人病院」の増加 「社会的入院」現象 疾病構造の変化(生活習慣病の増加)		老人福祉法改正(老人医療費無料化)
1982(昭和57)年			老人保健法制定
1983(昭和58)年			老人医療費支給制度の廃止，老人医療費の一部負担の導入
1984(昭和59)年	日本が世界一の長寿国になる		健康保険法などの改正(本人1割負担の導入)
1985(昭和60)年		国民年金法改正(基礎年金制度導入)	
1986(昭和61)年	産業構造の変化		老人保健施設の創設
1987(昭和62)年	在宅福祉の推進 福祉専門職の制度化		社会福祉士及び介護福祉士法制定
1989(平成元)年	消費税創設		高齢者保健福祉推進10か年戦略(ゴールドプラン)策定
1994(平成6)年	高齢社会(高齢化率14%超) バブル経済の崩壊	年金支給開始年齢の段階的引き上げ	新ゴールドプラン策定
			ゴールドプラン21策定
2000(平成12)年	少子高齢化の進行		介護保険法施行
2005(平成17)年	要介護・要支援認定者数の増大		
2006(平成18)年			老人保健法から「高齢者の医療の確保に関する法律」に改正
2008(平成20)年			後期高齢者医療制度の創設
2010(平成22)年		日本年金機構の発足	
2011(平成23)年	地域包括ケアの推進		
2012(平成24)年	社会保障制度改革推進法制定		認知症施策推進5か年計画(オレンジプラン)の公表
2014(平成26)年		医療介護総合確保推進法制定	
2015(平成27)年			新オレンジプランの公表
2018(平成30)年			介護医療院の創設
2019(令和元)年			認知症施策推進大綱
2020(令和2)年	COVID-19の世界的感染拡大		
2023(令和5)年			共生社会の実現を推進するための認知症基本法

2 高齢者医療制度の課題

後期高齢者医療制度は，後期高齢者の心身の特性や生活実態などをふまえ，独立した医療保険制度として発足したが，その背景には急増する老人医療費をどのように負担していくかという財政的な課題があった。

1973(昭和48)年，「老人福祉法」に基づき老人医療費の無料化が行われた。その時点での老人医療の対象となる被保険者数は424万人であったが，2007(平成19)年には1297万人に増加していた。また，同じ時点での医療費についてみてみると，4289億円から11兆2753億円と約26倍に大きくふくらみ，国民医療費の約31％を占めていた。

後期高齢者医療制度が施行された2008年以降も，対象となる被保険者数は，医療費とともに増加しており，2022(令和4)年以降は団塊(だんかい)の世代が後期高齢者となり始めるため，さらなる急増が見込まれている。

持続可能な医療制度を構築するために，高齢者の自己負担割合の改定や，現役世代からの支援金の負担方法の検討，後期高齢者の保健事業の充実，地域包括ケアシステム(➡32ページ)の体制づくりなどが行われている。

3 高齢者を取り巻く福祉制度

1 介護保険制度設立までの経緯

老人福祉法と老人保健法●

1955(昭和30)年ごろから始まった，高度経済成長による都市部への人口流入に伴い，核家族化やひとり暮らし老人，寝たきり老人などの問題が顕在化した。そうした状況の中，1963(昭和38)年には**老人福祉法**が制定され，高齢者に対する福祉サービスや保健指導などが実施された。

その後，1970(昭和45)年には，わが国は高齢化社会に入った。当時，一般に低収入であった高齢者が必要な医療を受けられるように，1973年に老人福祉法が改正された。改正によって，老人医療費支給制度が実施され，高齢者の医療費負担が無料化された。このため，同年は「福祉元年」とよばれている。しかし，無料化により老人医療費が急増したため，1982(昭和57)年には**老人保健法**が制定され，この法律に基づき，翌1983(昭和58)年に老人医療費支給制度は終了した。

老人保健施設●

老人保健法には，疾病予防や健康づくりなどの老人保健医療対策も盛り込まれており，1986(昭和61)年には同法の改正により，介護を要する高齢者の心身の自立を支援し，家庭への復帰を目ざすことを目的とする**老人保健施設**が創設された。老人保健施設は，医療機関と居宅(福祉施設および自宅)との中間的性格を有することから，中間施設として位置づけられた。

あわせて，1970年代半ば以降，在宅での福祉も推進され，**ショートステイ**や**デイサービス**が国の補助事業となった。さらに，在宅介護サービスの担い手としての人材を確保するために，1987(昭和62)年に社会福祉士及び介護福祉士法が制定され，福祉専門職が制度化された。

高齢者保健福祉の推進戦略● 1989(平成元)年には，高齢者の在宅福祉や施設福祉などの基盤整備を促進するために，「**高齢者保健福祉推進十か年戦略**」(ゴールドプラン)が策定された。さらに，介護需要の増大により，1994(平成6)年には「**新・高齢者保健福祉推進十か年戦略**」(新ゴールドプラン)が策定された。

新ゴールドプランでは，①利用者本位・自立支援，②普遍主義，③総合的サービスの提供，④地域主義が目標に掲げられた。そのうえで，「すべての高齢者が心身の障害を持つ場合でも尊厳を保ち，自立して高齢期を過ごすことができる社会を実現していくために，高齢期最大の不安要因である介護問題について，介護を必要とする者だれもが，自立に必要なサービスを身近に手に入れることのできる体制を構築する」ことを基本理念として，在宅サービスや施設サービスの整備目標数を示した。そして同年，わが国の高齢化率は14％をこえ，高齢社会に突入した。

介護保険● その後，介護を社会全体の問題としてとらえ，国民全体で支えるしくみとして1997(平成9)年に**介護保険法**が成立した。1999(平成11)年には，この介護保険制度と，高齢化率が世界最高水準に達した状況を見すえて，新ゴールドプランの後継策である「**今後五か年の高齢者保健福祉施策の方向**」(**ゴールドプラン21**)が策定された。ゴールドプラン21では，介護サービスの基盤整備と生活支援対策が重要視され，これまでのプランにはなかった，グループホームの整備などが具体的な施策として掲げられた。

介護保険法は，2000(平成12)年4月に施行された。介護保険制度がスタートしたときには218万人だった要介護者は，2020年4月末には669万3千人と，3倍以上に増加している。

2 介護保険制度の概要

介護保険制度の保険者は，市町村(特別区を含む)である。被保険者は，第1号被保険者と第2号被保険者に区分される(➲表2-3)。

要介護認定● 介護保険におけるサービスの給付は，被保険者が要介護状態または要支援状態にあると判断された場合に行われる。介護サービスの利用までの手続きは，➲図2-8のようになっている。

要介護認定は，市町村などに設置される介護認定審査会によって行われる。まず，高齢者の心身の状況に関する調査に基づいてコンピュータによる一次判定が行われる。次に，その結果と主治医の意見書，訪問調査の際の特記事項などに基づき，介護認定審査会において審査がなされ，二次判定が行われる。これにより要介護状態区分が決定され，要介護1～5の人は**介護給付**の，要支援1，2の人は**予防給付**の対象となる。

実際にどのサービスを選択し，利用するのかは，**介護支援専門員**(**ケアマ**

表 2-3　介護保険制度における被保険者・受給権者・保険料負担

	第 1 号被保険者	第 2 号被保険者
対象者	65 歳以上の者	40 歳以上 65 歳未満の医療保険加入者
受給権者	• 要介護者(寝たきりや認知症で介護が必要な者) • 要支援者(要介護状態となるおそれがあり日常生活に支援が必要な者)	要介護者・要支援者のうち，初老期における認知症，脳血管疾患などの老化に起因する疾病(特定疾病)によるもの
保険料負担	所得段階別定額保険料 (低所得者の負担軽減)	健保：標準報酬×介護保険料率 (事業主負担あり) 国保：所得割，均等割等に按分 (国庫負担あり)
賦課(ふか)・徴収方法	年金額一定以上は年金からの支払い(特別徴収)，それ以外は普通徴収	医療保険者が医療保険料として徴収し，納付金として一括して納付

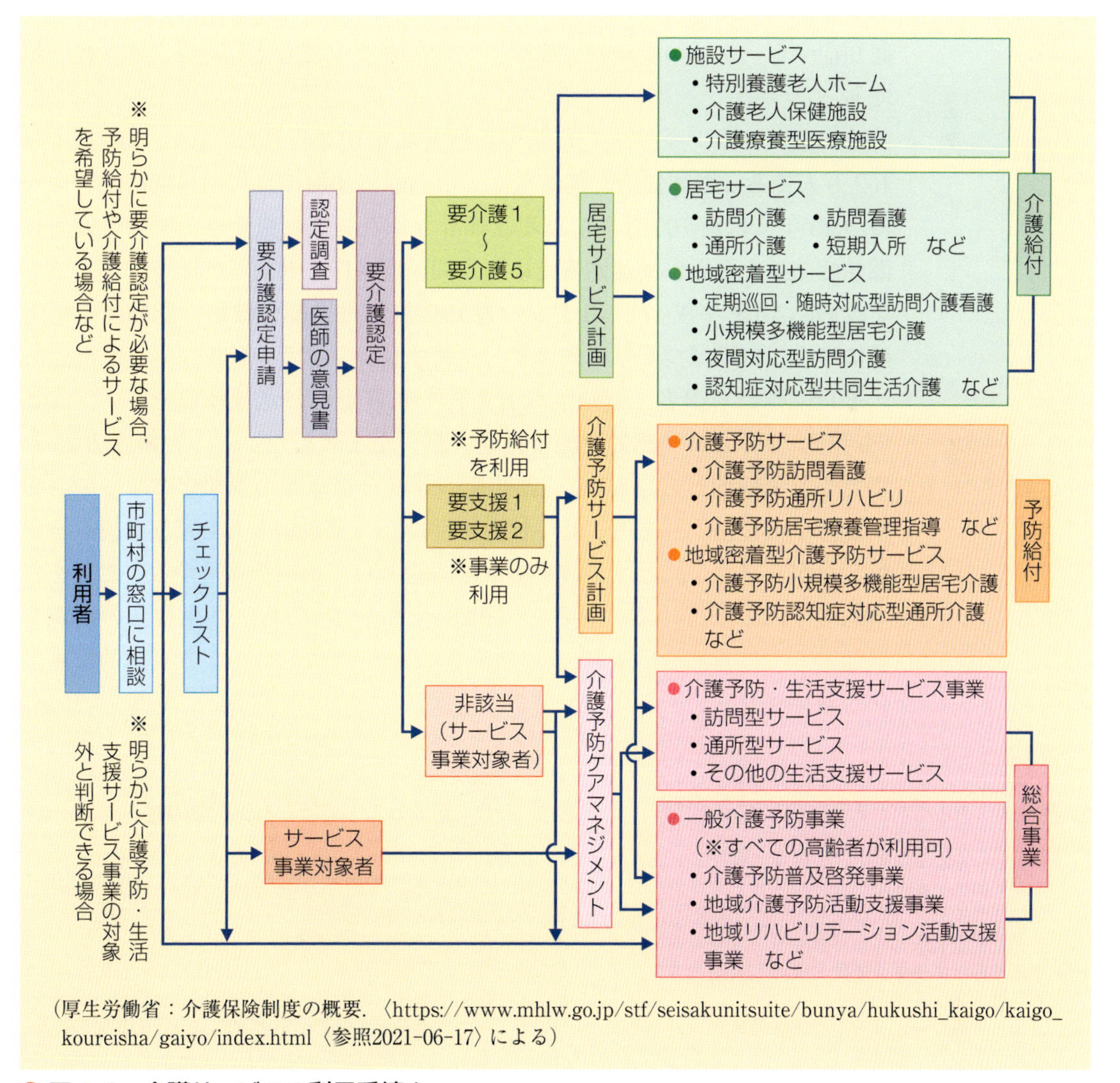

図 2-8　介護サービスの利用手続き

ネジャー）によって決定される。介護支援専門員は，利用者の意向をふまえたうえで，居宅や施設または介護予防などにおける**介護サービス計画**（**ケアプラン**）を作成し，サービス給付につなげる。

介護保険の給付● 給付対象となるサービスの種類を➲図2-9にまとめた。介護サービス利用費の9割は保険給付であり，残りの1割が利用者の自己負担である。ただし，一定以上の所得がある第1号被保険者は2割または3割の自己負担となる。費用は介護報酬として，サービスを提供した事業者に支払われる。介護報酬は，原則として3年に1度の頻度で改定されることになっている。

3 認知症対策

認知症者数の増加への対策として，厚生労働省は2012（平成24）年9月に「**認知症施策推進5か年計画**」（**オレンジプラン**）を発表した（➲表2-4）。オレンジプランでは2013（平成25）年から2017（平成29）年までの計画が示され，認知症サポーターの養成や認知症カフェの普及などもオレンジプランの一環であった。

その後，オレンジプランに基づく研究結果が報告され，2012年時点では462万人であった認知症有病者数は，いわゆる団塊の世代が後期高齢者になる2025年には約700万人になると推計された。これを受けた厚生労働省は，認知症施策をさらに加速するために，関係府省庁と共同してオレンジプランを改め，2015（平成27）年1月に「**認知症施策推進総合戦略～認知症高齢者等にやさしい地域づくりに向けて～**」（**新オレンジプラン**➲表2-5）を策定した。

また，国は有識者，認知症患者本人や家族などに意見聴取を行い，2019（令和元）年6月に「**認知症施策推進大綱**」をまとめた。この大綱は2025年までを対象期間としており，「認知症の発症を遅らせ，認知症になっても希望を持って日常生活を過ごせる社会を目指し，認知症の人や家族の視点を重視しながら『共生』と『予防』を車の両輪として施策を推進する」ことを基本的考え方としている。さらに，2023（令和5）年には，「共生社会の実現を推進するための認知症基本法（認知症基本法）」が成立し，より具体的な施策化が期待される。

➲表2-4 オレンジプランの7つの目標

1. 標準的な認知症ケアパスの作成・普及
2. 早期診断・早期対応
3. 地域での生活を支える医療サービスの構築
4. 地域での生活を支える介護サービスの構築
5. 地域での日常生活・家族の支援の強化
6. 若年性認知症施策の強化
7. 医療・介護サービスを担う人材の育成

➲表2-5 新オレンジプランの7つの柱

1. 認知症への理解を深めるための普及・啓発の推進
2. 認知症の容態に応じた適時・適切な医療・介護等の提供
3. 若年性認知症施策の強化
4. 認知症の人の介護者への支援
5. 認知症の人を含む高齢者にやさしい地域づくりの推進
6. 認知症の予防法，診断法，治療法，リハビリテーションモデル，介護モデル等の研究開発およびその成果の普及の推進
7. 認知症の人やその家族の視点の重視

	予防給付におけるサービス	介護給付におけるサービス
都道府県が指定・監督を行うサービス	◎介護予防サービス 【訪問サービス】 ○介護予防訪問入浴介護 ○介護予防訪問看護 ○介護予防訪問リハビリテーション ○介護予防居宅療養管理指導 【通所サービス】 ○介護予防通所リハビリテーション 【短期入所サービス】 ○介護予防短期入所生活介護 ○介護予防短期入所療養介護 ○介護予防特定施設入居者生活介護 ○介護予防福祉用具貸与 ○特定介護予防福祉用具販売	◎居宅サービス 【訪問サービス】 ○訪問介護 ○訪問入浴介護 ○訪問看護 ○訪問リハビリテーション ○居宅療養管理指導 【通所サービス】 ○通所介護 ○通所リハビリテーション 【短期入所サービス】 ○短期入所生活介護 ○短期入所療養介護 ○特定施設入居者生活介護 ○福祉用具貸与　○特定福祉用具販売 ◎施設サービス ○介護老人福祉施設　○介護老人保健施設 ○介護療養型医療施設　○介護医療院 ◎居宅介護支援
市町村が指定・監督を行うサービス	◎介護予防支援 ◎地域密着型介護予防サービス ○介護予防小規模多機能型居宅介護 ○介護予防認知症対応型通所介護 ○介護予防認知症対応型共同生活介護（グループホーム）	◎地域密着型サービス ○定期巡回・随時対応型訪問介護看護 ○小規模多機能型居宅介護 ○夜間対応型訪問介護 ○認知症対応型通所介護 ○認知症対応型共同生活介護（グループホーム） ○地域密着型特定施設入居者生活介護 ○地域密着型介護老人福祉施設入所者生活介護 ○看護小規模多機能型居宅介護 ○地域密着型通所介護
その他	○住宅改修	○住宅改修

市町村が実施する事業

◎地域支援事業

○介護予防・日常生活支援総合事業

（1）介護予防・生活支援サービス事業
- 訪問型サービス
- 通所型サービス
- 生活支援サービス
- 介護予防ケアマネジメント

（2）一般介護予防事業
- 介護予防把握事業
- 介護予防普及啓発事業
- 地域介護予防活動支援事業
- 一般介護予防事業評価事業
- 地域リハビリテーション活動支援事業

○包括的支援事業

（1）総合相談支援業務
（2）権利擁護業務
（3）包括的・継続的ケアマネジメント支援業務
（4）在宅医療・介護連携推進事業
（5）生活支援体制整備事業
（6）認知症総合支援事業

○任意事業

（厚生労働省：介護保険制度の概要．〈https://www.mhlw.go.jp/stf/seisakunitsuite/bunya/hukushi_kaigo/kaigo_koureisha/gaiyo/index.html〈参照2021-06-17〉による）

図 2-9　介護保険の給付対象となるサービスの種類

4 地域包括ケア

介護保険は，施行後5年である2005(平成17)年の見直しによって，「予防重視型システムへの転換」が行われた。この際，「新たな予防給付」が再編成され，さらに，要介護・要支援状態になる前段階からの一貫した介護予防マネジメントを実施する拠点として**地域包括支援センター**が創設された。

地域包括支援センター● 地域包括支援センターは，介護保険法第115条において「第一号介護予防支援事業及び包括的支援事業などの事業を実施し，地域住民の心身の健康の保持及び生活の安定のために必要な援助を行うことにより，その保健医療の向上及び福祉の増進を包括的に支援することを目的とする施設(一部省略)」とされている。市町村が設置主体であり，専門職種として保健師，社会福祉士，主任介護支援専門員が配置される。

地域における包括的支援事業などの実施のための中核的機関である。具体的には，第1号介護予防支援事業(介護予防ケアマネジメント)，総合相談支援業務，権利擁護業務，包括的・継続的ケアマネジメント支援業務を実施している。実施した事業については，全国で統一された指標を用いて評価を行い，必要な改善措置を講じることが義務化されている。

医療介護総合確保推進法● 2014(平成26)年には持続可能な社会保障制度の確立に向けて，地域における医療及び介護の総合的な確保を推進するための関係法律の整備等に関する法律(**医療介護総合確保推進法**)が成立した(施行2015〔平成27〕年)。これを受けて，介護保険法では地域包括ケアシステムの構築と費用負担の公平化がはかられた。

地域包括ケアシステム● 地域包括ケアシステムは，「重度な要介護状態となっても住み慣れた地域で自分らしい暮らしを人生の最後まで続けることができるよう，住まい・医療・介護・予防・生活支援が一体的に提供される」しくみとされ，2025年をめどとして構築することが目ざされている(➲ 図2-10)。市町村や都道府県には，地域の自主性や主体性にもとづき，地域の特性に応じたシステムを構築することが求められている。

4 高齢者の暮らしを支える制度

高齢者の暮らしを支える制度には，所得保障としての公的年金や生活保護がある。わが国の**公的年金**は，国民皆年金制である。現役世代の保険料負担で高齢者世代を支える世代間扶養という考え方で運営されているため，強制加入による社会保険方式がとられている。

公的年金の種類と区分● 公的年金には①国民年金，②厚生年金，③共済年金の3種類があり，国民すべてが加入する国民年金は，職業などによって第1号被保険者から第3号被保険者に区分される。

民間企業の従業員や公務員などは第2号被保険者とされ，それぞれ国民年

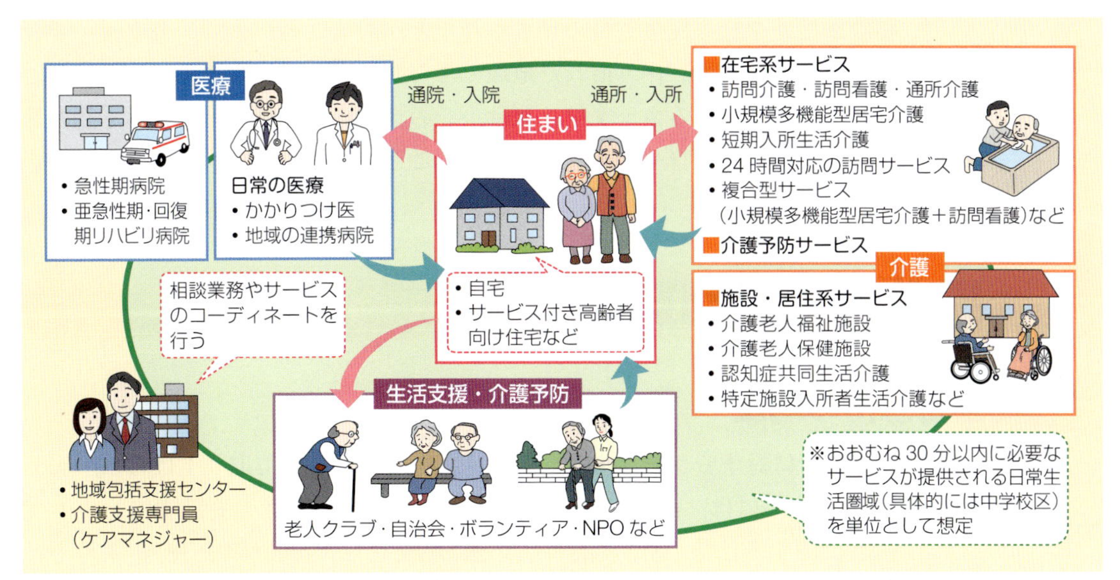

図 2-10　地域包括ケアシステムの姿

金の上のせ制度としての，厚生年金や共済年金に加入している。第 3 号被保険者は，第 2 号被保険者の被扶養配偶者であり，保険料負担はない。第 2 号と第 3 号に該当しない 20 歳以上 60 歳未満の人は，第 1 号被保険者となる。

公的年金制度では，被保険者が老齢になった場合は老齢年金が，病気やけがで障害を有することになった場合は，障害年金が支給される。また，年金受給者もしくは被保険者が死亡したときは，その遺族に遺族年金が支給される場合がある。老齢年金は，原則として 65 歳から受給できるが，国民年金に 10 年以上加入していることが支給要件である（2017 年 8 月から適用）。障害年金は通常，障害認定を受けた時点から支給される。

生活保護● **生活保護**は公的扶助であり，日本国憲法第 25 条の「生存権」の理念に基づく制度である。生活に困窮（こんきゅう）する人に対して，その困窮の程度に応じて健康で文化的な最低限の生活を保障するとともに，自立した生活を助長することを目的としている。

なお，生活費にあてることができる資産のある人，働いて収入を得られる可能性のある人，親族などから援助を受けられる人は，それらが保護に優先する。生活保護は世帯単位で行われ，年金やほかの制度による手当などを活用したうえで，最低限の生活を送るために必要な生活費の差額が支給される。

5 地域のネットワーク

高齢者が地域でできる限り自立した生活を送るためには，家族や友人，近隣住民といった，公的に用意されたものではない社会資源が大きな要素となる。さらに，それぞれの高齢者が有する人間関係だけではなく，町内会や自治会といった単位の住民どうしのつながりや，地域住民の社会福祉に関する相談や援助を行う民生委員の見まもりなどがあることにより，要支援・要介護状態であっても，住み慣れた地域で暮らしつづけることが可能になる。こうした地域におけるネットワークは，その地域の住民全員が必要性を認識し，日ごろからネットワークを構築していくことが大切である。

C 高齢者の権利擁護

1 高齢者虐待の防止

高齢者に対するさまざまな虐待が社会的な問題として取り上げられ，2005(平成17)年には，高齢者に対する虐待の防止，高齢者の養護者に対する支援等に関する法律(**高齢者虐待防止法**)が成立し，2006(平成18)年4月1日から施行された。

高齢者虐待とは，養護しなければならない高齢者に対して，家族や親族といった養護者，または介護施設や介護事業所の職員などが，①身体的虐待，②介護・世話の放棄・放任，③心理的虐待，④性的虐待，⑤経済的虐待を行うことをいう(➲表2-6)。

虐待の実態と予防・介入

高齢者虐待防止法に基づいて実施された2019(令和元)年度の調査[1]によれば，前年度に比べ相談・通報件数と実際に虐待と判断された件数は，介護職員によるものは両方とも増加していた。家族など養護者によるものは，相談・通報件数は増加しており，虐待と判断されたものは減少してはいるものの16,928件にのぼっていた。虐待の種別では，養護者と介護職員による虐

➲表2-6 高齢者虐待の種類

虐待の種類	虐待の内容
身体的虐待	高齢者の身体に外傷を生じる，または生じるおそれのある暴力を加えること
介護等放棄	高齢者を衰弱させるような著しい減食，長時間の放置，養護者以外の同居人による虐待行為の放置など，養護を著しく怠ること
心理的虐待	高齢者に対する著しい暴言または著しく拒絶的な対応，その他，高齢者に著しい心理的外傷を与える言動を行うこと
性的虐待	高齢者にわいせつな行為をすること，または高齢者にわいせつな行為をさせること
経済的虐待	養護者または高齢者の親族が当該高齢者の財産を不当に処分すること，その他当該高齢者から不当に財産上の利益を得ること

1）厚生労働省：令和元年度 高齢者虐待の防止，高齢者の養護者に対する支援等に関する法律に基づく対応状況等に関する調査結果〈https://www.mhlw.go.jp/content/12304250/000708459.pdf〉〈参照2021-10-01〉

待のいずれにおいても，身体的虐待の割合が最も高く，ついで心理的虐待が多かった。また，養護者によるものでは介護等放棄や経済的虐待も2割近くあった。

養護者による虐待についてさらに詳しくみると，被害者は要介護認定を受けていた者が7割近くを占め，うち要介護1・2の者が5割近くであった。また，被害者の8割以上が虐待をした親族と同居しており，その続柄としては息子が4割以上であった。

これらの数値は，高齢者虐待による被害を示すだけでなく，重い介護負担などを背景とした，家族による在宅介護のむずかしさを示しているとも考えられる。高齢者の被害や家族の崩壊を未然に発見するためには，家族の状況をふまえた見まもりや情報提供，適切な介護保険サービスの利用促進などが求められる。まずは地域において，介護支援専門員や民生委員を中心とした，高齢者虐待を予防する活動が重要である。

高齢者虐待が発見された場合は，市町村（または地域包括支援センターなど）に設置されている，高齢者虐待対応窓口が届出を受理する。その後，市町村または地域包括支援センターが必要な情報収集を行い，関係機関などによる会議を実施して，支援につなげる。そのなかでも緊急性が高く，高齢者の安全を早急に確保しなければならない場合は，立ち入り調査が行われる。

2 成年後見制度

認知症や精神障害などによって判断能力が十分ではなくなると，財産の管理や重要な契約などを適切に行うことがむずかしくなる。**成年後見制度**は，そのような場合に不当に不利益をこうむることから保護するために，法律行為を代行したり支援したりする人を選任する制度である。成年後見制度には，大きく法定後見制度と任意後見制度の2つがある。

法定後見● 法定後見制度は，「後見」「保佐」「補助」に分かれており，本人の判断能力の程度などに応じて，いずれかを選ぶことができる(➡表2-7)。申立ては本人や親族だけでなく，検察官や市区町村長などにも行う権利がある。成年後見人・保佐人・補助人は，家庭裁判所によって選任される。

任意後見● 任意後見制度は，判断能力が十分にある人が，あらかじめみずから後見人を選ぶ制度である。将来判断能力が低下したときに，本人や親族，後見人予定者が申立てを行い，家庭裁判所が任意後見監督人を選任して，その監督のもと任意後見が開始される。任意後見は，判断能力のあるうちに後見人を選べるので，将来への不安を解消するために用いられる。

3 日常生活自立支援事業

成年後見制度とは別に，認知症などによって判断能力が十分でなくなった人が，地域で自立した生活が送れるように，福祉サービスの利用などに関し

➲表 2-7　法定後見制度の概要

<table>
<tr><th></th><th>後見</th><th>保佐</th><th>補助</th></tr>
<tr><td>対象者</td><td>判断能力が欠けているのが通常の状態の者</td><td>判断能力が著しく不十分な者</td><td>判断能力が不十分な者</td></tr>
<tr><td>申立てができる者</td><td colspan="3">本人，配偶者，四親等内の親族，検察官など
市区町村長(注 1)</td></tr>
<tr><td>成年後見人等(成年後見人・保佐人・補助人)の同意が必要な行為</td><td></td><td rowspan="2">民法第 13 条 1 項所定の行為(注 2)(注 3)(注 4)</td><td>申立ての範囲内で家庭裁判所が審判で定める「特定の法律行為」(民法第 13 条 1 項所定の行為の一部)(注 1)(注 2)(注 4)</td></tr>
<tr><td>取消しが可能な行為</td><td>日常生活に関する行為以外の行為</td><td>同上(注 2)(注 4)</td></tr>
<tr><td>成年後見人等に与えられる代理権の範囲</td><td>財産に関するすべての法律行為</td><td colspan="2">申立ての範囲内で家庭裁判所が審判で定める「特定の法律行為」(注 1)</td></tr>
</table>

注 1：本人以外の者の請求により，保佐人に代理権を与える審判をする場合，本人の同意が必要となる。補助開始の審判や補助人に同意権・代理権を与える審判をする場合も同様。
注 2：民法第 13 条 1 項では，借金，訴訟行為，相続の承認・放棄，新築・改築・増築などの行為をあげている。
注 3：家庭裁判所の審判により，民法第 13 条 1 項所定の行為以外についても，同意権・取消権の範囲を広げることができる。
注 4：日常生活に関する行為は除く。

ての援助を行う**日常生活自立支援事業**という制度がある。

この事業は，都道府県などの社会福祉協議会が実施主体であり，福祉サービスの利用や公共料金の支払い，各種行政手続きなどにおいて，利用者の日常的な金銭管理などを援助したり，定期的な訪問によって生活の変化を察知するなどの援助が行われている。

D 高齢者にとっての家族

1 家族のサイクル

1 家族の定義

家族に対する考え方は，個人・文化・時代によって異なり，さまざまに定義されている。広辞苑では，「夫婦の配偶関係や親子・兄弟などの血縁関係によって結ばれた親族関係を基礎にして成立する小集団。社会構成の基本単位」[1] と解説されている。また，家族看護の理論家フリードマン Friedman, M. M. は，「相互に情緒的に巻き込まれ，地理的に近くで生活をしている人々

1）新村出編：広辞苑，第 7 版．岩波書店，2020.

表 2-8 家族の機能

情緒機能	家族成員の心理的ニードに応じる
社会化と社会布置機能	生活習慣の獲得やしつけなどの子どもの社会化を担う
	家族成員としての地位を子どもに与える
生殖機能	家族の連続性を世代から世代へと保証する
経済的機能	十分な経済的資源を提供し有効に配分する
ヘルスケア機能	衣食住などの人間が生きていくうえで最低限必要なものを供給する

(ふたり以上の人々)からなる」と定義している[1]。情緒的に巻き込まれるとは，共通感覚や相互義務，ある種の義務を共有しているという認識をもち，また，相互のかかわりと思いやりによって結びついていることを意味する。この定義には，婚姻や血縁，養子縁組など，公的関係にある家族だけでなく，ひとり親家庭や同性愛者の家族なども含んでいる。

看護職者には，さまざまな家族のかたちを理解した支援が求められる。わが国では，2008年に専門看護師制度の専門分野に家族支援が特定され，家族支援専門看護師による水準の高い家族看護が行われている。

2 家族の機能

フリードマンは，**家族機能**について，①情緒機能，②社会化と社会布置機能，③生殖機能，④経済機能，⑤ヘルスケア機能をあげている[2]（表 2-8）。これらの家族機能は，その時代の家族観や社会変動などにより変化する。

近年，世帯人員が徐々に減少しており，このことが家族機能に影響を及ぼしている。たとえば，独居高齢者で介護が必要になった場合，家族が遠方に住んでいると，家族だけでは対応がむずかしくなる。

現在では，情報通信技術(ICT)や介護サービスなどが進歩したことで，家族機能の一部を家族外から提供できるようになった。とはいえ，家族はいまも昔も高齢者に安らぎを与え，生活を支える大きな存在であることにかわりはない。

3 家族周期

家族周期には，ライフイベント(結婚・出産・養育など)があり，そのたびにさまざまな発達課題が生じる。家族周期の考え方には，ヒル R. Hill の9段階説や森岡の8段階説がある（表 2-9）。森岡の8段階説によると，退隠期

1）Marilyn M. Friedman 著，野嶋佐由美訳：家族看護学―理論とアセスメント．p.12，へるす出版，1993.
2）上掲書 1），p.74.

➲ 表 2-9　家族周期

森岡の8段階	家族の発達段階	家族の発達課題
Ⅰ　子どものいない新婚期	1段階 家族の誕生	互いに満足できる結婚生活を築く。調和のとれた親族ネットワークを築く。家族計画をたてる。
Ⅱ　第1子出生～小学校入学(育児期)	2段階 出産家族 (第1子が2歳6か月未満)	家族員個々の発達ニーズを満たす。新しい役割(父親，母親など)を学習する。家族で役割の調整を行い，家族機能や家族関係を拡大する。
	3段階 学齢前期の子どもをもつ家族 (第1子が2歳6か月～6歳未満)	子どもが役割を取得できるように育てる。子どもの事故や健康障害を予防する。第1子のニーズを満たしながら第2子のニーズを満たす。親役割と夫婦役割，親子関係(親の子離れ，子の親離れ)を調整する。
Ⅲ　第1子小学校入学～卒業(第1教育期)	4段階 学童期の子どもをもつ家族 (年長児が6歳～12歳未満)	子どもの社会化を促す。子どもが学業に励むように配慮する。円満な夫婦関係を維持する。子どもが親から分離できるように促す。
Ⅳ　第1子中学校入学～高校卒業(第2教育期) Ⅴ　第1子高校卒業～末子20歳未満(第1排出期)	5段階 10歳代の子どもがいる家族	子どもの自由や責任を認め，子どもを巣立たせる準備をする。家族の統合を徐々にゆるめ，子どもをとき放していく。両親と子どもとの間に開放的なコミュニケーションを確立する。
Ⅵ　末子20歳～子ども全部結婚独立(第2排出期)	6段階 新たな出発の時期にある家族 (第1子が家庭を巣立ってから末子が巣立つまで)	第1子の巣立ちを援助し，その他の子どもには巣立たせる準備をする。子どもの結婚により新しい家族員を迎え，家族を拡張する。子ども夫婦のライフスタイルや価値観を認める。夫婦役割を調整して再確立する。
Ⅶ　子ども全部結婚独立～夫65歳未満(向老期)	7段階 壮年期の家族 (空の巣から退職まで)	成長した子どもとの関係性を再定義しながら子どもから独立することに取り組む。健康的な環境を整える。年老いた両親や孫と有意義な関係を維持する。夫婦関係を強固なものにする。
Ⅷ　夫65歳～死亡(退隠期)	8段階 退職後の高齢者家族 (配偶者の退職から死まで)	満足できる生活状態を維持し，減少した収入での生活に適応していく。夫婦関係を維持する。配偶者の喪失に適応する。家族のきずなを統合させたものとして維持する。人生をふり返り自分の存在の意味を見いだす。

(野嶋佐由美監修：家族エンパワーメントをもたらす看護実践．p.105，へるす出版，2005による，一部改変)

の家族には，これまでの人生をふり返り，家族のきずなを統合していく発達課題があるとしている。

個人のライフサイクルに発達段階・発達課題があるように，家族周期においても発達段階・発達課題がある。各発達段階における発達課題を達成すると，次の発達段階へ移行するが，発達課題が達成されない場合，次の発達課題を達成することは困難になる。看護職者は家族の発達段階を理解し，教育的なはたらきかけを通して，家族が発達課題をのりこえられるよう支援する。

2 高齢者と家族

わが国の平均寿命は年々延伸している。それに伴い，高齢者世帯も増加しており，その世帯構造は「単独世帯」が約半数を占めている(➲ 図 2-11)。

単独世帯が増加したことで，疾病や障害をもつ高齢者が，家族の援助を受けられないという事態がおきている。また，社会との接点が乏しい場合，認

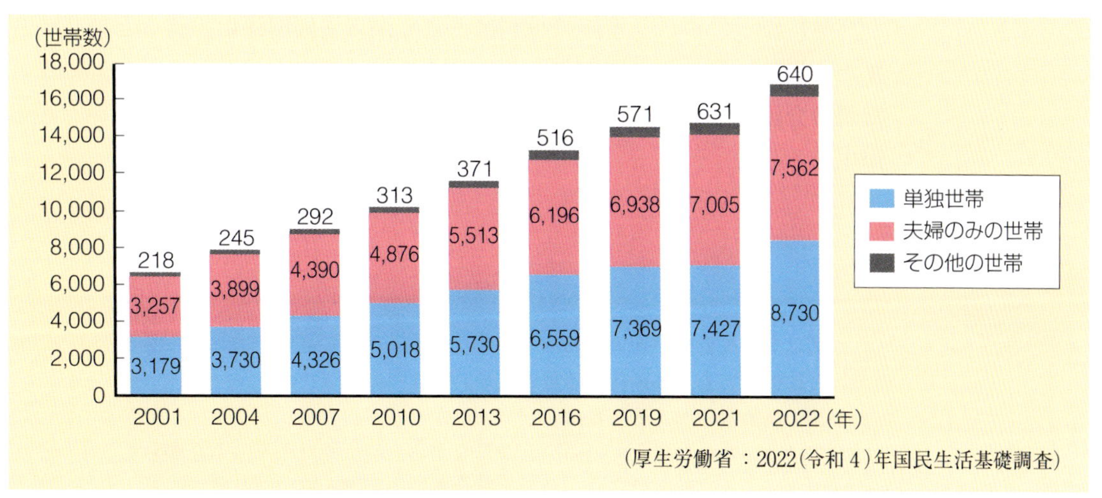

図 2-11　高齢者世帯の世帯構造の年次推移

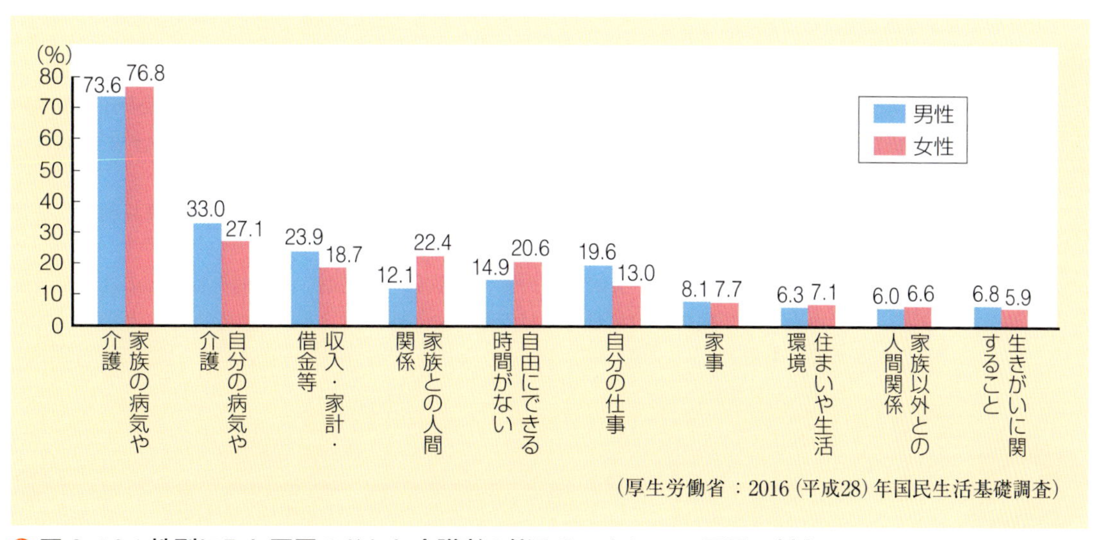

図 2-12　性別にみた同居のおもな介護者の悩みやストレスの原因の割合

知症やうつの発見が遅れ，孤独死のリスクにつながる。今後も高齢者世帯の増加が予測されており，これらの健康課題への対策が進められている。

3 家族の役割と悩み

家族には，子どもを産み・育てる，家事をする，介護する，経済的に支え合うなど，家族という集団を存続させる役割がある。また，愛情をはぐくむ，喜びや苦労を分かち合うなど，家族成員の欲求を充足させる役割もある。

家族介護者の悩みやストレスに関する調査では，日常生活での悩みやストレスについて，「ある」が68.9％，「ない」が26.8％であった。「ある」と回答した人の悩みやストレスの原因は，男女ともに「家族の病気や介護」が最も多く，ついで「自分の病気や介護」であった(➲図2-12)。

高齢になるにつれ，家族の役割は子育てから夫婦関係の維持へと変化する。また，加齢に伴う心身の変化から自身の健康に不安を感じたり，高齢になった親の介護が必要になったりなど，新たな課題や悩みに向き合っていく必要が生じる。

まとめ

- わが国は少子高齢化が進んでおり，高齢化率が「超高齢社会」の水準にある。また，諸外国と比較しても，高齢化の速度が速い。
- わが国の高齢者のおよそ半数は，病気やけがなどで自覚症状があり，年齢が高くなるにつれて，その割合は増えている。しかしながら，病気やけがをもちながらも，ふつうに生活できている高齢者は多く，就業や社会参加の意識も高い。
- 高齢者を支える社会システムには，所得保障としての公的年金や生活保護，健康面を支える医療保険，日常生活を支援する介護保険，その他社会福祉サービスがある。また，家族や友人，近隣住民，ボランティアなどの社会資源も重要である。
- 高齢者を取り巻く福祉制度は，老人医療費の無料化に始まり，老人保健施設の設置，福祉専門職の制度化，高齢者保健福祉推進という段階をふんできた。その後の介護需要の増大を背景に，介護保険制度が導入され，介護支援専門員(ケアマネジャー)が介護サービス計画(ケアプラン)を作成する役割を担っている。
- 高齢者の権利をまもる公的なしくみとしては，高齢者虐待防止法や成年後見制度，日常生活支援事業などがある。
- 高齢者世帯は単独世帯や夫婦のみの世帯が多く，家族からの援助や社会との接点が減少している。認知症などの疾患の発見の遅れや，孤独死リスクにつながることから，対策が必要である。

復習問題

次の文章の空欄を埋めなさい。

▶高齢者とは(①　　　)歳以上の人のことであり，(①)歳以上(②　　　)歳未満は前期高齢者，(②)歳以上は後期高齢者とされている。

▶高齢者が総人口に占める割合を(③　　　)という。

▶(③)が(④　　　)％をこえた社会を高齢化社会，(⑤　　　)％をこえた社会を高齢社会とよぶ。

▶健康上の問題で日常生活が制限されることなく生活できる期間を(⑥　　　)という。

▶病気やけがなどで自覚症状がある人の人口千人あたりの数を(⑦　　　)という。

▶「患者調査」による高齢者の入院受療率で最も高いのは(⑧　　　)である。

▶高齢者のいる世帯の構成割合で最も多いのは(⑨　　　)世帯であり，2番目に多いのは(⑩　　　)世帯である。

▶高齢者世帯の所得に占める割合で最も多いのは(⑪　　　)である。

▶老人保健法は2008(平成20)年に(⑫

)へと改正
され，これに基づき(⑬　　　　　　　　)
制度が発足した。

▶介護保険の第2号被保険者の対象となるのは(⑭　　　　)歳以上(⑮　　　　)歳未満の医療保険加入者である。

▶介護保険サービスは，市町村などの介護認定審査会により，(⑯　　　　)または(⑰　　　　)の状態と認定された人を対象に給付される。

▶介護支援専門員は，利用者の意向をふまえて(⑱　　　　　　　)を作成する。

▶介護保険ではサービス利用費のうち，利用者の負担は原則(⑲　　)割である。

▶介護予防ケアマネジメントを実施する地域の拠点が(⑳　　　　　　　　　　)である。

▶地域包括ケアシステムの単位は，おおむね(㉑　　　　)分以内に必要なサービスが提供される日常生活圏域を想定している。

▶高齢者虐待を発見した場合は(㉒　　　　)に通報する。

▶成年後見制度の任意後見人は(㉓　　　　　　　　)が決定する。

第3章 高齢者の暮らしを支える看護の視点

A 高齢者看護の視点

人口構造の高齢化による社会的ニーズの高まりと相まって，高齢者看護は近年急速に進展した看護の実践領域である。

平均寿命がのび，高齢者人口そのものが増えたことによって，寝たきりの人や認知症高齢者などの介護，独居高齢者の生活問題など，これまでにわが国が経験してこなかったことが，社会に共通する課題として取り組まれるようになった。

高齢者看護においても，個別の高齢者・家族に対する看護の実践や，グループ活動などの集団に対する看護，老人保健施設や特別養護老人ホームなどに入所している高齢者への看護，さらに地域へのアプローチ，行政の施策づくりに向けての活動など，さまざまな看護ケアの必要性が高まっている。

1 チームでのアプローチ

高齢者看護におけるチームアプローチ

高齢者は健康上の問題をかかえているばかりでなく，それが複雑・長期化する傾向がある。そうした特徴のある高齢者とその家族に対するアプローチの方法としては，多くの職種による**チームアプローチ**が有効である。保健・医療・福祉にわたる幅広い専門職が，本人や家族を中心としてチームをつくり，連携と協働をはかりながらケアの実践をしていくことが求められる。

こうしたチームによる高齢者へのケア提供にはさまざまな効果があり，たとえば高齢者を包括的に評価できること，身体的・心理的・社会的な全人的ケアの提供ができること，ケアの調整が行えること，社会資源を的確に選択できること，ケアの成果を多面的に評価できることなどがあげられる。

また，専門職はケアに一生懸命取り組んだあまり，対象者の死亡や入所などによって**バーンアウト（燃えつき）**をきたすことがある。多職種によるチームケアは，メンバー間で互いを支援し，燃えつきを防ぐことが期待できる。

このようにチームアプローチは，高齢者自身に関する効果のみならず，家族や介護者，また専門職にとっても有効な方法といえる。

2 高齢者看護の姿勢

高齢者のための国連5原則

人々は日々の生活の営(いとな)みを通して，経験・知恵をもち，年を重ね，やがて老いを迎える。しかし，老いを迎えるまでの道のりはすべての人において異なり，また老年期の生き方にも多様性がある。高齢者はすべて1人ひとりが異なる背景をもつ，個別性のある人として尊重(そんちょう)される存在であり，また年齢を重ね知恵をもつ人として尊厳(そんげん)をもった存在である。

国連は1948年に「**世界人権宣言**」を採択し，このころからすべての人民と国民の権利について国内外で議論がなされるようになった。そして，それから40年余りを経た1991年12月，国連は「**高齢者のための国連5原則**」を採択した(➲表3-1)。

➲表3-1 高齢者のための国連5原則

自立 independence の原則

- 収入や家族・共同体の支援および自助努力を通じて，十分な食料・水・住居・衣服・医療へのアクセスを得るべきである。
- 仕事，あるいはほかの収入手段を得る機会を有するべきである。
- 退職時期の決定への参加が可能であるべきである。
- 適切な教育や職業訓練に参加する機会が与えられるべきである。
- 安全な環境に住むことができるべきである。
- 可能な限り長く自宅に住むことができるべきである。

参加 participation の原則

- 社会の一員として，自己に直接影響を及ぼすような政策の決定に積極的に参加し，若年世代と自己の経験と知識を分かち合うべきである。
- 自己の趣味と能力に合致したボランティアとして共同体へ奉仕する機会を求めることができるべきである。
- 高齢者の集会や運動を組織することができるべきである。

ケア care の原則

- 家族および共同体の介護と保護を享受(きょうじゅ)できるべきである。
- 発病を防止あるいは延期し，肉体・精神の最適な状態でいられるための医療を受ける機会が与えられるべきである。
- 自主性，保護および介護を発展させるための社会的および法律的サービスへのアクセスを得るべきである。
- 思いやりがあり，かつ，安全な環境で，保護・リハビリテーション・社会的および精神的刺激を得られる施設を利用することができるべきである。
- いかなる場所に住み，あるいはいかなる状態であろうとも，自己の尊厳・信念・要求・プライバシーおよび，自己の介護と生活の質を決定する権利に対する尊重を含む基本的人権や自由を享受することができるべきである。

自己実現 self-fulfillment の原則

- 自己の可能性を発展させる機会を追求できるべきである。
- 社会の教育的・文化的・精神的・娯楽的資源を利用することができるべきである。

尊厳 dignity の原則

- 尊厳および保障をもって，肉体的・精神的虐待から解放された生活を送ることができるべきである。
- 年齢・性別・人種・民族的背景・障害などにかかわらず公平に扱われ，自己の経済的貢献にかかわらず尊重されるべきである。

この5原則は，次のように整理してまとめることができる。

(1) 可能な限り自宅に住むことができるなどの**「自立」の原則**
(2) 政策決定やボランティア，高齢者集会などへの**「参加」の原則**
(3) 家族などからの介護を受けることができ，施設や病院で過ごすことになっても，自己の尊厳やプライバシー，信念，自己決定権の尊重などの，基本的人権の享受ができるとする**「ケア」の原則**
(4) 自己の可能性を発展させる機会を追求できる**「自己実現」の原則**
(5) 尊厳と安全を保障されたうえで，肉体的・精神的虐待から解放され，差別を受けずに生活を送ることができるという**「尊厳」の原則**

これらの原則は高齢者にケアを提供する，すべての職種に共通するものである。

高齢者看護に求められる基本的姿勢

このように，看護師には高齢者に対して，人として敬意をもった態度で接し，適切な言葉を選んでコミュニケーションをはかるよう心がけることが求められる。高齢者看護を実践するうえでは，基本的な看護師の姿勢として，次のような点に留意すべきである。

(1) 高齢者は1人ひとりが違う存在であり，看護を考える場合にも個別性をより重視する。
(2) 高齢者に認知症などの認知機能障害や，麻痺（まひ）や拘縮（こうしゅく）などの身体障害があっても，人間として尊（とうと）い存在であることはかわらないため，尊厳をまもった態度で接する。
(3) 長い間につちかわれてきた高齢者の生活習慣をかえることを強制しない。
(4) 高齢者を批判的に受けとめず，つねに高齢者の視点に立って考える。
(5) どのような場合でも肯定的態度・共感的態度で接する。
(6) ゆっくりと話しかけ，理解しやすい言葉を選んでつかう。
(7) ケアを高齢者のペースに合わせて実施する。
(8) 援助をする際には，高齢者自身の残存能力を評価したうえで，不足の部分について援助するようにし，過度に手を出して自立を妨（さまた）げない。
(9) 高齢者自身の価値観・判断を尊重する。
(10) 生活の質的側面に目を向け，高齢者に満足感をもたらすケアを目ざす。

3 高齢者の包括的アセスメント（高齢者総合的機能評価）

高齢者は加齢性変化に伴い，生活機能が全般的に低下しやすい。そのため，高齢者の生活を支えるうえでは，身体機能に加えて日常生活や社会的な機能についても具体的な情報を集め，総合的・包括的に生活機能を評価することが重要である。この観点にたち，高齢者を包括的にアセスメントする方法が**高齢者総合的機能評価** comprehensive geriatric assessment（CGA）である（➲ 図3-1）。

CGA は，高齢者の身体的・精神的・社会的な領域について，高齢者ケアチームにかかわる医師，看護師，理学療法士，作業療法士，薬剤師，栄養士などの多職種が共通して理解できる具体的な評価項目について情報収集し，共有したうえで評価するものである(➲表 3-2)。このような多角的な高齢者のアセスメントは，適切なケア計画の作成につながるため，高齢者と家族の生活の質を向上させることができる。

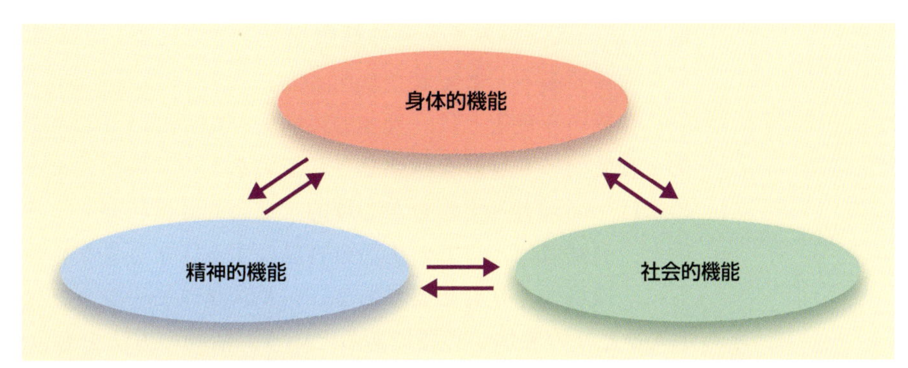

➲図 3-1　CGA の考え方

➲表 3-2　高齢者総合的機能評価(CGA)の評価領域，評価項目の例

	評価領域	評価項目
身体的機能	基本的日常生活行動 Basic ADL(BADL)	食事，歩行，移動，排泄，更衣，整容，入浴などの動作の自立度
	手段的日常生活行動 Instramental ADL(IADL)	電話，買い物，調理，洗濯，服薬管理，旅行，社会活動などの自立度
	転倒・バランス	過去 6 か月以内の転倒経験，歩行動作，姿勢反射など
	視力	視力，視覚
	聴力	純音聴力，語音聴力
	言語機能	発語，構音，言語など
	栄養状態	肥満度(身長，体重)，血液データなど
	服薬管理	服薬中の処方薬の名称，薬剤管理者
精神的機能	認知機能	認知的機能，認知症の程度
	認知症の行動・心理症状	歩きまわり，ケアの拒否，易怒性，妄想，幻視，意欲の低下，暴力，興奮，反社会的行動など
	情緒	抑うつ状態，意欲低下など
社会的機能	社会とのつながり	社会参加，趣味活動，外出頻度
	家族構成	同居家族，別居家族，主介護者
	介護者の介護負担感	介護負担感
	経済状態	家計，収支のバランス

(長寿科学総合研究 CGA ガイドライン研究班：高齢者総合的機能評価ガイドライン．厚生科学研究所，2003 より作成)

B 高齢者と健康増進（ヘルスプロモーション）

1 高齢者の健康増進

1986（昭和61）年に，WHOの第1回ヘルスプロモーション会議において採択されたオタワ憲章のなかで，**ヘルスプロモーション** health promotion（**健康増進**）は「人々がみずからの健康をコントロールし，改善できるようにするプロセスである」と定義された。

ここでいう健康とは，身体的に病気がないということだけではなく，心理的・社会的にも良好な状態をさしている。ヘルスプロモーションの実現のためには，高齢者みずからが心理的・社会的健康状態をよりよいものにする活動と，高齢者にとっての生活を容易にするさまざまな施策や地域づくりとともに，環境づくりも必要である。ヘルスプロモーションは，これらの活動に1人ひとりの参加が必要であるという，活動の方法をも包含（ほうがん）する概念である。

ペンダー Pender, N. J. は，改訂ヘルスプロモーションモデルを示し，ヘルスプロモーション行動は，「個人の特性と経験」と「行動に特異的な認識と感情」により行われるとした（➲図3-2）。その認識と感情に関して看護介入を行うことで，行動を直接的に動機づけることができるとしている。

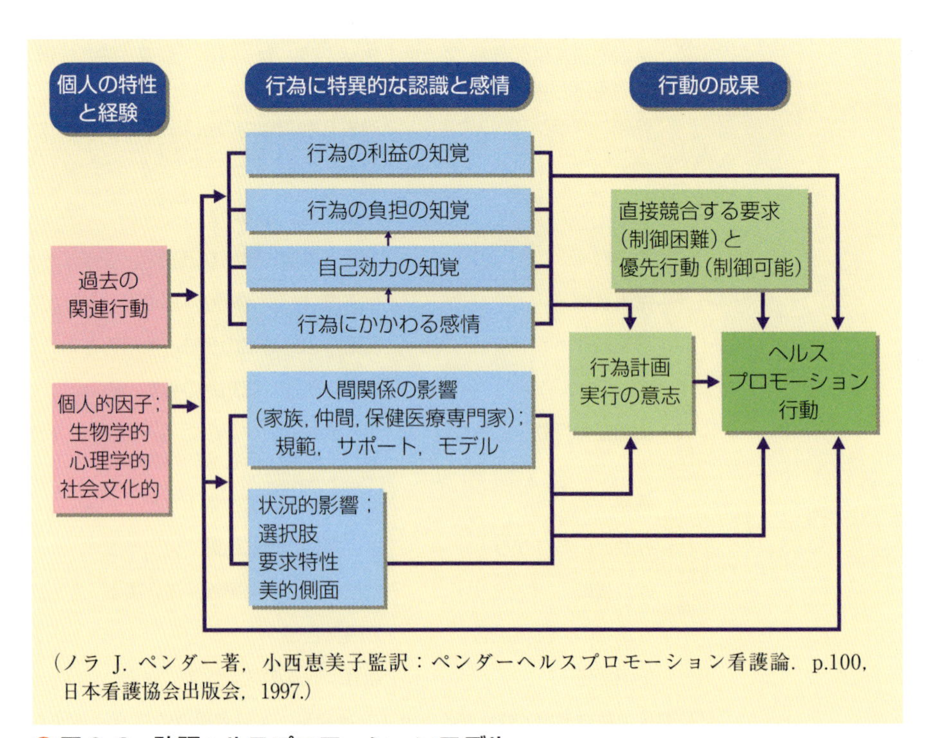

（ノラ J. ペンダー著，小西恵美子監訳：ペンダーヘルスプロモーション看護論．p.100，日本看護協会出版会，1997.）

➲図3-2　改訂ヘルスプロモーションモデル

求められる健康増進活動

わが国の平均寿命は，男性，女性ともに80歳以上となり，2021年1月には100歳以上の高齢者は8万人をこえた。近年はこの寿命を単にのばすだけでなく，より健康に，より活動的に，有意義に生きるという**健康寿命**の延伸が重視されるようになり，地域の社会資源を活用した健康増進(ヘルスプロモーション)活動の必要性も高まっている。

しかし，ひとくちに高齢者といっても，前期高齢者(65～74歳)と後期高齢者(75歳以上)では，健康状態や予備力などに違いがみられる。そのため，ヘルスプロモーションのプログラムの内容においても，年齢や能力に合わせて違いをもたせる必要がある。

2 高齢者への健康増進と生活習慣病予防対策

健康増進対策の歴史

わが国の健康増進対策は，第二次世界大戦後の栄養改善のための施策に始まり，その後は疾病構造の変化に伴い，疾病予防・治療対策へと変化した。1978(昭和53)年には，積極的な健康増進を目的とした「**第1次国民健康づくり対策**」が始まっている。そこから老人保健事業の総合的な実施により，生涯を通じた予防・健診体制の整備が進められ，また，市町村保健センターを設置して保健師などの人的資源を確保するなど，健康づくりの基盤整備が講じられてきた。

1988(昭和63)年からは，「**第2次国民健康づくり対策(アクティブ80ヘルスプラン)**」が開始され，生活習慣の改善による疾病予防・健康増進の考え方を発展させた。そして2000(平成12)年3月には，「第3次国民健康づくり対策」として，寝たきりや認知症など要介護状態とならずに生活できる期間(健康寿命)を延伸し，すべての国民が健やかで活力ある社会とすることを目標にした，「**21世紀における国民健康づくり運動(健康日本21)**」が策定された。

21世紀の健康増進戦略

「健康日本21」では，栄養・食生活，身体活動・運動，休息・こころの健康づくりなどの9つの分野の生活習慣や生活習慣病を選定し，取り組みの方向性と具体的目標が示された。これらの達成を目ざし，健康づくりや疾病予防に重点をおいた施策を講じるため，2002(平成14)年に「**健康増進法**」が制定，翌2003年から施行された。2008(平成20)年度からは特定健康診査・特定保健指導が実施されている。

2011(平成23)年の「健康日本21」の最終評価では，目標項目のうち約60％には一定の改善がみられ，約15％は悪化したことが報告された。

2013(平成25)年には，第4次健康づくり対策として，「**21世紀における第2次国民健康づくり運動(健康日本21〔第二次〕)**」が開始された。その目標は科学的根拠に基づいて実態把握が可能な具体的なものとされており，たとえば「平均寿命の増加分を上回る健康寿命の増加」「メタボリックシンドロームの該当者および予備軍の減少」などと示されている。

健康寿命の延伸●　また，2004(平成16)年には，国民の健康寿命延伸を基本目標に，生活習慣病予防対策の推進，および介護予防の推進を柱とする10か年戦略(**健康フロンティア戦略**)が策定された。成人層にはがん対策や心疾患対策などが，高齢者層には介護予防と健康寿命の延伸対策が重点的に展開されるようになった。

2006(平成18)年には，健康フロンティア戦略をさらに発展させた**新健康フロンティア戦略**が策定されている。

3 予防の視点――介護予防・転倒および認知症の予防

1 介護予防

介護予防とは，要介護状態になることをできる限り防ぐ(遅らせる)こと，そして要介護状態になっても，それ以上の介護を必要とする状態に悪化しないように，機能を維持・改善することをさす。介護予防のための具体的支援は，高齢者自身の日常生活の自立度に応じて考える必要がある。

自立した高齢者の介護予防●　健康で自立した生活を送る高齢者に向けての介護予防としては，疾病予防のための健康診査の受診および，心肺機能を維持・向上させるための運動や歩行習慣の継続，適切な食生活による栄養状態の維持が求められる。

運動器の障害による要介護状態，または要介護状態となるリスクが高い状態は**ロコモティブシンドローム**とよばれる。片足立ちで靴下がはけない，横断歩道を渡りきれないなどの場合，早期に対応することが求められる。

また，介護予防の観点から行われている健康診査の結果，➲**表3-3**のよ

➲**表3-3　介護予防基本チェックリスト(抜粋)**

質問事項	回答	
バスや電車で1人で外出していますか	0. はい	1. いいえ
日用品の買い物をしていますか	0. はい	1. いいえ
階段を手すりや壁を伝わらずに昇っていますか	0. はい	1. いいえ
椅子に座った状態からなにもつかまらずに立ち上がっていますか	0. はい	1. いいえ
6か月間で2～3kg以上の体重減少がありましたか	1. はい	0. いいえ
半年前に比べてかたいものが食べにくくなりましたか	1. はい	0. いいえ
お茶や汁物などでむせることがありますか	1. はい	0. いいえ
自分で電話番号を調べて，電話をかけることをしていますか	0. はい	1. いいえ
今日が何月何日かわからないときがありますか	1. はい	0. いいえ
(ここ2週間)毎日の生活に充実感がない	1. はい	0. いいえ
(ここ2週間)これまで楽しんでやれていたことが楽しめなくなった	1. はい	0. いいえ

注：回答ごとに0点または1点が加算され，合計点数が介護予防事業の利用対象であるかの指標となる。

(厚生労働省：介護予防マニュアル，改訂版．2012による，一部改変)

うな基本チェックリストの点数が高い場合，生活機能の低下が心配される。このような，要支援および要介護状態となるおそれのある高齢者に対しては，介護予防の対策として地域包括支援センターが窓口となる，市町村が実施する運動機能向上のためのプログラムや，栄養改善や口腔機能の向上などの介護予防プログラムがある。

要介護高齢者の介護予防

日常生活の一部に介護が必要だが，介護サービスを適切に利用すれば心身の機能の維持・改善が見込める，比較的要介護度の低い高齢者に対しては，介護予防ケアプランを策定し，心身機能の改善をはかることが求められる。介護予防ケアプランは介護保険制度に基づき，地域包括支援センターで高齢者ごとに目標が設定され，それを達成するためのサービスの提供が行われる。

歩行や食事，排泄，入浴などに介助が必要である要介護高齢者の場合は，本人や家族の希望にそって，要介護度に応じた介護サービス計画(ケアプラン)が作成される。在宅または施設においては，策定したケアプランに基づいた必要なサービスが組み合わせて提供されており，それにより自立した生活の維持・改善がはかられている。

2 転倒予防

高齢者の転倒の特徴

高齢者の転倒には，姿勢の変化，下肢筋力やバランス維持力の低下などの本人の身体的要因がある。しかし，それだけではなく，ふらつきなどを生じる原因となる薬剤の服用，床や路面の状態，はき物，照明の暗さなどの環境要因，転倒に対する恐怖心など，複数の要因が関連している。これらが連鎖することで高齢者の転倒はおこり，結果として寝たきりや要介護状態へとつながりやすいといわれている。

わが国の在宅高齢者の 20％ 程度は，1 年間に 1 回以上の転倒経験があるといわれている[1)]。アメリカの調査では，転倒を経験した高齢者のうち 30～50％ になんらかの外傷が生じたとされ，とくに 75 歳以上では 24％ に重要な外傷が生じ，そのうち骨折は 6％ であったと報告されている[2)]。高齢者が転倒した際に骨折しやすい部位は，上腕骨頸部，橈骨遠位端，脊椎，大腿骨頸部などである(➡図 3-3)。

転倒の予防教育

高齢者にとって転倒は，自立度低下などの原因となることが知られている。高齢者のための転倒予防プログラムは，市町村などにより要支援・要介護となるおそれのある高齢者を対象とした介護予防事業としても広く行われており，運動プログラムなどが提供されている。これらとともに，高齢者自身の転倒リスクへの認識や，食事の注意，転倒危険場所の理解，足の健康維持方

1) 新野直明：転倒リスクの多因子評価. *Geriatric Medicine* 43(1)：61-65, 2005.
2) Tinetti, M. E. et al.：Risk factors for falls among elderly persons living in the community. *The New England Journal of Medicine*, 319(26)：1701-1707, 1988.

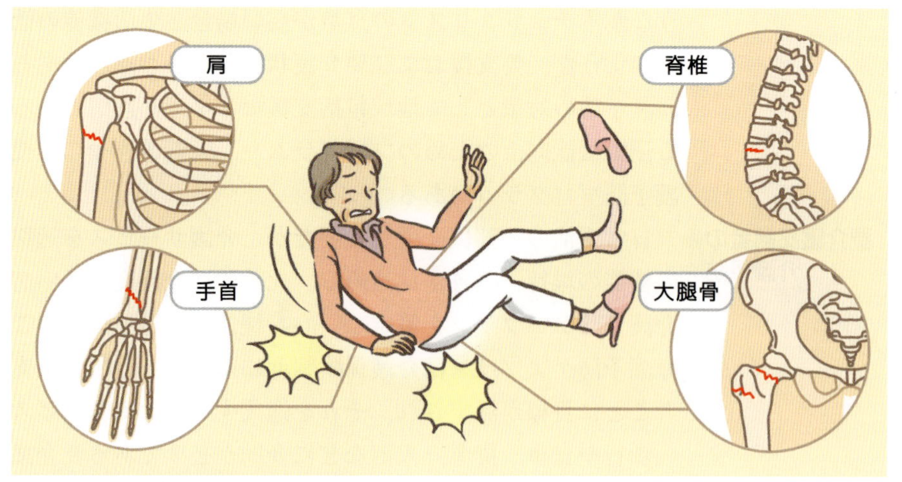

➲ 図 3-3　高齢者の骨折好発部位

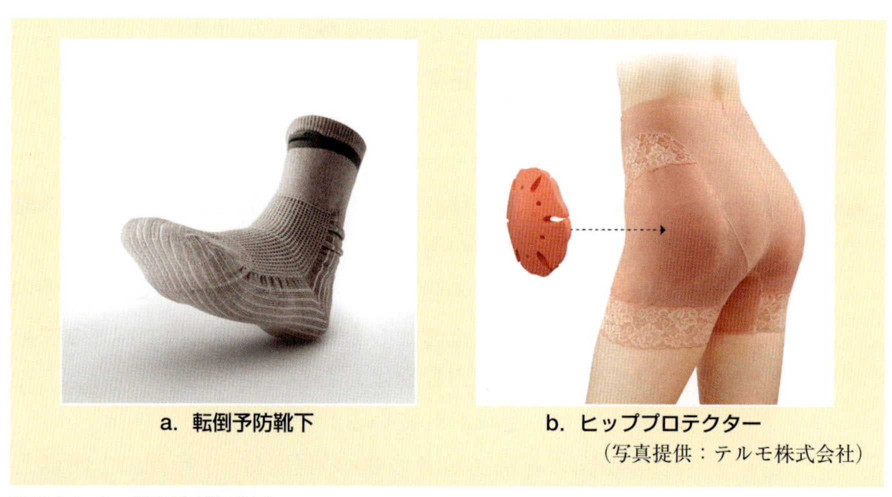

➲ 図 3-4　転倒対策用品

法などを網羅（もうら）する，包括的な転倒予防教育を行うことが重要である。

具体的には，①身体の柔軟性・バランス力・調整力を高め，歩行機能と筋力を維持するための運動プログラムの実施，②自宅内の転倒危険箇所について学習し，コード類や床に置いた物などにつまずくことのないようにするための安全対策の指導，③足や足趾のトラブルを予防し，足の健康を維持するためのフットケアの教育などがある。また，足趾の返しをよくしてつまずきを防ぐ工夫が施された転倒予防靴下や，転倒した際の衝撃を吸収・緩和するためのヒッププロテクターなどの利用もすすめられている（➲ 図 3-4）。

3 認知症予防

脳の変性疾患である認知症を防ぐための決定的な方法はないが，日常生活の活性化および脳血管疾患を予防することなどにより，認知症の発症をある程度を防ぐことはできるとされている。

たとえば，日常生活に適度な有酸素運動を取り入れ，体内の血液循環をよくし，脳の血流や代謝を盛んにすることは，認知症の予防につながるといえる。また，高血圧の原因となる塩分の摂取を控え，動脈硬化を促進するコレステロールをとりすぎないようにするなど，栄養バランスのよい食事をとることは，脳血管疾患の発症を防ぎ，血管性認知症の発症予防につながる。

さらに，他者との交流や趣味活動の継続などで日常生活の活性化をはかり，生活に変化とうるおいを与え，脳を刺激することで認知症を防ぐことも重要である。

治療が可能な認知症様症状● なお，認知症ではないが，認知症様の症状を呈(てい)する疾患(正常圧水頭症，パーキンソン病，プリオン病など)もある(➡203ページ，**表7-4**)。それらと認知症を鑑別し，早期に適切に治療することで，認知症様症状が改善する場合もある。そのため，認知症が疑われる場合は早期に確定診断につなげること，そして地域包括支援センターなどに相談して，地域で行われている認知症予防または要支援者へのサービスにつなげていくことが大切である。

C 高齢者と自立支援

1 高齢者と自立の考え方

ここでいう「高齢者の自立」における自立とは，食事・排泄・更衣など日常生活に関する1つひとつの動作を自分自身で行えるということをさす狭義の「自立」から，あるものごとを判断する際に，みずから情報を集め，それらを取捨選択して意思を決定するという「自律(じりつ)」をもさす幅広い概念である。

介護保険制度における自立支援● 2000(平成12)年から施行された介護保険制度においても，高齢者の自立を目ざすことが理念として掲げられた。そこでは寝たきりなどの介護を要する状態になることや要介護状態がさらに悪化することを防ぎ(介護予防)，また自立した生活を確保するための支援(自立支援)を行うことが課題となった。

その後，2006(平成18)年4月の介護保険法の改正によって要介護認定の方法がかわり，要介護者への新予防給付による地域支援事業の利用や，地域包括支援センターの設置など，予防重視型システムへと転換がはかられた。これにより，地域に密着したサービスによる高齢者の自立を支えるサービスに重点がおかれることになった。

要介護度重度化の防止● 2000年4月の時点では，比較的自立度の高い要支援と要介護1の人を合わせると，約84万2千人で認定者全体の38.6％であった(➡**図3-5**)。しかし，その割合は2006年まで上昇を続け，2006年では約214万6千人(全体の49.3％)となっており，要介護状態が軽いうちに申請をする人が増加した。

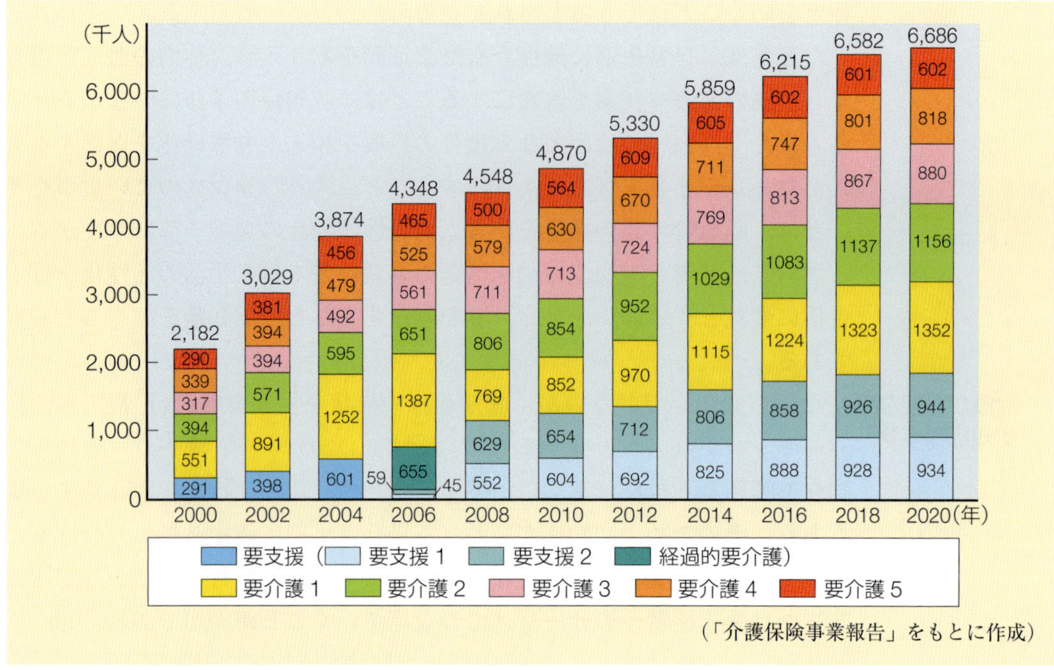

図 3-5　要介護度別認定者数の推移(各年 4 月末)

その後，2006 年の介護保険法の改正において，それまで要支援とされてきた区分を経過的要介護という区分にするという移行措置（そち）がとられた。経過的要介護はそののちに要支援 1 と要支援 2 に区分され，これによってより介護予防に重点がおかれるようになった。

近年，要支援 1，2 と要介護 1 の比較的自立度の高い人の割合は再び増加している。このような人に対しては，自立した日常生活の維持と自立低下のリスク回避，さらに介護を必要とする状態になることを防ぐためのヘルスプロモーションを目ざした支援が重要である。また要介護 4～5 となってからも，できる限り自立した生活を送ることができるように，社会資源を組み合わせて効果的に活用することが必要である。

2 エンパワーメント

高齢者にとっての**エンパワーメント** empowerment とは，高齢者自身が本来もっている能力を，最大限に引き出すことであり，社会的にも権限をもてるようにすることをさしている。これには，高齢者自身の自立や主体性がたいへん重要な要素となる。

一般に高齢者は，第一線からの引退や健康問題をかかえるなど，社会的に弱い存在であるといわれ，偏見や蔑視（べっし）などの不利益をこうむりやすい。そのため，看護師はあらゆる看護の場において，高齢者の自立と主体性を引き出す視点をもち，社会のなかでパワーを喪失しやすい高齢者をエンパワーするはたらきかけを行う必要がある。

すなわち，看護師には，高齢者がもつ能力を見つけ，それらを向上させることで，ひとりの人間としての尊厳を保ち，社会のなかで主体性を発揮できるようにする役割が求められる。

D 高齢者と障害受容

高齢者にとっての障害の受容とは，事故または疾病，あるいは加齢などによって身体的な機能を失ったとき，その状況をあるがままに認識し，受け入れることをさす。

高齢者に多い障害の種類

高齢者に生じやすい障害として，運動器系では，転倒による骨折や脳血管疾患による麻痺(まひ)，寝たきりなどに起因する拘縮，変形などからくる運動機能障害，日常生活行動の障害などがあげられる。

そのほか，心拍出量低下による循環障害，呼吸機能低下による息切れなどの呼吸障害，視・聴覚障害，認知障害，依存心・意欲低下・抑うつ状態などの精神活動障害，さらに経済的問題による社会生活の障害などがあり，機能・器質面での障害は多岐にわたる。

障害受容の過程

障害を受けたのちの心理的変化の過程について，コーン Chon, N. は①ショック(これは私ではない)，②回復への期待(私は病気だ・すぐ治る)，③悲嘆(すべてが失われた)，④防衛(防衛機制を多用するか，障害をものともせずやっていく)，⑤適応(受容)と進んでいくとした。これらは**障害受容の過程**とよばれている(➲図 3-6)。

しかし，これらは段階的に進むわけではなく，困難な状況がある場合は，ショックと回復への期待の並存，混乱ののち再度のショックなど，これらの過程を繰り返しながら流動的に適応に向かう。

➲図 3-6　障害受容の過程

適応障害への援助

高齢者自身が，なぜこのような状況になったのかと自分自身に問いつづけたり，ボディイメージ(身体像)の変化を受け入れられなかったりすると，閉じこもりや抑うつ状態に陥ることも少なくない。このように，強いストレスを受けたことによる情緒的な障害を**適応障害**という。

障害の受け入れのためには，失った機能だけに注目するのではなく，できることに価値を見いだすこと，障害による影響を自分の能力全体にまで広げないこと，また以前と比較しないことなどによって，価値づけの方向転換をはかる援助が必要である。

E 看護観察と看護記録

1 高齢者看護と観察

高齢者の観察の意義

高齢者は，症状などの自分自身のもつ問題を的確に表現することがむずかしく，また症状も非定型的であるため，その把握も困難なことがある。たとえば,「おなかが痛い」という訴えがあったとしよう。そのとき腹部を観察したり，食事・排泄の様子を聞いたりしてもとくに問題はなかったが，実際には狭心症で胸痛を訴えていたとあとでわかることがある。

看護師は観察によって，高齢者自身の心身の状態のアセスメントを行い，看護問題を明確にする必要がある。また，高齢者と家族との関係性は，家族への質問や家族間のコミュニケーションパターンの観察を通して把握することができる。看護師はすぐれた観察の目をもつことで，看護問題の明確化と看護介入のヒントを得ることができるのである。

高齢者の心身の観察の要点

高齢者の心身・生活・社会面の状態を把握し，看護問題を焦点化するために必要な観察の要点を，➲ **表 3-4** に示す。

2 高齢者看護と記録

看護記録は，行った看護実践の記録として，またチーム医療を行ううえでの情報の伝達，すなわちコミュニケーションの方法として重要である。

看護師が医療機関や訪問看護ステーションなどで記載する記録の種類には，①入院時や初回面接時の基礎情報・データベース記録，②看護計画(看護計画・問題リスト)，③患者の日々の看護経過記録，④体温・脈拍・水分出納(すいとう)量などを一覧できるフローシート，⑤退院や転院時の看護サマリー記録，⑥病棟や各看護単位における看護業務計画，看護管理記録，などがある。

情報の共有とケアへの反映

これらの看護記録に用いる文章は，主観を除き簡潔なものとし，ほかの看護師や医師などの他職種が読んでも理解できるように記載する。また，高齢者の情報をチームで共有し，診療やケアにいかす情報となるように書くこと

表 3-4　高齢者の観察の要点

項目	観察の要点
脳・神経系	脳血管障害の程度，血管性認知症の有無，認知症の程度，アルツハイマー型認知症との鑑別，せん妄，意識障害や失神の既往など
感覚器系	視力・聴力・平衡感覚・皮膚感覚(痛み・かゆみ)など
呼吸器系	呼吸回数，呼吸音，運動時の息切れ，慢性閉塞性肺疾患(COPD[1])など息切れの原因となる疾患の有無，酸素飽和度の低下，呼吸器感染の有無，嚥下性肺炎の有無，呼吸機能検査値(肺活量・1秒量・1秒率・残気量)など
循環器系	体温，血圧，脈拍数，不整脈，左右差などの脈拍の異常，心音，心電図，浮腫の有無と部位，貧血の有無など
消化器系	咀嚼機能，嚥下機能，胃の不快感，胃痛，吐きけ・嘔吐，便秘の有無，腸音，便の性状，水分摂取量，栄養状態など
腎・泌尿器系	尿量，排尿回数，夜間頻尿の有無，尿失禁の程度，排尿障害・尿路感染の有無，おむつの必要性，尿取りパッドの必要性など
筋・骨格系	体格，関節の変形，腰痛，膝痛，転倒歴，骨折歴，麻痺，拘縮，関節可動域の障害，立位保持力，歩行能力，歩行距離など
自立度	日常生活動作(食事，排泄，移動，入浴，更衣，身だしなみなど)，手段的日常生活動作(買い物，調理，電話をかける，預金を下ろすなど)，自助具の使用など
皮膚	瘙痒感・湿疹・発赤・腫脹・褥瘡・ドライスキンの有無など
心理面	不安感，抑うつ状態，混乱した状況，生きがい，趣味，楽しみ，満足度，適応状況など
生活	生活環境，生活様式，生活習慣，好み，生活リズム，立ち居ふるまい
家族	関係性，介護意思，介護などへの考え方，虐待の有無
社会面	仕事・家庭内での役割，社会的役割，ソーシャルサポート，経済状態，社会資源，要望や希望，ものごとをどのように決定してきたかなど

1）COPD：chronic obstructive pulmonary disease の略。

も必要である。たとえば，高齢者自身の訴えや表現した言葉には，看護を行ううえでのヒントとなるものも多い。

ある認知症高齢者が，就寝時刻になると病棟から外出しようとして，出口をさがしていたとしよう。その高齢者が自営業を営んでいたという職業背景の情報をチームで共有していると，目の前の行動の意味を「売り上げを計算するために自分の店に行きたいという理由で，病棟を出て店に行こうと出口をさがしている」ということが理解でき，徘徊への対応がしやすくなる。このように，記録から対応につなげられる情報は多い。

記録の際の注意点

看護記録を記載する際には，高齢者や家族の訴えと観察，測定事項を分けて事実を正しく書く。略号を用いる場合には，病院や施設内で決められたものを用いる。記録を修正する際には2本線を用いて訂正を行い，消しゴムや修正液を用いてはならない。また，実際に行っていないことを記録してはならず，記録は実施後に行う必要がある。なお，記載日時と記録者のサインは必ず行う。

3 高齢者看護と報告

看護師どうし，あるいは看護師と他職種間で，高齢者の看護やその他の業務上の情報を伝達し，共有する必要性は高い。報告は情報伝達の方法として不可欠であり，その方法には文書による報告(日報・事故報告・インシデントレポート・委員会報告書など)や，口頭による報告などがある。

報告の簡潔性と報告書

専門職間の報告では，いずれの手段でも報告すべき要旨を簡潔明瞭(めいりょう)に伝えることが重要である。転倒事故発生時の報告を例にあげれば，転倒事故をおこした高齢者の氏名，事故の場所と内容，転倒後の心身の状況などについて，チームリーダーなどにすみやかに口頭で報告を行うことが求められる。

その後，報告に基づきただちに適切な対応が行われたのち，当事者や発見者が所定の書式により事故報告書を作成して提出する。事故対策委員会は提出された報告書をもとに，事故予防の観点から報告資料を分析することになるため，報告書は重要な情報源となる。

口頭・文書などでの報告は，報告の仕方によっては内容の伝わり方に誤解が生じたり，あいまいになりやすいため，いずれも明瞭さが求められる。

高齢者の家族への報告

現場で口頭報告や報告書を用いる一方，看護師が高齢者に関する状況を家族に報告する場合には，デイケア日誌，療養日誌，看護記録，家族との連絡ノートなどが用いられる。行ったケアの内容や情報を伝え，家族が介護するために必要となる，適切な情報をそのつど伝達することが望ましい。

F 高齢者とコミュニケーション

1 高齢者看護におけるコミュニケーション

コミュニケーションとは，言葉(音声や文字)または言葉以外のしぐさや表情などを用いて，情報を伝えたり受け取ったりすることにより，意思疎通(そつう)をはかることである。

高齢者とのコミュニケーション

高齢者とのコミュニケーションの過程は，情報を送ることから始まる。情報の送り方としては，一度に送る情報量を少なくするために，数回に分け，時間をかけて伝えるなどの工夫を必要とする。

また，高齢者が情報の意味を解釈(かいしゃく)して了解することを促すために，高齢者の反応を見ながらうなずいたり，話し方をかえるといった調整を行う必要がある。同時に，コミュニケーションを終えるときには，「○○はわかりますか？」「△△はどうですか？」など，コミュニケーションの効果として，情報が正しく理解され，期待と一致しているかを言葉によって確認して，評価を行うようにする。看護師のコミュニケーションの相手である患者や家族に対しては，これらの過程を念頭におく必要がある。

専門職間の情報伝達

一方，高齢者看護を行う専門職間でのコミュニケーションでは，伝達する情報の的確性(選び方)・妥当(だとう)性(正しさ)・即時性(新しさ)が求められる。職種ごとに専門用語が異なることが職種間のコミュニケーションを困難にしているともいわれ，とくに複数の機関の間で連携をはかるうえで障壁となっている。保健・医療・福祉の専門職が同じ言葉を用いてコミュニケーションをはかることができるように，地域における調整も必要である。

2 高齢者のコミュニケーションの特徴

高齢者のコミュニケーションには，さまざまな特徴がある(➲図3-7)。看護師には，これらの理解のもとに，ケアの対象である高齢者1人ひとりの特性に合ったコミュニケーションの工夫をはかることが必要である。

高齢者は，身体機能の低下や環境の変化などの影響によって，コミュニケーションが阻害されやすく，社会においても生活に必要な情報が十分にゆきとどかないことが多い。

また，コミュニケーションは2者以上によって成立するため，日常生活における家族や友人などとの関係性の有無によっても，その質・量は異なってくる。さらに，眼鏡・補聴器・義歯などといった，意思疎通をはかるうえで必要な用具の適切さにも配慮が求められる。

ふれあう相手の減少

家族や友人との死別や別離，生活地域での疎遠などによって，コミュニケーションをはかる相手が少なくなっている。

ふれあう機会の減少

仕事や社会からの引退に伴って，他者とのふれあいや世間話などのコミュニケーションの機会が少なくなっている。

感覚器などの機能低下

加齢や疾患による，失語や視力・聴力の低下がみられる。適切な眼鏡・補聴器などの使用ができていない場合も多い。

認知機能障害

慢性的な認知機能障害に加え，せん妄などの一過性の障害も生じ，意思疎通が阻害されやすい。認知症の程度は個別性も高い。

言語以外の必要性

言葉のほかに，身ぶり・手ぶり・表情・声など，非言語的な表現からも意思を把握する方法を工夫する。

高齢者文化の把握

高齢者センター・地域の寄り合い・神社などでは，高齢者独自の文化があり，そこでの活発な交流の方法を参考にできる。

➲図3-7 高齢者のコミュニケーションの特徴

3 高齢者看護とコミュニケーション技術

1 言語的コミュニケーションにおける注意事項

高齢者と言語的コミュニケーションを行う際は以下のような点に注意する。

①**言葉づかいの明瞭さ**　高齢者と言葉を用いたコミュニケーションを行う場合には，聴覚特性や理解力に応じてはっきりと話すようにする。また，高い音域を避け，やさしい声で話す。抽象的表現にならないように具体性をもって話すことも大切である。

②**話す速度を高齢者に合わせる**　話す速度は高齢者に合わせ，ゆっくりと適度に間をもって話す。理解を示す相づちの間も高齢者に合わせる。

③**全身で表現する**　意思の疎通をはかるうえで言葉は大切だが，言葉だけでなく，視線，表情，手の動きなど，言葉以外の方法も活用して表現する。

④**筆談・文字表示の工夫**　言葉による理解が困難な場合には，筆談，文書の提示や掲示など，文字による表示が理解に有効な場合もある。

⑤**適切な補助具の使用**　高齢者には適切な眼鏡・補聴器・義歯などの使用を日ごろからすすめ，高齢者のもつコミュニケーション能力を発揮できるように調整する。

⑥**高齢者心理の理解**　言葉かけに対して，高齢者は実際には聞こえていないのに聞こえているように返答をすることもある。この背景には，自己の機能低下を認めたくないという心理があることも理解しておく必要がある。

また遠慮や気づかいなどから，「こうしてほしい」というニーズを表現しない高齢者もいる。非言語的コミュニケーションである行動面の観察などからニーズを把握するなど，高齢者の心理面の理解に努める。

2 非言語的コミュニケーションにおける注意事項

高齢者と非言語的コミュニケーションを行う際は以下のような点に注意する。

①**視線・相づち**　高齢者に言葉をかけるときには視線を合わせ，表情による表現を行うことは効果的である。理解を示すためにうなずいたり，相づちを打ち，高齢者を理解していることをフィードバックして，相互のコミュニケーションを促進する。

②**皮膚感覚刺激の活用**　タッチング・マッサージなど，皮膚感覚にはたらきかけることは，高齢者との非言語的コミュニケーションを促進する有効な方法である。単独で用いても有効であるが，言語的コミュニケーションと併用してもよい。

③**コミュニケーションに適した環境への配慮**　高齢者とのコミュニケーションを促進するためには，静かで落ち着いた場所に移動したり，好みの音

楽を利用するなど，環境面での配慮を行うことが必要である。

4 認知症高齢者とコミュニケーション

認知症高齢者にとって言語的コミュニケーションは，精神機能の活性化に効果があるとされ，他者からの言葉かけは重要である。

認知症高齢者であってもその行動には意味があり，行動から高齢者が現在体験していること，回想していることがら，快・不快などを把握することは十分可能であり，意思を理解することもできる。

語りの傾聴 高齢者の過去の語りを傾聴する**回想法**などを用いて，高齢者が人生をふり返り，言葉として表現したことがらから，日々のケアやコミュニケーションを行ううえでのヒントが得られることもある。たとえば，趣味や子どものころよくした遊び，好きな食べ物などである。回想法から得られた情報は，高齢者の日々の行動を理解するうえで有用であり，ケアにいかされることが多い。

非言語の技術 また，さする・なでるなどの皮膚感覚刺激を通して行うタッチングや，アイコンタクトによるまなざしなども，認知症高齢者との非言語的コミュニケーションとして有効である。認知症高齢者と対話するためには，看護師はゆたかな言語的・非言語的コミュニケーション技術をもつ必要がある。

まとめ

- 高齢者の健康問題は，複雑・長期化する傾向にある。看護師や医師だけではなく，多くの職種がチームとして連携することでケアを効果的に行うことができる。
- 高齢者はさまざまな体験や知恵をもつ人であり，老いを迎えるまでの道のりはすべての人で異なる。高齢者の基本的権利を尊重し，その人らしく生きるための援助を行うことが重要である。
- 高齢者のアセスメントは身体・心理・社会的な側面から，包括的に行う。そのための方法に高齢者総合的機能評価(CGA)がある。
- 高齢者の健康増進(ヘルスプロモーション)の実現のためには，高齢者みずからが心理・社会的健康状態をよりよいものにする活動および，施策づくりや地域づくり，さらに環境づくりに参加することが必要である。
- 高齢者は寝たきりや介護を必要とする状態になって生活の質を低下させやすいため，自立支援や介護予防の援助がとくに重要である。
- 高齢者は疾病や廃用症候群によって，運動機能障害や日常生活行動の障害，呼吸機能の低下，循環障害，精神活動や社会的生活の障害を生じやすい。失った機能だけに注目せずに，できることに価値を見いだせるように支援することや，コミュニケーションをはかり援助していくことが大切である。
- 看護観察によって高齢者の心身の状態のアセスメントを行い，看護問題を明確にする。看護記録は行った看護実践の記録として，またチーム医療を行ううえでの情報の伝達として重要である。
- 高齢者のコミュニケーションは，成人に比べて阻害されやすい。認知症高齢者や認知機能が低下している高齢者などでは，言語以外のコミュニケーションの方法を工夫することが必要である。

復習問題

1 次の文章の空欄を埋めなさい。

- 1991年に国連は「(①　　　　)の国連5原則」を採択した。これは(②　　　　)の原則，(③　　　　)の原則，(④　　　　)の原則，(⑤　　　　)の原則，(⑥　　　　)の原則からなる。
- 介護予防とは，(⑦　　　　)状態になることをできる限り(⑧　　　　)こと，そして(⑦)状態になった場合には機能を(⑨　　　　)・改善することをさす。
- 高齢者が転倒した際の骨折の好発部位は(⑩　　　　)，(⑪　　　　)，(⑫　　　　)，(⑬　　　　)などである。
- 高齢者自身が本来もっている能力を最大限に引き出すことを(⑭　　　　)という。
- 高齢者の聴覚特性や理解力に応じて，はっきりと(⑮　　　　)性をもって話す。
- 高齢者と会話をするときは，話す速度を(⑯　　　　)に合わせ，ゆっくりと間をもって話す。
- マッサージや(⑰　　　　)は，非言語的コミュニケーションを促進する有効な方法である。

2 〔　〕内の正しい語に丸をつけなさい。

①高齢者は1人ひとりが違う存在であるため，〔 一般・個別・普遍 〕性を重視して看護を行う。

②高齢者のケアは〔 高齢者・看護者 〕のペースに合わせて行う。

③療養にあたって，高齢者の生活習慣をできるだけ〔 かえる・かえない 〕ようにする。

④高齢者の自立を妨げないようにするため，〔 なるべく多くのこと・できないことだけ 〕を援助する。

⑤高齢者に話しかけるときは〔 専門的な・理解しやすい 〕言葉を選ぶ。声の質は〔 高め・低め 〕の声を避けて話しかける。

第4章 高齢者の暮らしを支える看護の実際

A 健康生活の維持

1 生活環境

1 生活の場と心の環境

私たちは自分の住まいをもち，地域の習慣や決まりをまもりながら，そこに住む人々と協力し合って生活をしている。

しかし，私たちがかかわる高齢者の場合は，障害をもつことによって病院への入院や施設への入所などを余儀なくされ，そこが暮らしの場となることがある。したがって，病院や施設を生活の場と考え，高齢者にとってごくふつうの生活空間や環境をつくるための援助を行うことが重要となる。

生活環境● 生活空間や生活環境とは，気温や明るさから，住居，住んでいる地域まで私たちのまわりのさまざまなものをさす。私たちはこれらを生活の中でうまく調整して過ごそうと努力している。しかし，療養生活をしいられている高齢者には，このようなごくふつうの生活環境が提供されているとはいいがたい。たとえば，入浴は昼間，食事は決められた時間帯，買い物は売店などと，限られた環境の中で過ごしていることが少なからずある。これは病院や施設に限らず，自宅であっても同じような状況があるといえる。

そこで，ある入院患者の手記を紹介しよう[1)]。

> それぞれの病室ごとに，毎日担当の看護婦さんが替わります。毎朝私は不安な思いでその日の日勤の看護婦さんが来るのを待っています。優しい看護婦さんが部屋の当番であれば，その日は一日穏やかな気持ちで過ごせます。しかし，もしCさんであったり，Dさんであったりしたら，と思うと憂鬱な気持ちになります。もしそ

1）原宏道：病床からの発信．pp.15-16，考古堂書店，1994.

の看護婦さんにあたってしまえば，その日はもうみじめな暗い一日になるからです。
看護婦さんによって，私たちは天地ほどの扱いの差を受けます。入院をしていて，それが一番辛（つら）いことなのです。私たち患者は主体性を持てません。お世話になるだけ，してもらうだけ，管理されるだけ，すべて受け身で過ごさなければなりませんから，看護婦さんにも頭を下げるしかないのですが，そんなものが生活でしょうか。

このような患者の気持ちは病院や施設においてだけではなく，家庭においてもありうる。この手記からわかることは，看護・介護を行う人，すなわち人的環境の重要性である。つまり看護においては，高齢者1人ひとりの心の環境を第一に考えなければならない。

制約の多い環境だからこそ，心の環境が整ってはじめて，いわゆる環境調節に目が向けられるといえるだろう。よい環境は生活者の自立をたすけ，看護をサポートし，治癒を早めることにつながる。

2 安心して過ごせる生活環境の提供

医療モデルと生活モデル

よりよい生活環境の提供の仕方は，高齢者本人を中心にして，その家族とともに考えていくものである。そして，自宅の外での生活環境の調整を行うためには，病院や施設全体でケアシステムを整えていく必要がある。

わが国の病院や施設では，これまで疾病の回復を目的に，患者の健康を取り戻すための治療の場としての環境を用意してきた。これが生活環境の**医療モデル**である。そこでは看護師や家族は，あくまでも患者本人の生活の外枠に存在するものとして考えられ，同時に患者には多くの規制や制限が課せられてきた。

一方，それに対して，生活する人の障害に焦点をあてて，限られた環境の中での生活の質 quality of life（QOL）を高めようとする**生活モデル**が唱えられてきた。生活モデルの提唱からすでに20年以上がたち，生活環境に対する考え方の転換が推し進められている（➲ **表4-1**）。つまり，病院や施設でも，その人らしい生活，これまで行ってきた生活と同じような生活を保障される

➲ 表4-1　医療モデルと生活モデル

	医療モデル	生活モデル
目的	疾病の治癒や救命	生活の質（QOL）の向上
目標	健康	自立
おもなターゲット	疾病（生理的正常状態の維持）	障害（日常生活動作能力の維持）
おもな場所	病院（施設）	在宅や社会（生活）
チーム	医療従事者のみ	多職種

（広井良典：高齢者ケアをみる視点．看護学雑誌 61(10)：967，1997による，一部改変）

環境の整備が進められてきたのである。

問題点と改善に向けた動き

しかし，残念ながら，わが国の多くの病院では，いまだ医療モデルに基づく生活環境で医療が提供されている。一方，グループホームなどの施設では，生活モデルによる環境でケアが提供されるようになってきた。ところが，こちらでは逆に，疾患に対するスタッフの理解が低い状態にあるといった問題も生じている。医療と生活の両面から高齢者を支えられるように，医療者は課題を認識して環境の改善に取り組んでいく必要がある。

2021（令和3）年度の介護報酬改定では，改定の5つの軸の1つとして，地域包括ケアシステムの推進が打ち出された。ここでは「住み慣れた地域において，利用者の尊厳を保持しつつ，必要なサービスが切れ目なく提供されるよう取組を推進すること」が目的とされている。つまり，医療と介護の連携を推進し，さらに在宅サービスの機能と連携を強化しながら，地域で暮らす高齢者を支援するしくみづくりを目ざすこととなった。このような制度の動きも，医療モデルから生活モデルへの環境改善の一端を担っているのである。

環境づくりの基本ルール

生活モデルに基づいた環境づくりの基本的な規則は，次の5点にまとめることができる。①自宅の環境に近い生活空間の設定，②生活史を取り入れた道具の活用，③身近な動物との共生，④季節を感じる道具の活用や庭などの工夫，⑤バリアフリーを取り入れた安全な環境調整，である。

これらのことに，高齢者本人とその家族とともに積極的に取り組んでいくことが，落ち着く空間，安全な環境・空間，活動できる環境の確保につながるのである。さらに，そのことが治療に向けて，高齢者や看護師によりよい効果をもたらすことが期待できる。なお，環境づくりの際は，時期をみながら生活環境の評価を繰り返していくことが重要となる。

3 事故を防ぐための評価・観察項目

事故を予防するための評価・観察項目を，環境，高齢者，看護師という3つの視点から考えて➲表4-2に示した。

この表からは，事故を防ぐために，環境の整備以外にも，多くの観察項目があることがわかる。大切なことは，生活をする高齢者と同じ視点をもち，安全をまもる工夫をするということである。

4 環境の整備

看護師は，高齢者が心身ともに安全・安楽な状態で快適な1日を過ごし，安眠できる環境を整える必要がある。また，これまで担ってきた役割（家事・作業など）を行う能力が高齢者にある場合には，環境が変化してもその役割を担い，継続することに意味をもたせることが重要となる。この際には，すべてのことを援助し，整備するのではなく，高齢者とともに環境の調整を行うことが求められる。

表4-2 安全のための観察項目

領域	内容
環境	• 就寝場所の整理がされているか。 • 就寝に使うベッドの高さやふとんは，寝ることに支障はないか。 • 夜間の照明に工夫はあるか。 • 杖や車椅子などに故障はないか。 • 活動する場所に転びやすい物や障害になる物はないか。 • 場所の位置情報はあるか。 • ごみや食後の床への食べこぼしなどはないか。 • 身体に影響のある物品などが不用意に置かれていないか。
対象者	• 靴やはき物は適当か。 • 衣服などは適切か。 • よく眠れているか。 • 疲れていないか。 • 身体的症状はないか。 • 運動機能の低下や身体バランスは低下していないか。 • 認知機能障害はないか。 • 場所の見当識障害はないか。 • 視空間認知障害はないか。 • 文字・記号・言葉の理解能力の低下はないか。 • 認知症の行動・心理症状はないか。 • 危険を予見し，回避しようとする危険回避能力はあるか。 • 過去に転倒・転落事故はないか。
支援(ケア)側の体制	• 疾病や加齢現象を正しく理解しているか。 • 服用している薬の作用・副作用を理解しているか。 • 麻痺などの障害に適切なケアはなされているか。 • 対象者とのコミュニケーションははかれているか。 • 対象者の認知の程度，見当識障害，文字・記号・言葉の理解能力，視空間認知障害，危険回避能力を把握しているか。 • トイレ，洗面所，台所などを個別に調整する配慮はされているか。 • 他のケア提供者や家族との連携はとれているか。 • ケア提供者の技術は万全か。 • 過去の事故を把握しているか。

(六角僚子：アセスメントからはじまる高齢者ケア――生活支援のための6領域ガイド．p.83，医学書院，2008による)

■室温・湿度

(1) 冷暖房機器の衛生管理や修繕を定期的に行う。

(2) 夏季は26～27℃(湿度40～50％)，冬季は22～23℃(湿度40～50％)が望ましい。身体を露出する場合は，室温を確認し，上記の適温よりも約2℃高くする。室温計は，高齢者がおもに過ごす場所・高さに設置する。通常は床から50～100 cmくらいとする。

(3) 冷暖房や窓から直接風があたらないように，ベッドの位置や掛け物を工夫する。

(4) 暖房を使用している場合は，室内が乾燥しやすいため加湿器を使用するが，衛生管理を忘れないようにする。

(5) 温度・湿度に気を配りつつ，定期的に換気を行う。

■臭気

⑴ 臭気(におい)は，汗などの分泌物や排泄物，トイレや台所からの排水，さらには食べ物などからも発生する。これらの臭気が生じないように，清潔な環境づくりが重要になる。高齢者では，排泄援助(おむつ交換など)に伴って臭気が生じることが多い。

⑵ 室内に臭気がある場合には，室温に注意をはらいながら換気を行う。消臭剤も同時に使用すると効果的である。

⑶ 花のかおりは，人によって快・不快の差がある。そのため，とくに夜間には，かおりの強い花は室外に出しておく。

■採光

⑴ 長期の臥床が必要となる高齢者もいることから，部屋は日あたりのよい南向きが理想的である。

⑵ カーテンで光を調節し，直射日光があたらないようにする。

⑶ 上肢に障害がある人でも，照明の操作が容易にできるように工夫する。

⑷ 夜間には，フットライトをつけておく。

⑸ 枕もとの電灯のかさに布や紙をのせたりすると，火災の原因となるため注意する。

■騒音

⑴ ドアの開閉音，足音，話し声(高い声，笑い声)，ラジオ・テレビの音，水の音などの生活音も耳ざわりな場合があるため注意する。とくに認知症者は音に敏感であり，その人にとって騒音と感じる音が存在すると，日常生活活動(ADL)がとどこおり，次になにをしたらよいかわからなくなるような混乱に陥ることもある。

⑵ ベッド・椅子・車椅子などを室内で移動するときに，引きずったり，ドアや壁にぶつけないようにする。

■備品管理

⑴ 車椅子・処置カート・おむつカートなどは定位置に整頓し，歩行の妨げになるようなものは置かない。

⑵ 体位変換用の枕などの看護(介護)用品は，必要な数だけを部屋に置き，そのほかは決まった場所に保管する。

⑶ 机・床頭台などの整頓にも気を配る。ベッド周囲の机・床頭台の位置は，高齢者と相談のうえ使いやすい場所に設定するが，麻痺がある人の場合は健側に配置することが原則である。

⑷ 高齢者はベッドを使用することが望ましいが，その高さは端座位のときに床に足が届く程度(40～45 cm)とする(➲ 図 4-1)。

■朝・就寝時の環境整備

横シーツは防水用として活用するが，不感蒸泄や汗などの水分を吸収する目的としても用いられる。ただし，いつも横シーツが必要とは限らないので，

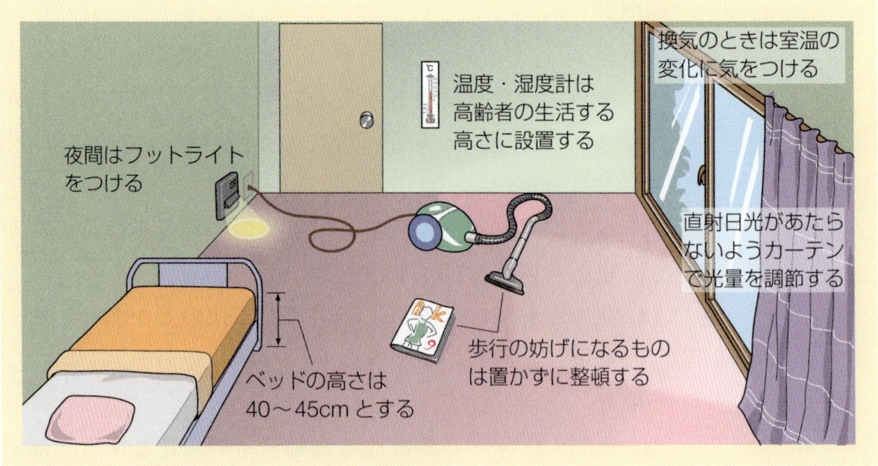

図 4-1　高齢者が生活する環境の整備

個々人の状況に合わせて活用する。

■認知症者への環境整備

認知症者は注意力・集中力が低下しているため，ちょっとした障害物に気づかない場合も多く，転倒・転落事故をおこしやすい。また，視空間認知，つまり物体間の位置関係や自分と物体との距離感を知覚することの障害により，手すりや椅子をつかみそこねて転倒することもある。したがって，認知症の程度を把握したうえで，安全・安楽な環境を整備する必要がある。

2 姿勢と動作

1 姿勢と体位

姿勢を整える意義

姿勢とは，からだの構えのことである。しっかり構えるためには，脊柱を支える筋肉，つまり背筋や腹筋を活用するわけであるが，これらの筋肉の緊張は大脳に刺激をもたらすことにつながっている。すなわち，よい姿勢を保つということは，身体的な健康だけでなく，精神活動も活発になることを意味している。私たちも楽しいときはからだがのびのびしていると感じるし，悲しいときは肩が落ちている。このように姿勢は筋肉だけでなく，心の状態をも示すものだといえる。

体位変換の必要性

私たちは立位・座位・臥位など，体位を自由にかえ，自然に安楽な体位を保っている。しかし，高齢者は疾患や加齢によって，姿勢を自由にかえることができなくなり，苦しい体位のままの状態を余儀なくされることもある。こうした状態が続くと，関節がこわばってしまったり（拘縮（こうしゅく）），筋力低下をおこしたり，褥瘡（じょくそう）の原因となったり，さまざまな悪影響を及ぼす。そこで，このような障害を予防するために体位変換が必要となる。

看護を行うためのよい姿勢 自分の全身を鏡でながめる習慣があまりない人は，姿勢を正すということに無頓着（むとんちゃく）になりがちである。わるい姿勢は，臓器や骨格に負担をかける場合もある。このことは高齢者だけでなく，看護師にもあてはまることである。

自分の援助姿勢に気を配っていないため，看護師のなかにも腰を痛めている人が多い。へっぴり腰で不必要な筋肉を使いながら体位変換や移動の援助をすることは，自分の腰や腕を痛めるだけでなく，高齢者にも多くの負担をかけることになる。

見た目にもむだのない移動動作での援助は，当然高齢者にも負担をかけない。看護師が自分のからだをまもることは，高齢者のからだをまもることにつながる。

2 加齢に伴う姿勢と動作の変化

高齢者は，**円背**（えんぱい）（ねこ背）や **O 脚**（オーきゃく）姿勢になりやすい。これは，加齢により脊柱が萎縮・変形することに加え，筋力が低下していることも要因である。一見，正しい姿勢の高齢者でも，よく観察すると，両肩が水平でなかったり，首が傾いていたり，膝が曲がっていたりしている。

このような姿勢や筋肉萎縮，体力低下により，高齢者は若者のようにスムーズに行動がおこせず，動作が緩慢となりがちである。看護師は，日常生活の動作を援助する際には，患者のできる動作と，どうすればその動作の範囲と能力をのばせるのかを観察する必要がある。

動作能力の評価 能力をのばすには，日常生活動作評価や機能的自立度評価 functional independence measure（FIM）などを用いて，いまある力，いわゆる現存能力をいかに引き出していくかが重要となってくる。FIM の評価項目は，運動項目の 13 項目に加えて認知項目の 5 項目で構成されており，実際に行っている動作を，その時点で評価するものである（➡ 表 4-3, 4）。

ロコモティブシンドローム 骨・関節・筋などの障害により，歩行や立ち上がりなどの機能に低下をきたした状態を**ロコモティブシンドローム（運動器症候群）**とよぶ。この状態は徐々に進行するので気づきにくい。そのため，家の中でつまずいたり滑ったりする，階段を上るのに手すりが必要である，15 分くらい続けて歩けないなどのチェックリストを使うことで，早期発見することが期待されている。

動作能力の維持・向上 ADL の低下した高齢者を「寝たきり」とよぶのを耳にすることがあるが，「寝かせきり」は医療職の怠慢である。高齢者は援助に対して受け身になりがちであり，治療上安静をしいられていることも多く，生活範囲が狭まって行動能力も低下する危険性が高い。医療職の側から積極的にはたらきかけて ADL の低下を防ぎ，廃用症候群をおこさないようにすることが重要である。

3 動かないことによる弊害

廃用症候群 **廃用症候群**とは，加齢現象に伴う体力低下や，障害をもつことにより，あ

➲表4-3　FIMの評価項目

運動項目	セルフケア	①食事	咀嚼・嚥下を含めた食事動作
		②整容	口腔ケア・整髪・手洗い・洗顔など
		③清拭	風呂・シャワーなどでの首から下(背中以外)の洗浄
		④更衣(上半身)	腰より上の更衣および義肢装具の装着
		⑤更衣(下半身)	腰より下の更衣および義肢装具の装着
		⑥トイレ動作	衣服の着脱，排泄後の清潔
	排泄コントロール	⑦排尿コントロール	排尿の調節(器具や薬剤の使用を含む)
		⑧排便コントロール	排便の調節(器具や薬剤の使用を含む)
	移乗	⑨ベッド・椅子・車椅子	それぞれの間の移乗(起立動作を含む)
		⑩トイレ	便器へ(から)の移乗
		⑪浴槽・シャワー	浴槽，シャワー室へ(から)の移乗
	移動	⑫歩行，車椅子	屋内での歩行，または車椅子移動
		⑬階段	12～14段の階段昇降
認知項目	コミュニケーション	⑭理解	聴覚または視覚によるコミュニケーションの理解
	社会的認知	⑮表出	言語的または非言語的表現
		⑯社会的交流	他の患者，スタッフなどとの交流，社会的状況への順応
		⑰問題解決	日常生活上での問題解決，適切な判断能力
		⑱記憶	日常生活上に必要な情報の記憶

注：①～⑱の各項目について，表4-4の基準で評価し，点数をつける。

➲表4-4　FIMの点数と評価

評価	点数	介助者	介助	評価基準
自立	7点	不要	不要	完全自立(時間，安全性を含めた自立)
	6点	不要	不要	修正自立(時間を要する，補助具などを使用)
部分介助	5点	必要	不要	監視または準備(自身で90%以上行える)
	4点	必要	必要	最小介助(自身で75%以上行える)
	3点	必要	必要	中等度介助(自身で50%以上行える)
完全介助	2点	必要	必要	最大介助(自身で25%以上行える)
	1点	必要	必要	全介助(自身で行えるのは25%未満)

る程度安静が必要となった場合に，身体を使用しないことが，からだのさまざまな部分に弊害を及ぼしてくることをいう。臥床安静をしいられることで運動機能や心肺機能が低下し，廃用症候群がおこりやすくなる(➲表4-5)。たとえば，脳血管障害後の片麻痺や骨折などにより，患側だけではなく健側の手足まで動作が困難になる高齢者も多い。

➲ 表 4-5 おもな廃用症候群

関節拘縮	関節の周囲にある弾力性の組織が弾力を失ってこわばり，そのため関節が十分に動かなくなる。
筋萎縮	筋組織は使用しないと細くなる。それが積み重なって筋全体が細くなり，筋力低下がおこる。
骨粗鬆症・骨萎縮	加齢現象に伴ってカルシウム・リン・コラーゲンなど，骨を構成している物質が減少し，そのため骨に「す」が入ったような状態となる。 また寝たきり状態であると骨に重力が加わらず，そのことがさらにカルシウムを減少させる。骨から流出したカルシウムは，尿路結石や腎疾患を引きおこす。
起立性低血圧	寝たきり状態によって血圧の調整機能が低下する。起立したときに脳への血液循環調整がうまく行えず，めまいや立ちくらみをおこす。
抑うつ状態	長い間，外からの刺激が与えられない環境におかれると，引きこもり・自信喪失・興味減退・無関心・無欲状態となる。
褥瘡	からだの同一箇所を長時間圧迫しつづけ，血流がわるくなると，その部位の組織が死滅する。褥瘡は骨の突き出た部位におこりやすく，皮膚に障害が生じる。
食欲減退	運動をしないため，食欲が減退する。それに伴い，消化能力や嚥下機能が衰え，便秘や低栄養状態になり体重も減少する。

4 生活動作の拡大

離床のための最も基本的な動作は移動である。移動動作を活用することで離床が促進され，また移動範囲を広げることは，生活動作を広げるために大きな役割を果たす。

通常，麻痺のある人の場合は健側を生活の場とする。具体的には健康な手のほうに，テーブル・床頭台などを置く。ただし，両側の麻痺・関節リウマチ・脊髄損傷・筋ジストロフィーなどの人の場合には，長期の生活習慣に合わせて設定することが大切である。

注意事項● 移動動作の援助は，身体状況(筋力・柔軟性・麻痺・痛み・理解力など)に適したものとしなければならない。また，患側の保護に気を配り，不安を与えず安全に援助する。両下肢にまったく支持力がない体格の大きい人への援助は，必ず2人以上の看護師で行うようにする。また健側に支持力が少しでもある場合は，移動するとき膝関節をのばして立位を保ち，本人の体重を付加するように実施する。

移動動作援助の効果● このような基本的な移動動作援助を実施することによって，食事や排泄の援助時だけでも1日20回くらいの移動訓練ができ，健側の支持力の強化につながる。

全身の筋力がなく，抱きかかえられての移動となる高齢者もいる。しかし，筋ジストロフィーなどの場合以外は，かかえられたときには筋肉が緊張して，尻からストンと落ちるようなことはない。つまり，抱きかかえられていても筋肉への刺激は与えられており，ADLの維持がなされているととらえることができる。それだけでも生活の活性化につながる効果を期待できるため，離床の基本動作を継続して援助していくことが重要となる。

5 体位変換・移動動作援助の実際

高齢者の姿勢は，加齢からくる身体的変化と，これまでの生活習慣や心理面などに影響を受けた変化によってかたちづくられたものである。健康な高齢者は，個々のADLの程度に合わせ，自然と合理的に動作を行っている。

援助の目的● 健康な状態から急に障害をもつと，終日ベッドでの臥床体位をしいられることで苦痛を味わったり，安静臥床のために廃用症候群などを併発してしまったりする場合も少なくない。これらの予防や，個々人に合わせた安楽な体位を保持することを目的として，体位変換や移動動作援助が行われる。

①仰臥位から側臥位へ　手順は一般の体位変換援助と同様であるが，とくに高齢者の場合には合併症などが多く，疾病の種類や程度によって工夫が必要となる。

(1) 苦痛な体位や痛みなどを，表情や言葉によって確かめる。
(2) 全体を観察して，不自然な屈曲や圧迫がないことを確かめる。
(3) 必要に応じてバイタルサインをチェックし，循環器などへの影響の有無を確かめる。

②仰臥位から半座位・起座位へ　長期の寝たきりで循環動態の不安定な人の場合には，起立性低血圧をおこすので注意しながら行う。ベッドの頭部をゆっくりと上げ，気分不快・顔色の変化などに気を配る。

呼吸困難がある場合は，オーバーテーブルや枕などを高齢者の前に寄せ，高さを調節し，起座位とする(➲ 図4-2)。やわらかい枕をテーブルの中心に置き，テーブルに寄りかかり，顔を横に向ける。背部を軽く保温性の高いガウンなどでおおうとよい。

③ベッドから車椅子への移乗　麻痺がある場合は，車椅子を健側のベッド

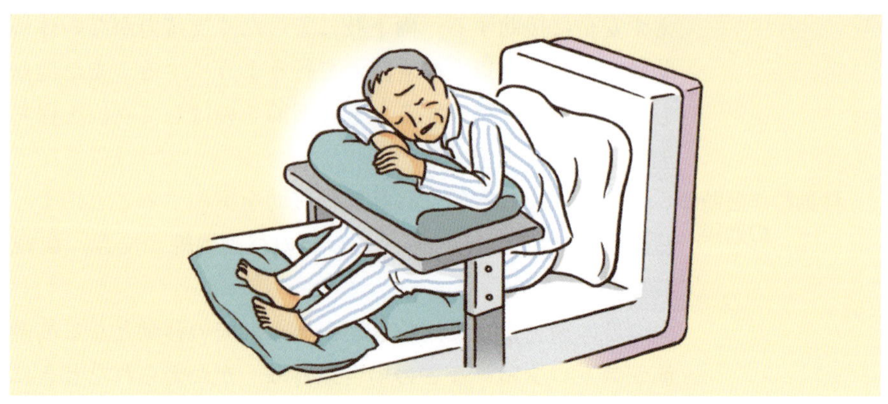

➲ 図4-2　起座位

の足もとに20～30度の角度で接近させ，ブレーキをかける。座位の安定していない人は上体を起こす前に靴をはくとよい。

立ち上がりの援助の際には，麻痺側の手を看護師の肩にまわせないことも多い。また，高齢者の腕が自由になると，移動時の不安感から掛け物やベッドフレームなどにつかまり，逆に転倒する危険性がある。そこで高齢者の両腕を前に組むようにさせ，看護師がその腕ごと抱きかかえるようにする。抱きかかえる際には，看護師と高齢者が離れてしまわないよう，なるべく接近・密着する。

障害があっても立位を保てる場合は，一度しっかり立ってもらい腰をまっすぐに保つように促す。また，車椅子に深く腰掛けてもらう場合は，両腕をしっかりと組み前傾姿勢をとってもらう(➲ 図4-3)。高齢者の肘(ひじ)になるべく近い部分を握って腰を引くように介助するが，その際，強く握ると皮膚の弱い人は表皮がむけたり，圧迫痕がついたりしてしまうことがある。

④車椅子からトイレへの移動　麻痺のある高齢者の場合は，トイレの高さをあらかじめ確認しておくことが必要である。立位が安定しない人の場合は，看護師は前に立ち，からだを密着させるようにして腰を支え，片手でズボンの上げ下げを援助する。

⑤認知症の人の場合　血管性認知症の場合は麻痺があることが多いが，アルツハイマー型認知症の場合は，初期にはある程度自立して生活動作を行うことができる。しかし中等度以降は，姿勢異常・歩行異常・バランス異常などが生じ，日常生活もある程度の援助が必要となってくる。歩行バランスがとれないまま歩く人，まっすぐ立っていても首が曲がってしまう人，ベッドに丸くなって寝ている人などが，安全で少しでも安楽に過ごせるよう配慮していくことが大切になる。

①腕を組み，前傾姿勢をとってもらう。

②腕を握り，腰を引くように介助する。

③静かに腰を掛け，安定を確認する。

➲ 図4-3　車椅子に深く腰掛けてもらう場合の援助

3 食生活と栄養

1 食事をするということ

人間にとっての食生活の意味

食の機能には，①基本的欲求の充足，②コミュニケーション，③ ADL の拡大，④自己表現，などがある。

①基本的欲求の充足　私たちは生きるために食事をする。それは生命を維持するために必要な栄養素の補給手段であり，この場合の食は，呼吸や排泄とともに人間の基本的欲求の充足手段である。

高齢者の基礎代謝は若者の約 10～15％と低く，また日常生活活動量の低下などから，必要とされる総エネルギー量は小学生と同じくらいにまで低くなっている(➲ 表 4-6)。

口から摂取するのは栄養素だけではない。水分の摂取も高齢者にとっては重要である。1 日の水分摂取量は，病院や施設の基準で決定するのではなく，本人の体重や運動量によって決めていく必要がある。

②コミュニケーション　食は人と人との親交を深めるコミュニケーションの手段でもある。互いに語らいながら食事をすることは，他者との交流を円滑にし，人間関係をつくっていくのにおおいに役だつ。

③ ADL の拡大　とくに高齢者の場合は，援助を受けながらでも他の人々

➲ 表 4-6　推定エネルギー必要量(kcal/日)*1

性別	男性			女性		
身体活動レベル	Ⅰ	Ⅱ	Ⅲ	Ⅰ	Ⅱ	Ⅲ
6～7(歳)	1,350	1,550	1,750	1,250	1,450	1,650
8～9(歳)	1,600	1,850	2,100	1,500	1,700	1,900
10～11(歳)	1,950	2,250	2,500	1,850	2,100	2,350
12～14(歳)	2,300	2,600	2,900	2,150	2,400	2,700
15～17(歳)	2,500	2,800	3,150	2,050	2,300	2,550
18～29(歳)	2,300	2,650	3,050	1,700	2,000	2,300
30～49(歳)	2,300	2,700	3,050	1,750	2,050	2,350
50～64(歳)	2,200	2,600	2,950	1,650	1,950	2,250
65～74(歳)	2,050	2,400	2,750	1,550	1,850	2,100
75 以上(歳)*2	1,800	2,100	—	1,400	1,650	—

*1 成人では，推定エネルギー必要量＝基礎代謝量(kcal/日)×身体活動レベルとして算定した。18～64 歳では，身体活動レベルはそれぞれⅠ＝1.50，Ⅱ＝1.75，Ⅲ＝2.00 としたが，65～74 歳では，それぞれⅠ＝1.45，Ⅱ＝1.70，Ⅲ＝1.95 とした。また，75 歳以上では，それぞれⅠ＝1.40，Ⅱ＝1.65 とした。

*2 レベルⅡは自立している者，レベルⅠは自宅にいてほとんど外出しない者に相当する。レベルⅠは高齢者施設で自立に近い状態で過ごしている者にも適用できる値である。

(「日本人の食事摂取基準　2020 年版」による，一部改変)

と一緒に食事をとるということが，日常生活における活動を広げるきっかけになる。食事をとる動作が少しでも行えるように援助していくことで，口や手だけでなくほかのからだの動きも，当然広げることにつながるからである。

④**自己表現**　食生活を支える食環境ともいうべき時間・空間をつくりあげるということは，自己表現の手段ともなりうる。人それぞれが調理や摂食の行程が異なるように，食自体が自己表現ともいえる。つまり調理法・味つけ・盛りつけなどに，その人の技術やセンス，さらに生活習慣や食習慣・好みが反映されている。

調理をしない，またはできない場合であっても，食の好みや食事の仕方もその人の自己表現であり，障害のある高齢者も食を通した自己表現は可能である。ケアを行う際には，高齢者が長年つちかってきた食に対する自己表現の場や手段を保っていけるように配慮をしなければならない。

文化としての食事

いまや，私たちが援助する高齢者が90歳や100歳であることもめずらしくない。これらの人々が，どのような食生活を経験してきたのかを知っておくことも必要である。

なにをどのようにしてつくり，どう食べるかという食文化は，その時代時代，そしてその地域の食のあり方の特色をあらわしている。つまり，食事には文化としての側面もある。高齢者世代は，食べ物の選択肢が少ない状況を経験し，食事をするということに多くのエネルギーを必要としたこともあるだろう。このように世代で比較しても，高齢者は私たちとは食文化に大きな違いがある。しかし，世代の中の個々人が，それぞれの食文化をもっているということも忘れてはならない。

2 摂食の過程

口のはたらきと看護

口には食べるという機能以外にも，言葉を発するはたらきもある。また，愛する人・ものに対して口づけをするなど，愛情表現をするはたらきももっている。このように口は大切なはたらきをする部位であるがゆえに，その中を人に見せることにはとまどうことがあり，恥部とも受けとめられる。このことは何歳になっても同じである。したがって，口のはたらきを看護師にゆだねている高齢者の恥ずかしさを理解することも重要なことである。

ここでは食に対する援助について述べるが，これらを通して口のほかのは

Column

高齢者の必要水分摂取量

一般の成人は，1時間に体重1kgあたり1mLの尿を生成する。1日の水分摂取量の簡易計算方法は，体重(kg)×30～35mLである。たとえば，体重40kgの女性では1,200～1,400mLとなるが，体重60kgの男性では1,800～2,100mLとなり，コップ4杯以上も違うため，個別性に応じた援助が必要となる。

たらきの維持にもつなげられることを念頭においてほしい。

■食欲

高齢者は生活範囲が狭まり，また運動量も少なくなる。さらに消化・吸収能も低下しているため，決まった時間に食欲がわかないことがある。

味覚の変化● また，個人差は大きいものの，加齢に伴って味覚も鈍くなり，食欲の減退につながってくる。この原因には，薬物の常用や亜鉛の欠乏があげられる。とくに塩味の知覚が鈍くなることが多くみられ，食事の味つけが濃くなりがちになるので注意をする。

認知症の場合● 認知症者では，食欲がまったくわかなかったり，逆に異常に食欲を感じることがある。また見当識障害もあり，食事の時間帯すら理解できないこともある。つまり，午前8時，昼の12時，午後6時といった食事の時間帯は，その人の食事時間であるとは限らないのである。

■食物認知

人は空腹を感じると，食べたい物や食べ物をさがしたり，見つけたりする。そのとき，物の色や形，においなどをもとに食物の認知を行うが，高齢者は嗅覚や視覚の衰えのため，においがわからなかったり，よく見えなかったりして，おいしいものがおいしそうに思えない場合がある。

視覚と認知機能の障害● また，ある一点を見つめるとき，上下・左右の見える範囲を視野というが，この視野が緑内障などの疾患によって全体的に狭くなったり，ある部分が欠けてしまったりする場合がある(**視野狭窄**(きょうさく))。さらに視力はあっても，この視野から外れたり，見たものを脳で構成できなかったりする場合も，食べ物の認知に影響を与える(**視空間認知障害**)。また脳血管疾患により，視野の半側に呈示された対象に気づきにくい**半側空間無視**の場合も見受けられる(おもに左側に生じる)。これらの障害の程度を把握しておくことも必要である。

認知症の場合● 認知症者は，食物認知をうまく行うことができず，花や消毒薬など，食べ物でないものを食べ物と誤認する場合がある。からだに悪影響を及ぼす危険性も高いため，見まもりを十分に行わなければならない。

■捕食(ほしょく)

口に食べ物を入れることを捕食という。しかし，口にただ食べ物を入れればよいというわけではなく，おいしく楽しく食べてこそ，栄養素は吸収され食事の意味がいかされるのである。つまり「食べたい」「食べよう」という気持ちになってもらうことが大切である。

誤嚥への注意● 高齢者のなかには口をあけない，寝てしまう，食べる気を示さないといった人もおり，対応がむずかしい場合もある。そのようなときに，看護師は「食べないとからだがもたないから」「必要な栄養なので薬だと思って」などと一生懸命すすめ，ついには口の中に無理やり押し込んだり，舌の上にのせたりしてしまいがちである。しかし，食べるペースを無視して食べさせられることは誤嚥(ごえん)やむせにつながるため，してはならない。

咀嚼（そしゃく）

捕食後，はじめにかむ，そしてすりつぶすという動作があるが，高齢者は歯が少なかったり上下顎の筋力低下もあったりして，かむということに苦労しがちである。また咀嚼時は，口をしっかり閉じることで唾液の分泌が促進されるが，高齢者の場合はこの機能も低下しているために口内に水分が少なく，容易に咀嚼できないことも多い。食べる前に，汁物やお茶などをすすめる工夫も必要である。

認知症の場合 認知症者の場合，食べ物の量や大きさを自分の口の容量に合わせることができず，窒息の原因となることもあるので注意をする。

送り込み

食べ物は咀嚼されて細かくくだかれたのち，舌でまとめられ，喉頭部に送り込まれる。高齢者は，舌の機能低下，頬の筋力低下や麻痺などで，十分に送り込みを行えない場合がある。たとえば，「飲み込んだあとに，まだ口の中に食べ物が残っている」「もぐもぐして一向に飲み込めない」というのが，その状況と考えてよい。

このような場合は，小さなスプーンで舌の奥に食べ物をのせたり，食事の際の体位を30～60度くらい後ろに倒したりするとよい。垂直よりも，30度くらいの体位が高齢者にとって安楽で，安全な角度である（➲図4-4）。ただし，体位を倒したときは頸部を前屈させることを忘れてはいけない。

嚥下（えんげ）

送り込みをしたあとは，食べ物を飲み込む必要がある。喉頭は食道と気管につながっているため，食べ物が通過するときには，喉頭蓋が弁となり気道をふさぐ。これにより誤嚥は防がれており，この反応を**嚥下反射**という。

高齢者の場合は，加齢とともに嚥下機能が低下し，誤嚥をおこしやすくなる。喉頭や頸部の筋力低下から嚥下が遅くなり，また，それにより唾液や食塊が喉頭に貯留しやすくなることで，さらに誤嚥をおこす危険性が高くなる。

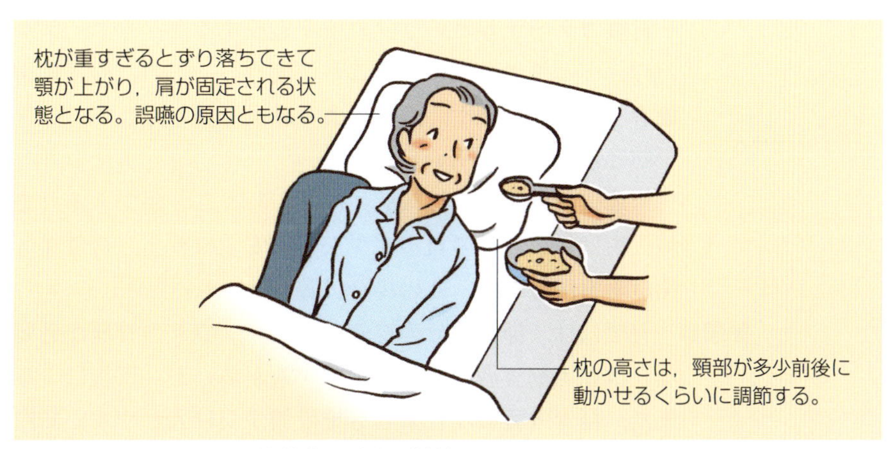

➲図4-4　送り込みと体位（30度仰臥位）

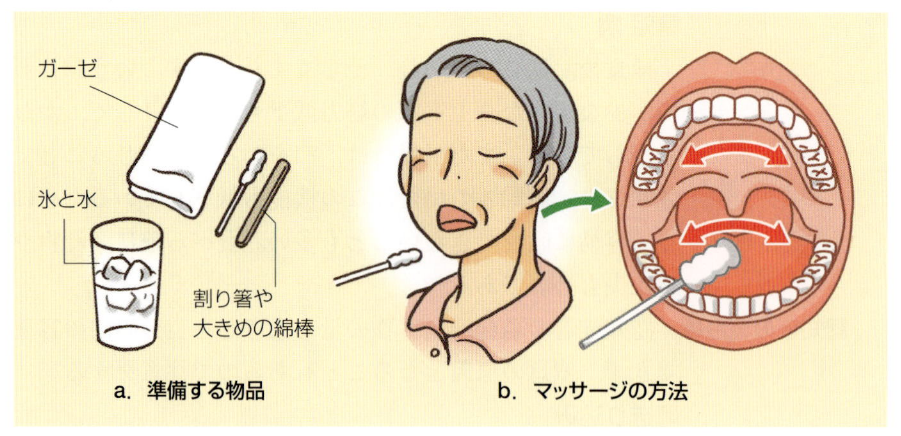

図 4-5　アイスマッサージ

このような場合には，食前に頸部や肩の体操などをして，リラックスすることが必要となる。また，冷たい水で冷やした綿棒などでのどを刺激すること(アイスマッサージ)も，咽頭反射の促進に効果的である(➲図 4-5)。

■蠕動（ぜんどう）運動

食べ物を飲み込んだあとには，食道の蠕動運動で胃に送り込まれる。蠕動運動は加齢とともに機能低下がみられ，さらに胃の噴門部付近の下部食道括約筋の弛緩のため，水分や流動食を摂取した高齢者がすぐに横になると，食べ物が胃から逆流してくる危険性がある。逆流した食べ物は，容易に気道へと流れ込み，逆流性誤嚥性肺炎の原因となる。これは高齢者では多い疾患である。食後の逆流を防ぐには，起き上がりを誘導する際に，一度唾液をごっくんと飲み込む動作を促すとよい。

3 胃瘻

胃瘻とは，胃部に小さな穴を開けて胃までカテーテルを通し，その胃内と体外を結ぶ管状の瘻孔のことをいう(➲図 4-6)。この瘻孔に通すカテーテルを**胃瘻カテーテル**という。胃瘻を造設すると，カテーテルを使って体外から胃内部へと栄養を直接送ることができる。このため，食事摂取ができない対象者への栄養管理や，誤嚥による肺炎を繰り返している対象者への短期間の予防と治療などに用いられる。

胃瘻造設の手術は比較的短時間で行うことができる。また，カテーテルの挿入術は対象者への負担が少なく，安全に行え，合併症も少ない。腸に穴を開ける方法もあり，その場合は**腸瘻**という。

管理● 胃瘻には，挿入部分の皮膚やチューブなどの管理が必要である。高齢者の場合は在宅療養者や施設で過ごす人が多いが，家族による管理が容易であり，また，経管栄養の場合よりも施設側が受け入れやすい傾向にあるなどの利点もある。

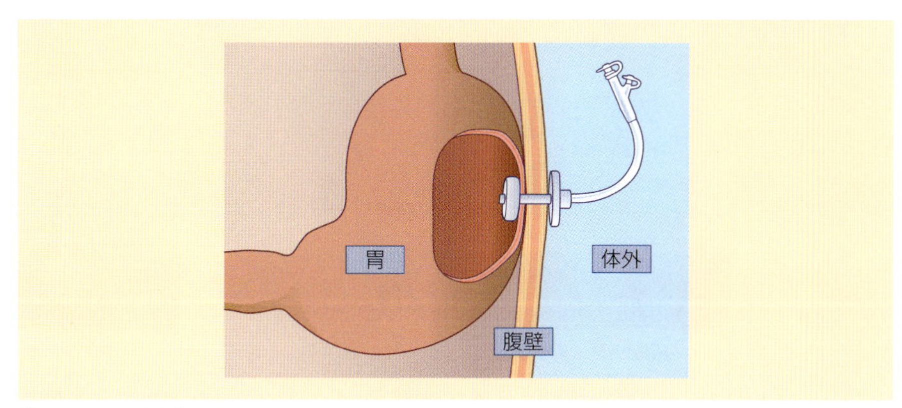

➲図 4-6　胃瘻

種類● 胃瘻カテーテルは，瘻孔から抜けないように，胃内固定版と体外固定版で止められている。胃内固定版にはバルーン(風船)型とバンパー型の2種類があり，体外固定版にはボタン型とチューブ型の2種類がある。したがって，固定板の組み合わせは4種類となり，それぞれ長所と短所がある(➲図 4-7)ため，対象者の状態や家庭環境などに応じた最適な組み合わせが選ばれる。

胃瘻のケア● 胃瘻周囲の皮膚は，栄養剤・胃液のもれや，チューブ類との接触により炎症をおこすことがある。そのため，胃瘻のケアでは，まず胃瘻とその周辺部位の皮膚の状態の観察を行う。

次に，栄養剤注入前後でケアを行う。まず注入口のふたを開けて，胃内の空気を脱気させたあと，栄養剤を注入し，吐きけや腹痛，腹部膨満感などの有無を見ながら，注入量や注入速度，腹部の症状を確認する。注入後は微温湯を流し，チューブ内の清潔状態を保つようにする。

4 食事援助の実際

■食環境づくり

食環境への留意点● どのような年齢であっても食環境をつくることは重要であるが，ここでは高齢者に対する食環境への留意点を述べる。

まず第1に，高齢者が「これから食事である」という準備状況に入っていくような環境づくりがあげられる。そのためには，摂食にいたるまでの行為の確認を行っていく。具体的には，食事やその準備に入ることの説明，手洗い，整容，義歯の装着，口腔内清潔，眼鏡の装着，献立(こんだて)紹介などである。このような摂食にいたるまでの行為を援助していくことで心と身体の準備ができ，食事をすることが可能となる場合が多い。

第2に静かで食事に集中できるような環境の調整である。これまでどのような食事の雰囲気を大切にしてきたのかを把握することが必要となる。

第3に安楽な摂食姿勢の確保である。脊柱を曲げることで，筋緊張が弛緩されたり腹圧がかわったりすれば，食欲が低下することも考えられる。

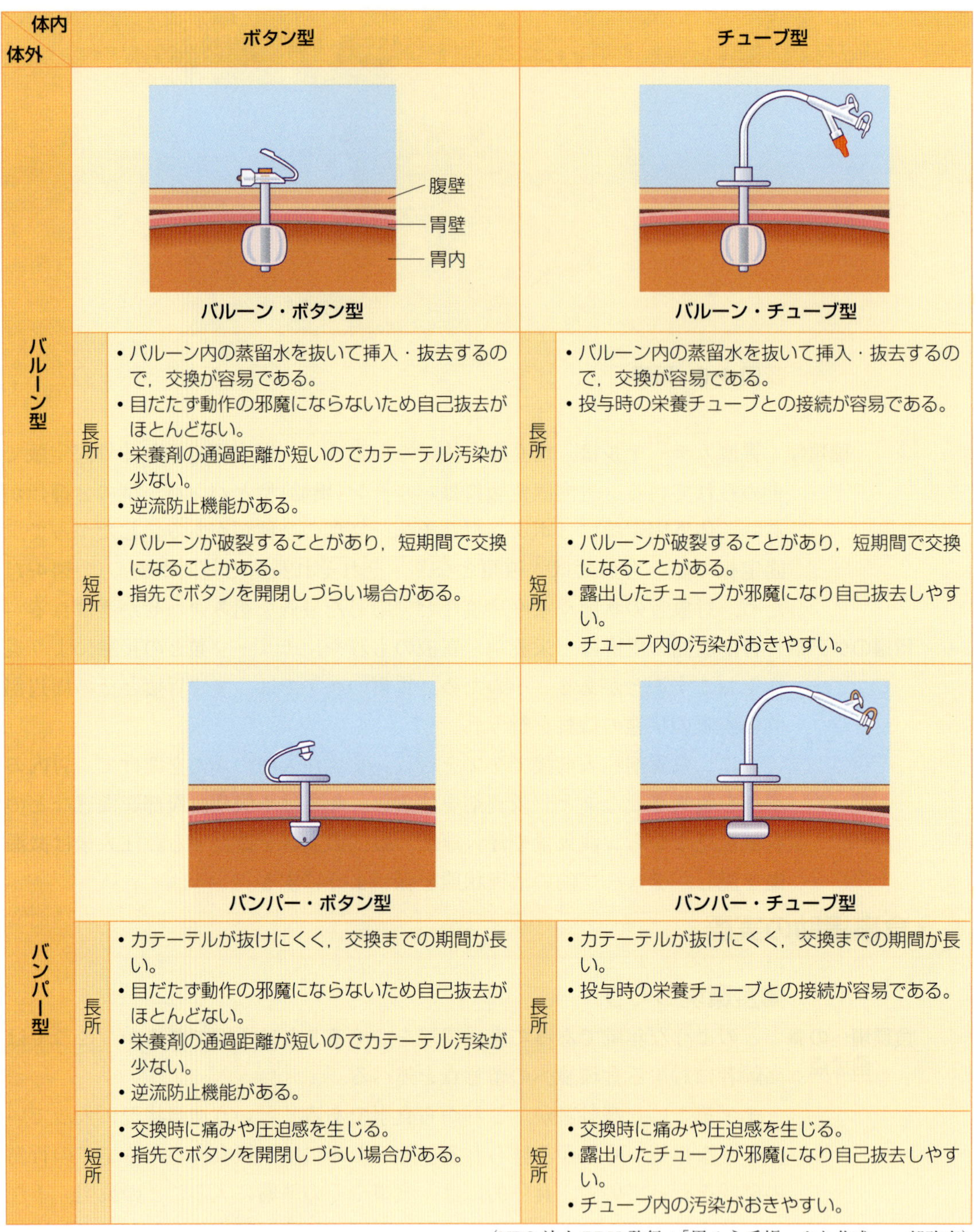

体内／体外		ボタン型	チューブ型
バルーン型		バルーン・ボタン型	バルーン・チューブ型
	長所	• バルーン内の蒸留水を抜いて挿入・抜去するので，交換が容易である。 • 目だたず動作の邪魔にならないため自己抜去がほとんどない。 • 栄養剤の通過距離が短いのでカテーテル汚染が少ない。 • 逆流防止機能がある。	• バルーン内の蒸留水を抜いて挿入・抜去するので，交換が容易である。 • 投与時の栄養チューブとの接続が容易である。
	短所	• バルーンが破裂することがあり，短期間で交換になることがある。 • 指先でボタンを開閉しづらい場合がある。	• バルーンが破裂することがあり，短期間で交換になることがある。 • 露出したチューブが邪魔になり自己抜去しやすい。 • チューブ内の汚染がおきやすい。
バンパー型		バンパー・ボタン型	バンパー・チューブ型
	長所	• カテーテルが抜けにくく，交換までの期間が長い。 • 目だたず動作の邪魔にならないため自己抜去がほとんどない。 • 栄養剤の通過距離が短いのでカテーテル汚染が少ない。 • 逆流防止機能がある。	• カテーテルが抜けにくく，交換までの期間が長い。 • 投与時の栄養チューブとの接続が容易である。
	短所	• 交換時に痛みや圧迫感を生じる。 • 指先でボタンを開閉しづらい場合がある。	• 交換時に痛みや圧迫感を生じる。 • 露出したチューブが邪魔になり自己抜去しやすい。 • チューブ内の汚染がおきやすい。

(NPO 法人 PDN 発行：「胃ろう手帳」より作成，一部改変)

図 4-7　胃瘻カテーテルの種類

■食前の援助

次に食事の前に行う準備について，具体的な方法を述べる。

①**食前のリアリティオリエンテーション**　現在の時間および朝食・昼食・夕食であることを説明する。認知症者の場合には，いまがいつであるか，こ

れからなにをするのかを，そのつど説明する必要がある。

②**食前の体調確認** 体調の変化を観察する。食前に排泄を促す。

③**食前の環境調整** 汚物はすみやかにかたづけて換気をする。また臭気を除く工夫をする。ポータブルトイレや尿器などは目にふれない場所にかたづけるが，高齢者のなかには，それが視野範囲にないと不安がる場合もある。

④**手洗い・整容** 手洗いの際には，鏡を見ながら整容も行う。

⑤**食事配席** 病院や施設であれば，気の合う仲間と一緒に食事ができる配席が望ましい。また在宅であれば，これまで行ってきたような食環境を整えるような工夫も必要である。

⑥**体位の調整と安全の確認** 高齢者は疲労しやすく，同じ姿勢を保つことが苦痛な場合が少なくない。そのため，約15～20分間隔で看護師が体位を調整しなければならない。椅子や車椅子を用いるときは，安全・安楽に腰掛けているかを確認する。その際，各関節が90度となる姿勢がとれているか，足もとが安定しているかなどがポイントとなる(➡図4-8)。ベッド上の人は，ベッドをギャッチアップするか，小枕などを使用して体位を保持する。

体位のチェックポイント● 体位のチェックポイントとしては，次のことがあげられる。

(1) からだが左右前後に傾いていないか。

(2) 足が床やフットレストについているか。

(3) テーブルの高さは合っているか。

(4) ベッドのギャッチアップで，腹部が圧迫されていないか。

(5) 麻痺側の工夫はされているか。

麻痺のある場合は，健側を上にすると，自分で食べやすい。ただし，顔面麻痺のある場合は患側を下にすると，口の中に食べ物が残りやすく誤嚥の原因となる。体力低下のある高齢者は，食事の体勢で待たせると疲れてしまうため，あまり早くから食事に誘導しない。障害のある人は，装具をきちんと

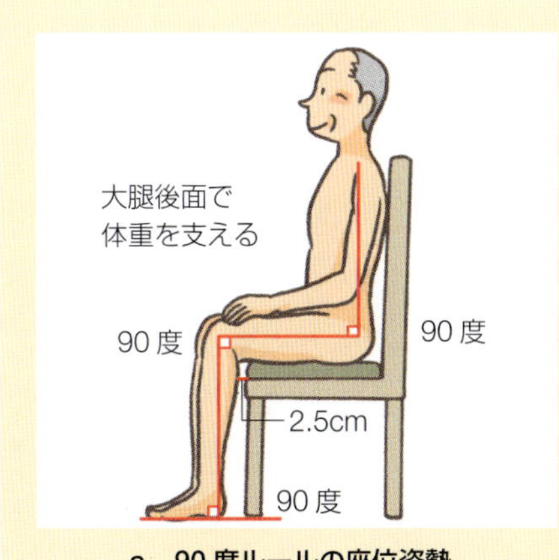

a. 90度ルールの座位姿勢

b. 足もとを安定させる工夫

➡図4-8 安全・安楽な座位姿勢

着用してから食事を行う。

⑦**食前の身じたく**　食事が少しでもおいしく，また楽しくとれるように，義歯・眼鏡・補聴器などを装着するといった感覚器系への配慮を忘れないようにする。

⑧**食前の服薬と薬剤の準備**　食前に服薬が必要な高齢者は，あらかじめ把握しておく必要がある。また，高齢者はいくつもの合併症をもっている人も多い。そのため薬剤の種類も多く，病院や施設での誤薬が生じるおそれがある。服薬時には，袋や容器にある氏名や薬剤の種類の確認を十分に行う。とくに食堂で食事をとる場合は，隣の人の薬剤を飲んでしまったなどという場合もあるので注意をする。

■摂食の援助

①**自分で食事ができる場合**　自分で食事ができていても，おにぎりを一気に口の中に詰め込んだり，ごはんだけを黙々と食べていたりする場面もありがちなので，気配りが必要である。また，よくかまずに丸飲みしてしまうこともあるので注意する。

②**自分で食事ができない，あるいは一部援助の場合**　看護師は患者に目の高さを合わせ，真正面からではなく，やや斜めの角度に位置するようにする。また，覚醒している状態で摂食をしないと，誤嚥をおこす危険性が高いため，完全に覚醒していることを確認する。食膳は目の届く範囲に並べる。

食事中の嚥下の様子，表情・顔色などの変化を観察する。高齢者は唾液の分泌機能が低下しているため，口の中が渇いている場合が多く，まず汁物を口にするように声をかける。

あせらずに，本人を急がせない態度で接し，食事のペースをまもる。次から次へと口に食べ物を送り込まないようにすることが大切である。逆に早食いをする人の場合は，ゆったりした気分になれるようにコミュニケーションを取り入れる。

■障害のある場合の留意点

障害のある高齢者に対しては，以下の点に留意する。

①**顔に麻痺がある場合**　健側の口角（口唇の端側）から食べ物を入れる。麻痺側に食べ物が貯留しやすいので，頬を軽く押したり，舌で健側に移すように説明をする。食後，口の中に食べ物が残っていない状態にする。

②**嚥下障害がある場合**　顎（あご）を引いた姿勢を保つ。「ごっくん」と声をかけることで，意識的に飲み込むことを促す（➲図4-9-a）。酸味はとくにむせやすいので注意をする。汁物は，とろみをつけるとむせにくくなる。

調理法を工夫し，とろみをつけたり，ミキサーにかけたりして，飲み込みやすい食事形態を考慮する。あまりとろみをつけすぎると，かえってねばりけがでて飲み込みにくくなるので注意する。また，舌でもつぶせるようにや

a. 食事援助の様子

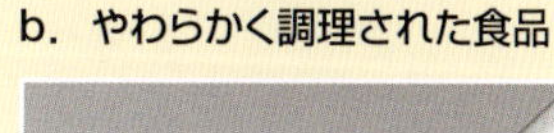

b. やわらかく調理された食品

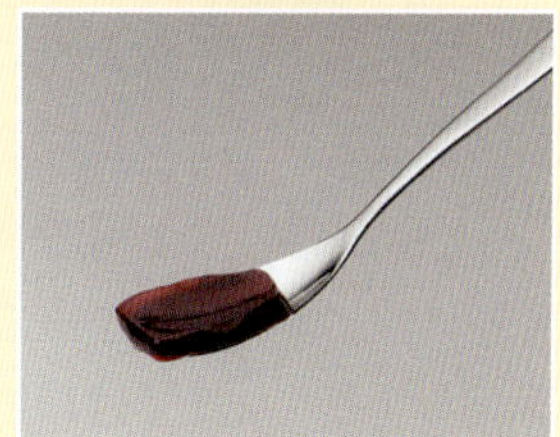

c. 嚥下困難者のためのゼリー

(写真〔b・c〕提供：イーエヌ大塚製薬株式会社)

図 4-9 食事援助の様子と嚥下食

わらかく調理された食品や，嚥下困難者用のゼリーも販売されている(➡ 図 4-9-b, c)。ゼリー状のものは，寒天よりもゼラチンのほうが誤嚥しにくい。

③視覚障害のある場合 不安にさせないため，できる限り慣れ親しんだ同じ場所で食事ができるようにする。また，献立や食べ物の色・形・熱さの説明を十分に行う。小さめの皿を渡し，そこに少しずつ取り分けるのもよい。

また，食器やスプーン・箸(はし)などの位置を，たとえば 12 時方向に副食，3 時方向に汁物などと時計盤に合わせて位置を決めておく方法(クロックポジション)を用いることで，いつも同じ位置に置くことができ，食事をスムーズに進めることができる。

④認知症のある場合 前述した食環境づくりの留意点(食前のリアリティオリエンテーションの導入，静かで集中できるような食環境，摂取姿勢の配慮)は，認知症高齢者についても同様である。また，このことは認知症先行期障害に対するアプローチの原則でもある(➡ 詳細は第 7 章 A-5-1「摂食障害に対する援助」〔211 ページ〕)。

食後の援助

①服薬 飲み忘れや誤嚥などがないように見まもりながら，服薬を援助する。どうしても服薬を拒否されてしまったり，飲み込みにくい場合は，少量のシロップにまぜたり，ゼリー状のオブラートを用いることもある。

高齢者が食事で疲れてしまい，食後に薬剤が飲めないような状態が予測される場合は，薬剤をひとさじで飲めるようなかたちにして，食事の途中に服用してもらうといった援助も必要となる。

②**下膳** 食べ物が口の中に残っていないかを確認しながら，水分やお茶をすすめる。また，義歯や自助具などがお膳に残っていないことを確かめる。下膳は，食事が終了したかどうかを本人に確認し，了解を得てから行う。高齢者の立場になって，食べているそばから，どんどんかたづけていくようなことのないようにする。

③**食べ物をいつまでも放置しない** 衛生上，室内・居室には食べ物の残りを置かないようにする。また，つねに食べ物を目にふれるところに置くことは，食欲をなくすことにもつながる。

④**口腔内の清潔** 高齢者は，唾液の分泌低下によって口腔内の自浄作用も低下するため，齲歯(うし)(むし歯)や感染症をおこしやすい状況にある。病院や施設では口腔ケアを消毒用ガーゼですませてしまう場面を見かけるが，口の中の筋力低下を防ぐ効果もある歯みがきがのぞましい。

歯みがきをする際には歯をみがくだけではなく，歯肉のマッサージをおろそかにしないようにする。経管栄養の人であっても，将来再度口から食べ物を摂取できる可能性があり，そのためにも歯みがきを励行したい。

⑤**食後の安静** 食事動作は，高齢者にとっては大きなエネルギー消費である。安静をはかるために，入浴やリハビリテーションなどは最低30分後に行う。また，逆流性誤嚥性肺炎の危険性も高いため，疲労度を観察しながら臥床を促す。

4 排泄

排泄とは，不必要なものを体外に出すという生命維持のためのすべての行為をいう。高齢者の場合，加齢に伴って排尿や排便に支障をきたすことが多くなる。たとえば，尿が出づらい，1日に何度も尿が出る，便秘になる，便秘と下痢を繰り返すなどである。排泄に関するさまざまな症状がおこると，生活への支障も出てくる。

生活全般が前向きとなるには，すっきりと気持ちのよい排泄が必要である。ここでは，そのための看護実践について述べる。

1 排泄の過程

■排尿

1 高齢者の排泄

排泄は生理的現象であるとともに，その自立は人間らしさにも直結する問題である。高齢者は自分自身で排泄をすることが困難になり，加齢を自覚しやすくなる。

2 排尿の過程

経口摂取した水分は腸管へ送られ，そこで血管へ吸収される。血管に吸収された水分は血液となって腎臓へと送られ，必要なものは再吸収され，不要なものは尿として膀胱に送られる。

腎臓でつくられた尿が膀胱にたまると，尿意が大脳皮質へ伝達され，排尿反射がおこる。排尿は，排尿筋が収縮し，内尿道括約筋がゆるみ，続いて外尿道括約筋がゆるむことで行われる。このしくみがうまくはたらかないと，排尿に異常が生じ，排尿障害や尿失禁となる場合がある。

3 排尿障害

高齢者は，心機能や腎機能の低下，抗利尿ホルモンの分泌リズムのくずれ，膀胱容量の減少，膀胱の排尿筋の不安定化などにより，夜間頻尿や尿失禁，多尿，頻尿，残尿といった**排尿障害**を引きおこしやすい。とくに尿失禁は高齢者に多い。尿失禁にはいくつかの種類があり，これらは複合することも多い（➡ 表 4-7）。

また，これら以外に，加齢に伴う膀胱の収縮力の低下を原因とする，**過活動膀胱**による失禁が生じる場合も多い。過活動膀胱では，それまでなんともなかったのに，急にトイレに行きたくなり，がまんがむずかしくなるという

➡ 表 4-7　尿失禁の種類と看護

種類	症状	特徴	看護	図・イメージ
腹圧性尿失禁	重いものを持ったり，咳やくしゃみなどによる腹圧の上昇でおこる。	女性に多い。加齢による骨盤底筋群のゆるみにより，腹圧がかかったときにもれる。	骨盤底筋体操を行うことで，骨盤底筋の筋力を向上させる。手術や内服などで改善が期待できる。	チョロ…
切迫性尿失禁	強い尿意切迫感が出現し，尿をこらえきれずにもらしてしまう。	膀胱がのび縮みしにくくなり，膀胱内に尿をためにくくなる。わずかな尿量で尿意を感じるようになり，トイレに行く回数が増える。	尿意があっても尿量は少ないことが多いため，趣味や家事に集中することで，尿意を忘れることができる。骨盤底筋体操や薬物療法などで改善が期待できる。	TOILET
溢流性尿失禁	尿があふれでるように少しずつもれてしまう。	男性に多い。前立腺が肥大し，尿の排出を妨げてしまうことで生じる。	尿を十分に排出できないことで，膀胱内に残尿が生じやすくなる。残尿量が多い場合，腎臓に逆流して腎機能の低下を引きおこすため，カテーテルを用いた自己導尿を行い，尿を排出する必要がある。	内圧上昇 尿道 肥大した前立腺
機能性尿失禁	膀胱や尿道以外の問題でおこる失禁をさす。	運動機能の低下によりトイレまでの移動に時間がかかってしまうことや，認知症などの疾患のためにトイレの場所がわからないことが原因で失禁してしまう。	運動機能の低下を予防するためのリハビリテーションの実施や，トイレの場所がわかるような掲示を行う。また，上げ下ろしがしやすい服の選択を提示するなど，本人の現在の機能で可能な対応方法を，本人や家族と一緒に考えて支援する。	

症状がおきる。これは膀胱の異常で，その原因としては以下のものがある。

(1) 脳卒中などの後遺症で，脳と膀胱の筋肉を結ぶ神経の伝達に障害がおきている。

(2) 出産や加齢により，子宮・膀胱・尿道などを支えている骨盤底筋群の筋力が弱くなっている(➲ 図 4-10)。

(3) なんらかの原因により膀胱の神経が過敏にはたらいている。

女性の骨盤底筋群がゆるんでしまう因子には，加齢，肥満，喫煙などがあげられている。加齢による骨盤底の脆弱化は，靱帯や筋膜の結合組織の弾力性が低下することによる。

高齢者の尿失禁は，複数の要因が関係していることも多い。そのため，最も困っていることについて丁寧に情報収集し，それに対する看護を行っていくことが重要となる。

■排便

食べ物は胃や小腸である程度消化・吸収され，液状になって大腸に送られ

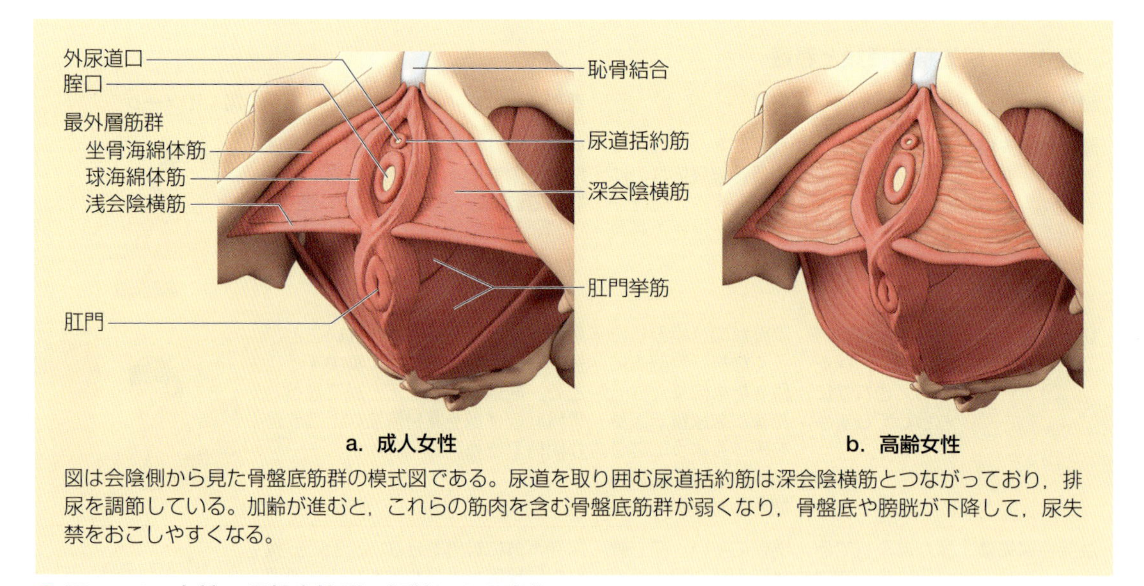

図は会陰側から見た骨盤底筋群の模式図である。尿道を取り囲む尿道括約筋は深会陰横筋とつながっており，排尿を調節している。加齢が進むと，これらの筋肉を含む骨盤底筋群が弱くなり，骨盤底や膀胱が下降して，尿失禁をおこしやすくなる。

➲ 図 4-10 女性の骨盤底筋群の加齢による変化

Column

排尿障害と QOL

尿失禁などの排尿障害があると，高齢者は外出やスポーツを楽しむ機会が少なくなる傾向があり，QOL の低下につながる。近年では，尿失禁などを骨盤底障害ととらえ，泌尿器科や産婦人科などの垣根をこえた総合的な診療を行う病院やクリニックが増えてきている。骨盤底筋群をきたえる骨盤底筋体操や手術療法による改善で，QOL 向上のための方法が選択できるようになってきている。

ていく。大腸は内容物をゆっくり移動させる蠕動運動というはたらきをもっており，上行結腸から横行結腸，下行結腸，S状結腸，直腸と進んでいく。この過程でだんだんと水分が吸収され，便がつくられていく。食事から排便までの時間には個人差があるが，だいたい24～72時間といわれている。

排便障害には，下痢と便秘の繰り返し，長期の便秘，便失禁などがあげられる。

排便のメカニズム● 便意は，S状結腸の糞便が直腸に移送され，直腸壁が伸展することで生じる。便意があるときの便保持は外肛門括約筋と恥骨直腸筋の随意収縮により行われる。

便の性状● 便の量は，食事や摂取した食物繊維の量によってかわる。便の大きさも，加齢により咀嚼・嚥下機能，消化機能が低下することや，食事内容(量・形態・水分含有量)によってかわるため，個人によってばらばらである。

高齢者は水分摂取量が少ないことが多く，この場合には硬便となりやすい。硬便となると排泄時に裂肛がおこることや，努責により血圧が上昇して循環器系に影響を与えることがある。

下痢などの水様性の便の場合は，肛門括約筋の弛緩による便失禁などで，日常生活に影響する場合がある。

便の判定● 便の固さを外観から判定する方法に，**ブリストル便形状スケール**がある(➲ 図4-11)。このスケールは，口から肛門までの通過時間と相関があり，タイプ1からタイプ7になるにしたがって通過時間は短くなる。便の固さは，薬剤によってもかわり，便秘を引きおこすものもあるため注意する。

高齢者の排便● 高齢者の場合，トイレが近くなるという理由で飲水をがまんすることや，加齢で感覚機能が低下し，のどの渇きを感じにくくなる。そのため飲水が少なくなり，便秘傾向となる。そのほかにも，腹筋が低下することで，便の排出時にいきむことが困難となり，便秘になることもある。これらの複数の要因があることから，高齢者の排便周期は個人差が大きいという特徴がある。

しかし，便秘傾向があるからといって安易に下剤を服用してはいけない。下剤には強力な蠕動運動作用があり下痢を生じやすいため，肛門括約筋が低下している高齢者では，排便がまんできず，便失禁をおこす可能性があるためである。

便失禁はにおいで周囲に気づかれやすいため，本人の自尊心が低下してしまい，その経験を二度としたくないという思いから，抑うつ状態になり，外出を控え閉じこもりとなってしまうこともある。

このように排泄の問題は，高齢者の日常生活における非常に重要な課題であることを忘れてはならない。

消化管通過時間	便の形状	考えられる要因	対応
非常にゆっくり（約100時間）	タイプ1 かたい，ウサギの糞状	水分不足となり便がかたくなっている	オリーブオイルなどを少量飲む。水分摂取を促す。身体を動かして腸蠕動を促す。
	タイプ2 ソーセージ状でかたい	やや水分不足	水分摂取を促す。蠕動運動を促すために，歩行などで身体を動かす。
	タイプ3 表面にひび割れのあるソーセージ状	丁度よい（水分量も食物残渣もバランスが良い）	この状況を継続できるように意識づけを行う。
	タイプ4 表面はなめらかでやわらかい	丁度良い（水分量も食物残渣もバランスが良い）	食事内容や水分摂取量の記録をするなどの，セルフチェックを行う。
	タイプ5 やわらかい半分固形	食事の量が少ないため食物残渣が少ない	白米やパンなどといった水分を吸収する食事の摂取を促す。
	タイプ6 形のない泥状	水分量が多い	便によるスキントラブルを予防するために，肛門周囲にワセリンなどの撥水性クリームを塗布する。
非常に速い（数時間）	タイプ7 水様で固形物を含まない	消化不良による下痢状態	

➲図4-11 ブリストル便性状スケール

② おむつからの脱却

■おむつの必要性の検討

排泄が自立するには，みずからトイレに行き，服を下ろして便器に座り，排泄をすませ，トイレットペーパーで陰部や肛門をふき，再度服を着用してトイレを流し，もといた部屋に戻るといういくつもの行為を自分1人で行う必要がある。

しかし高齢者の場合，腹筋の低下によって便の排出が困難になるだけでなく，脳梗塞などで麻痺が生じ，自分でズボンやパンツの上げ下ろしができないことや，認知症によりトイレの場所が認識できないといったことで，排泄が困難となる場合がある。また，加齢による失禁が生じることもある。

高齢者がこれらのことを自覚し，予防的におむつや尿取りパッドを使用することもある。しかし，本人が自発的に使用する場合と，看護師が安易におむつをあてることでは，本人の意志を尊重するうえで意味合いが大きく異なる。

本人が失禁を自覚して予防的におむつを選択した場合には，失禁量に応じたパッドなどを選択することで，自分なりの排泄を確立できる。しかし，おむつを強制的にされた場合には，自尊心が傷つけられ，生きる意欲が低下することにもつながる。

そのため，本人の気持ちをくみ取り，自立を支援していくことが大切である。情報としてオムツやパッドを紹介することはあっても，看護師独自の判断でそれらを勝手に使用することはその人の人権をないがしろにした行為である。使用にあたっては必ず本人の同意を得るようにし，本人の意思確認が困難な場合には，家族に同意を得る必要がある。

おむつにかかわる問題● 実際には重大な問題がないにもかかわらず，安易におむつを使用させられている高齢者はいまだに多い。また，排泄が自立していた高齢者が，入院をきっかけにおむつを使用するようになったことで，それが日常生活の一部となってしまうこともある。一度おむつを使用してしまうと，それを外す援助過程は，きわめて困難で根気のいる作業となるため，可能な限り使用を避けることが望ましい。

排泄の支援● 看護師は，その人自身の排泄パターンを知り，声かけやトイレへの誘導などにより，排泄をトイレで行う環境が維持できるように支援していく。この場合，排泄時間を把握することが目的ではなく，1回の排泄量や，飲水量と排泄の関係・タイミングを把握することが重要である。これらの情報を夜間の排尿回数や排尿量に応じたケアにつなげ，安易におむつを使用することを回避することが重要である。

排泄の支援に必要な情報は，**排尿日誌**を2〜3日記録すればわかることが多い(➲ 図4-12，13)。この排尿日誌をつけることで，排尿の間隔，尿意の有無，もれの有無を観察することができる。また，トイレで排尿量を測定することで，膀胱壁の機能の観察が可能となる。排尿日誌の情報があれば，診療時に医師が失禁のタイプを識別しやすくなるため，治療に役だてることもできる。

たとえ認知症で尿意を訴えることができない人であっても，排尿日誌をつけることで，その人の排泄パターンを大まかにつかみ取ることは可能である。排泄パターンを参考にして，食事の前後で排泄を促す声かけをするなど，おむつに頼らないようにすることは，その人らしさをまもることにもつながる。

3 排泄援助の実際

排泄の援助を行う際には，プライバシーに十分配慮する。とくに，ポータブルトイレやおむつを使用している場合には，交換時の臭気や局部があらわになることに注意する。声のかけ方にも気を配り，タオルなどでおおいながら実施するなど，十分な配慮が必要である。

日付：令和　3年　11月　1日（月）　8　時　00　分
〜
令和　3年　11月　2日（火）　8　時　00　分

時間	トイレでの排尿量（mL）	もれの有無（mL または g）	水分摂取量（mL）	備考
8時 00分			朝食　350mL	
9時 00分	180mL	パッド　20g		
11時 30分	150mL	パッド　50g		
12時 30分	200mL	パッド　100g	昼食　450mL	尿意はあったが間に合わず
13時 30分	50mL	無		食器を洗い始めたら尿意あり
15時 00分	100mL	無	お茶　200mL	友人とおしゃべり
17時 00分	170mL	パッド　50g		夕食の準備中尿意があり間に合わず
19時 00分	80mL	無	夕食　500mL	テレビ番組に夢中になっていた
20時 45分	50mL	無	お茶　200mL	
23時 00分	80mL	無		就寝
6時 30分	300mL	パッド　80g	水　150mL	起床
合計	1360mL	300g	1850mL	

排尿回数：　起床時　9　回　　就寝時　1　回

排尿日誌の記録は3日程度行うことが理想的ではあるが，1日の記録だけでも排尿の傾向をつかめるため，支援につなげることができる。上図の記録からは，1回排尿量が150mLをこえた場合に尿がパッドにもれていることがわかる。また，食器を洗う，夕食の準備をするといった，水を使用する場面で尿がもれている一方で，おしゃべりやテレビなどに夢中になっている場合には問題なく過ごせていることも読みとれる。
記録とともに泌尿器科を受診することで適切な薬剤の選択ができ，排尿の調整が可能となる場合もあるため，尿失禁があるからといって安易におむつを使用せずに，支援の方法を検討することが重要である。

図 4-12　排尿日誌のつけ方と活用方法

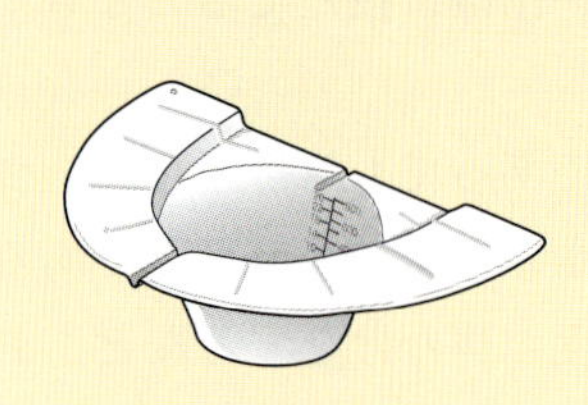

a. ユーリパン

容器内に排尿し，量を計測する。

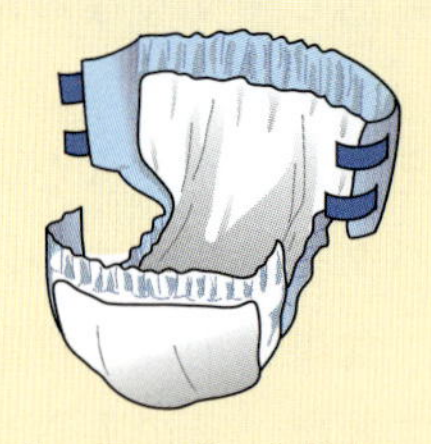

b. テープつきおむつ

c. パンツ型おむつ

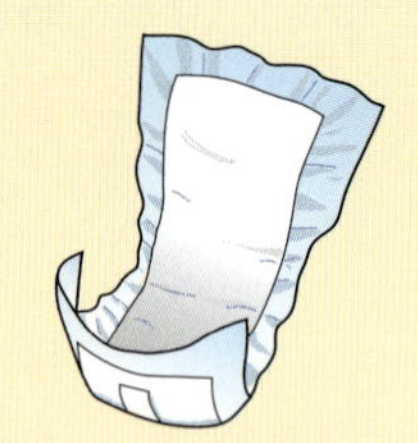

d. パッド型おむつ

それぞれのおむつの使用前の重さと使用後の重さを測ることで，失禁量が把握できる。3日間程度記録をつけることで1回あたりの排泄量を把握する。おむつは，排泄量に応じたものを選択する。

図 4-13　排泄量の計測

■排泄に関する観察項目

高齢者の排泄ケアは，高齢者の1日の生活の流れをつかみ，排泄の観察をケアにいかしていくことが大切である。おもな観察項目を以下にあげる。

(1) 飲水の状況・時間・量，食事の摂取量・摂取時間
(2) 活動と休息(睡眠時間)のバランス
(3) 入浴，フットケアの時間帯，活動時間，活動内容や強度
(4) 排尿回数，排尿量，尿意や便意の訴えの有無，残尿の有無
(5) トイレまでの経路，服を上げ下げすることができるか，トイレットペーパーの使用が可能か，といったADLやセルフケアの状況
(6) トイレの場所を認識できるか，排泄に関する一連の動作が可能かといった認知機能の状況
(7) 血尿やタール便などの有無といった排泄物の異常
(8) トイレからの立ち上がり，手すりの使用状況や設置の有無

■便器，ポータブルトイレ，尿器での介助

排便時には，前傾姿勢をとり，外肛門括約筋と肛門挙筋が弛緩しやすい姿勢をとるようにする(➲図4-14)。

便器で排泄を行う場合には，カバーを使用して，尾骨や仙骨部の骨突出部位の保護と，冷感の回避を行う。

ポータブルトイレを使用する場合は，座面の高さを使用者の身長に合わせる。座面は高すぎても低すぎても転倒につながるため注意する。また，床は滑らないようになっているか，手すりや背もたれの位置・高さが適切かを確認する。麻痺や拘縮(こうしゅく)がある場合には，ポータブルトイレを健側側に設置する。排泄物は，トイレに流すなどで処理する。処理がすみやかにできない場合には，消臭剤を使用して排泄物の臭気を最小限にする。

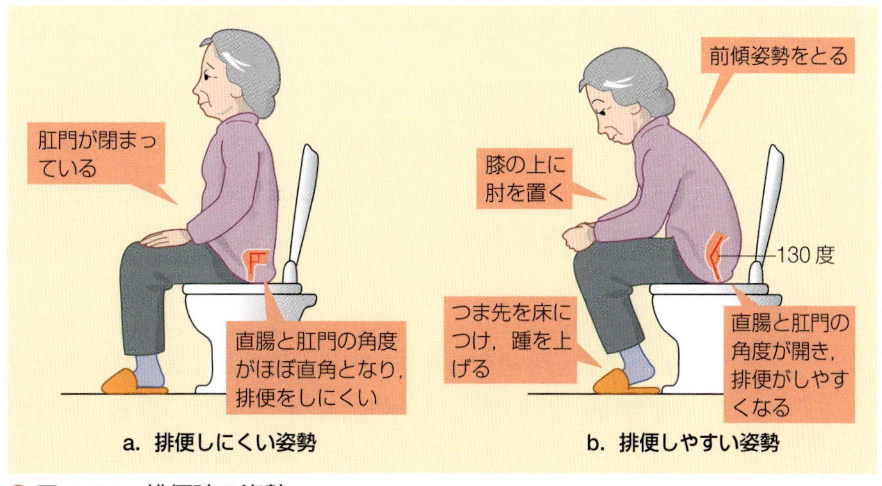

➲図4-14　排便時の姿勢

尿器を用いる場合は，排泄を行いやすい体位で使用する。尿器の持ち方やあて方が不安定となる場合は，逆流しにくい構造の尿器を使用すると汚染を防ぐことができる。

5 清潔

清潔を保つことは，感染症の予防や，皮膚トラブルを防ぐために重要である。また，ケアにより爽快感が得られ，リフレッシュできるという効果もある。高齢者にケアを行う際には，加齢により表皮の角質が厚くなっていても真皮と表皮の接合部分は脆弱(ぜいじゃく)化していることなど，皮膚の状態を理解しておくことが必要となる。

ここでは，高齢者の清潔を保持する際に重要となるスキンケアや，入浴の援助などについて述べる。

1 皮膚の加齢変化とケア

皮膚は人体にとって最大の臓器ともいわれ，体温調節や，外力からからだをまもるはたらきや，免疫能をもっている。皮膚のケアの際に行われるスキンシップでは，体温のぬくもりも伝わるため，癒(いや)しなどの心理的なケアの効果も大きい。

皮膚の加齢変化● 高齢者は体内の水分量が減少し，皮脂の分泌も少なくなるため，皮膚が乾燥しやすくなる。また，皮膚のはりや弾力性を維持する真皮のコラーゲンが減少することで，しわやたるみが出現しやすくなる。しわやたるみにはよごれがたまりやすいうえ，洗浄が不十分となりやすく清潔の保持が困難となることがある。さらに，皮膚が薄くなり傷つきやすくなるため，より愛護的で丁寧なケアが必要となる。

そのほか，加齢で視力や嗅覚，感覚機能が低下することで，よごれや臭気に気づかず清潔の保持ができなくなるなどの問題も生じる。

老人性乾皮症・ドライスキン● 高齢者の皮膚は表皮が薄くなり，少しの外力で損傷を受けやすくなる。また，皮膚を外敵からまもるバリア機能が低下しやすく，乾燥が顕著になる。皮膚に白い粉がふいているようにみえることがあるが，これは極度に乾燥している状態であることを意味している。この状態が**老人性乾皮症**である。皮膚が乾燥した状態が続くと，**ドライスキン**となり，瘙痒が伝わりかゆみを引きおこす(➲ 図4-15)。ドライスキンは老人性皮膚瘙痒症の原因となる(➲ 152ページ)。

老人性乾皮症がおこる要因として，加齢に加え，冬季の湿度低下，熱い風呂への入浴と過剰な洗浄・擦過(さっか)，四肢と腰腹部に顕著な皮脂分泌の減少，表皮角化細胞の入れかわりの延長などがあげられる。皮膚が乾燥するとスキンテア(➲ 151ページ)を引きおこす可能性も高まるため，保湿ケアが重要となる。

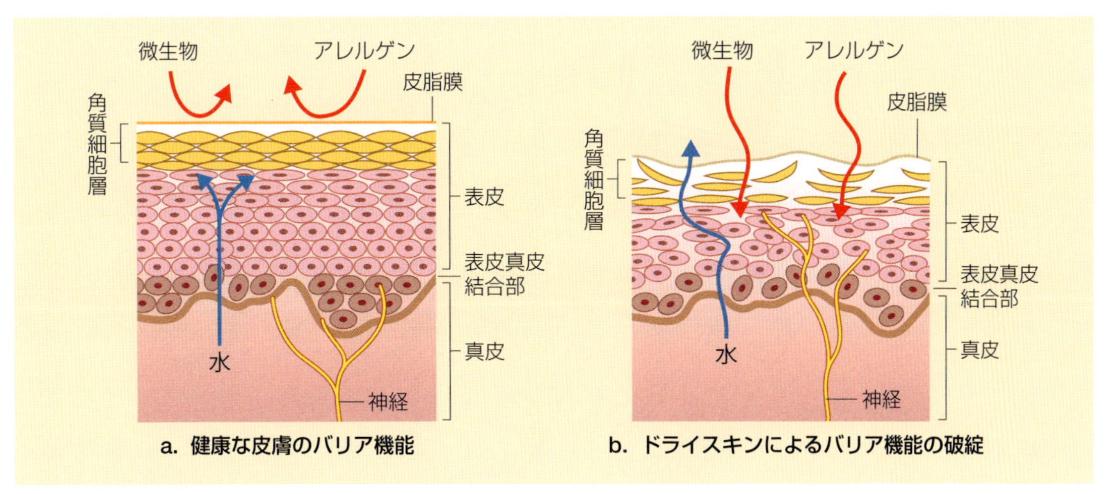

図 4-15 ドライスキン

予防的スキンケア● 皮膚を保護するためには，保湿による予防的スキンケアが重要となる。水溶性クリームや油性クリームなどを皮膚に塗布して皮膚に保護膜をつくることで，外的刺激から保護することができる。

爪の変化● 高齢になると巻き爪や肥厚爪などの変化を生じることが多い。爪切りの際に深爪となると，足趾が浮いてしまい，より巻き爪になりやすくなる。また，栄養状態を反映しやすい手の爪は，栄養が不足しているときには発赤や割れなどが生じる。スキンケアの際には爪の観察も行うとこれらの情報が得られる。

このほか，視力が低下し，股関節の屈曲が十分にできなくなると，足の清潔が保てなくなる。また，筋力の低下により片足立ちができなくなると，足趾の趾間の水分を十分にふき取ることが困難となり，足白癬などにつながる場合もある。

2 からだを清潔にする援助の実際

からだを清潔に保つ方法は，本人の体力や気力などを考慮して，清拭にするか，部分浴にするか，入浴にするかを選択する。体力が消耗している場合や血圧の変動が大きい場合には，清拭を選択する。入浴を行うと深部体温が上昇することで強い疲労を感じるという報告もあるため，清潔にする方法については，本人と十分に相談した上で決定する。

■入浴援助

入浴時の具体的な援助方法について，次に説明する。

1 環境の整備と浴室への移動

(1) 体温・血圧・脈拍・呼吸状態・表情などのバイタルサインを確認し，異常の有無を確認する。

図 4-16 浴室の注意点

⑵ 冬期は，ヒートショック現象を予防するために，脱衣所・浴室を前もって 25℃ 前後にあたためておき，ほかの部屋の温度との差がないようにしておく。

⑶ 排泄をすませ，シャンプーや石けん，バスタオルや着がえなどを準備する。

⑷ 脱衣所へ移動する。転倒に注意し，脱衣は手すりを利用するか，安定した椅子に座って行う。いまできていることを継続していくためにも，すべてを介助せず，本人のできる範囲を見守っていく。

⑸ 浴室へ移動する。浴室には ADL の程度に応じて手すりや取っ手などを設置し，浴槽までの段差なども工夫する(➲ 図 4-16)。

⑹ 褥瘡やそのほかのスキントラブルがないかを確認する。膀胱留置カテーテルが挿入されている場合には，蓄尿バッグのフィルターがぬれないようにビニール袋などでおおう(➲ 図 4-17)。蓄尿バッグは，逆流を防ぐため膀胱より低い位置に配置する。気管切開カニューレを使用している場合には，人工鼻を使用し，気管切開孔から水が入らないように十分注意する(➲ 図 4-18)。そのほか，点滴などの刺入部には，医療用フィルムテープを貼付し，水が入らないように注意する。

2 からだの洗い方

⑴ シャワーチェアなどの滑りにくい椅子に座り，かけ湯をする。介助者がお湯の温度を確認し，本人にもお湯の温度を確認してもらう。温度を確認後，まずは足にお湯をかけ，徐々に上の方へかけていく。保温には十分に注意する(➲ 94 ページ，図 4-19)。

⑵ からだは，本人の希望する順番で洗っていく。本人が洗える箇所は自身

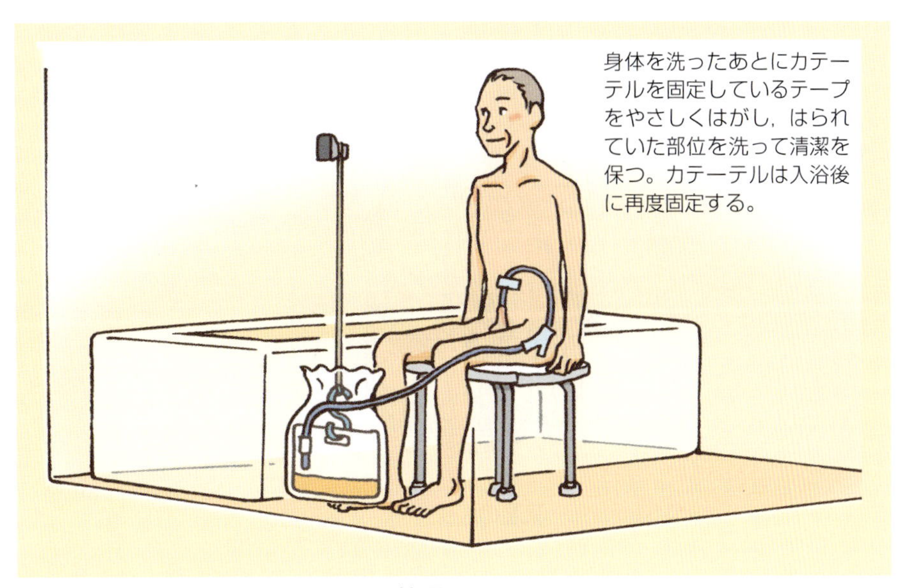

図 4-17　膀胱留置カテーテルの管理

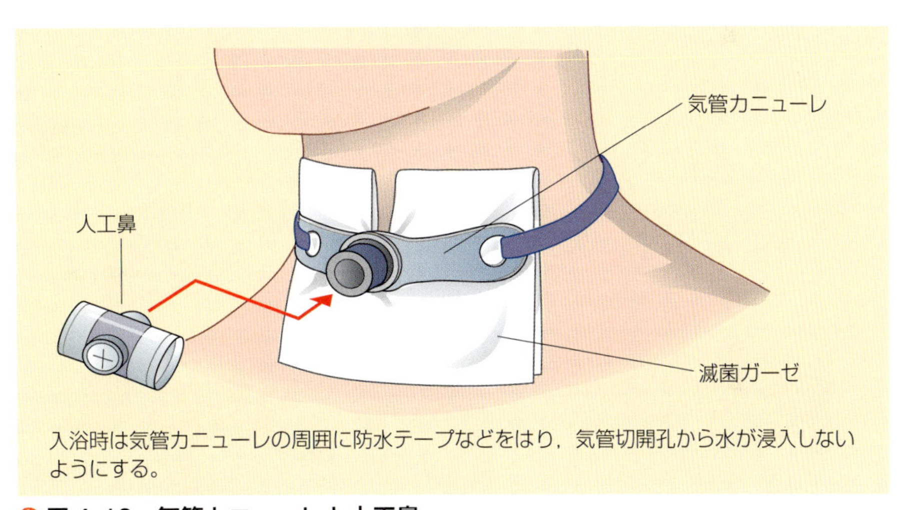

図 4-18　気管カニューレと人工鼻

で洗ってもらう。洗う際は石けんをよく泡だてて，皮膚の表面にのせるようにして洗う。ナイロンタオルなどで強くこすると角質層が薄くなり，入浴後に皮膚が乾燥しまうため避ける。

(3) 麻痺がある場合は，本人が洗えない部分について介助する。本人が洗える場所は，麻痺がないほうの手を用いて洗うようにし，自立を促していく。

(4) 拘縮がある場合，シャワーであたためることで少しずつ緊張がほぐれ，筋肉が弛緩する可能性がある。強く力がはいっているときにはあせらずに待ち，拘縮がほどけた箇所から少しずつ洗う。とくに手掌の場合には，小指側からほぐしていくと洗いやすい。

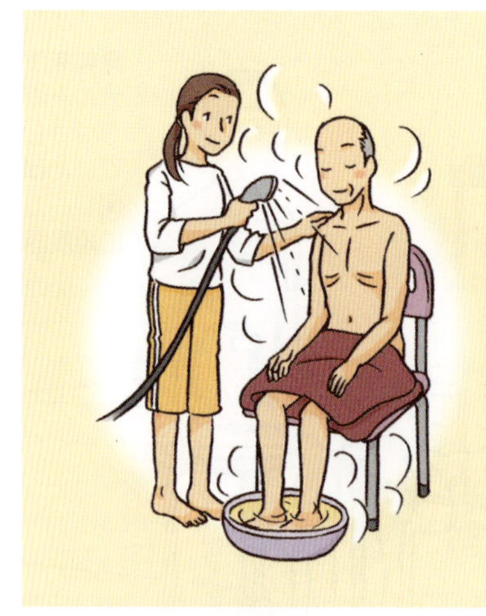

洗面器で足をあたためておくと，足のよごれがとれやすく，また保温にもなる。洗面器内の湯の温度は下がりやすいため，適宜入れかえるようにする。

図4-19　保温の工夫

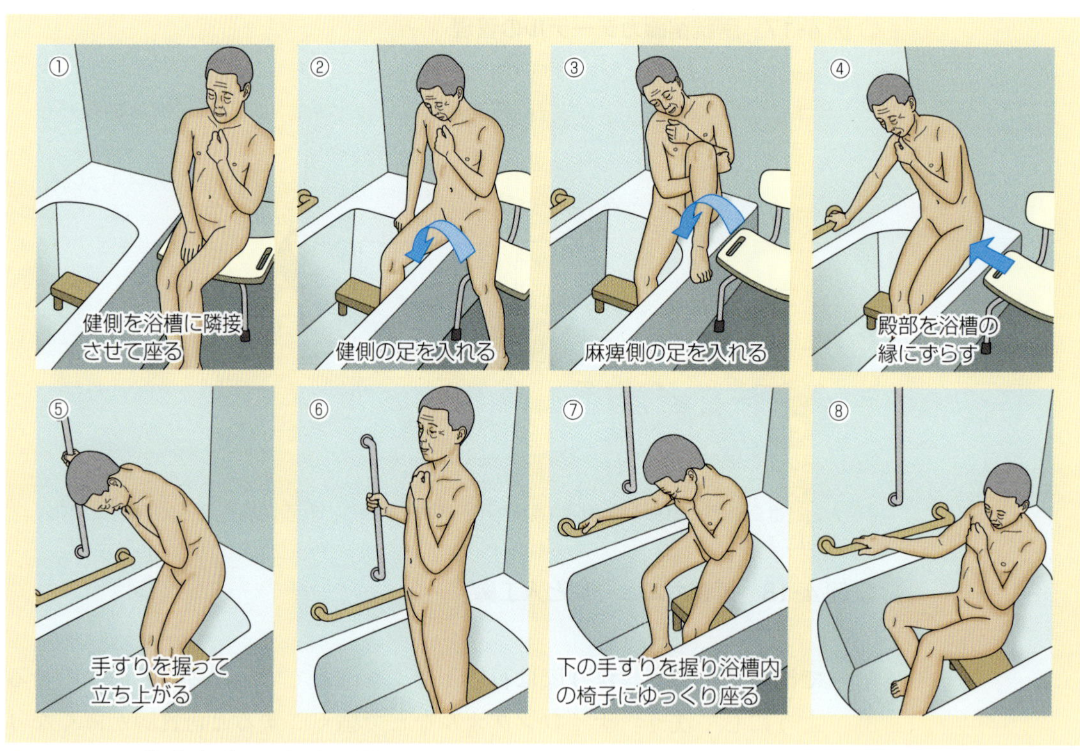

図4-20　片麻痺がある場合の浴槽への入り方

3 浴槽への移動

(1) からだを洗ったあとにすすぎ残しがないことが確認できたら，手すりにつかまりながらゆっくり浴槽に入る(図4-20)。椅子から自力で立ち上がることができる場合，そのまま浴槽に入ることも可能である。それがむずかしい場合には，手すりやリフトなどの福祉用具を使用して安全に入ることも考慮する。片麻痺がある場合には，健側が手すりや浴槽と隣り合わせになるように配慮する。

(2) 入浴後は，転倒予防のため，まず足の水分をふき取ってから，乾いたタオルでからだ全体をふく。

(3) 低血圧になるなどの血圧の変化でふらつくことがあるため，安定した椅子に座って服を着る。

4 入浴が終わり着衣をしたあとの援助

(1) 入浴後，水分をふき取る。着衣前にクリームやローションを全身に塗布しておくと，効果的な保湿ができる。汗をかいている場合は，汗がひいてから塗布する。とくに，前腕や下腿は乾燥が著明となるため，入念に塗布する。転倒の危険性が高くなるため，足底への塗布は避ける。

(2) 着衣の際，麻痺がある場合には，かぶるものよりも前開きのものを使用した方が苦痛が少ない。着衣時は麻痺側から袖を通すようにする。ボタンのかけはずしがむずかしい場合には，面ファスナーのものを使用するとよい。着衣が終了したら，水分補給を行い，椅子に座り休息する。

(3) バイタルサインを確認し，入浴後の体調の変化を確認する。

足浴に対する援助

体力的に入浴が困難な場合には足浴を行う(➲図 4-21)。足浴を行うと，足の清潔の保持に加え，皮膚の状態を観察することもできる。また，足先の血行循環の促進，痛みやしびれの緩和，ストレス緩和，リラクセーションなどの効果もある。蒸しタオルを使用する方法と，洗面器や足浴用容器のお湯の中に直接足を浸す方法がある。

足浴後は爪や胼胝，皮膚のひび割れの観察を行い，必要時には爪を切り，胼胝をけずる。足の爪の状態は，姿勢などに大きく影響することがあるため，異常を見逃さないようにする。また，巻き爪がおこると足趾周囲の皮膚にくい込み，出血や疼痛を伴うこともあるため，爪の切り方にも注意する。

a. 蒸しタオル

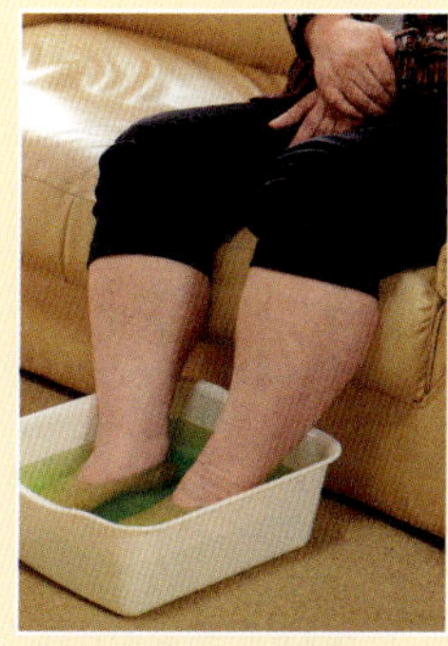

b. 足浴の姿勢

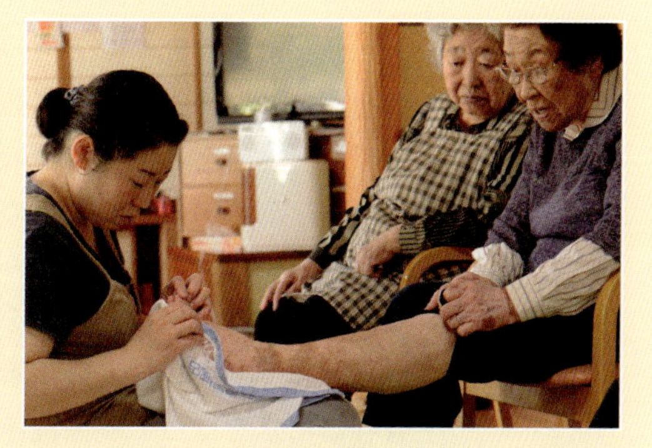

c. 爪切りと趾間のケア

➲図 4-21 足浴とフットケア

1 陰部の清潔

目的と効果● 尿失禁や便失禁による排泄物が皮膚に付着しつづけると，発赤やびらんといった皮膚トラブルが生じ，皮膚のバリア機能が低下する。そのため，毎日の入浴がむずかしい場合には，陰部洗浄を行い，清潔の保持と予防的スキンケアの両方を実施する。

男性の場合は亀頭のしわをよくのばして洗う。陰嚢や鼠径部といった皮膚が重なる部分もていねいに洗浄する。肛門部は，感染予防のために最後に洗浄する。

女性の場合は，陰唇を開き，重なっている部分をていねいに洗浄する。肛門は最後に洗う。

洗浄の際には，弱酸性の石けんを使用すると皮膚への刺激が少ない。また，洗浄後は，ていねいに押しふきをして水分をふき取る。タオルなどで強くこすると皮膚トラブルの原因となるため，ふき方に注意する。水分をふき取ったあとに，保湿と保護を兼ねて撥水作用のあるクリームを塗布する。

2 口腔の清潔

目的と効果● 口腔内では，唾液による自浄作用によって，歯の表面や舌，粘膜に付着した汚れや細菌が洗い流され，清潔が保たれるようになっている。しかし加齢により唾液腺が萎縮すると，唾液の分泌量が減少し，自浄作用も減少する。また，内服薬の影響で唾液の量が減少することもある。唾液の分泌が低下して口腔内が乾燥することを**ドライマウス**といい，齲歯や歯周病，口臭の原因となる。

口腔内の自浄作用が低下すると，舌の表面に舌苔(ぜったい)が付きやすくなり，味を感じにくくなったり，味覚が変化したりすることがある。義歯を使用している場合は，義歯と粘膜のすきまに細菌が繁殖しやすくなる。

このように高齢者では口腔内に問題が発生しやすいため，口腔の清潔を保つことが重要となる。

3 義歯の扱い方

義歯を口から取り出す場合には，口の中を傷つけないように注意する。上下とも義歯の場合には，下の義歯から外す。前歯を持ち，奥歯を浮かせて空気を入れるイメージで上にあげていく。上の義歯を外すときも同様に，前歯を持ち，奥歯を浮かせて下におろしていく。

義歯を洗浄する際は，ぬめりや汚れを流水で洗い流し，その後，歯ブラシを使用して細かいすきまをみがく。義歯が清潔になったら流水で流し，口腔内に装着する際には，義歯を濡れた状態で入れる。入れるときは外すときとは反対に，上の義歯から装着する。寝る前には義歯を外し，保管の際は，保管容器に水をはって義歯洗浄剤を入れ，その中につける。

4 歯肉への刺激，口腔ケア

口腔周辺の筋肉をマッサージし，歯肉への刺激を行うことで，唾液腺から唾液の分泌を促すことができる。これにより，口腔内の自浄作用を促す。経鼻経管栄養や胃瘻からの栄養療法を行っている人に対しても，口腔ケアを実施する。

口腔内は体温や水分の存在によって雑菌が繁殖しやすい環境であり，食べかすなどを栄養分として繁殖する場合も多い。口腔内の洗浄，保清といったケアが不十分な場合，唾液中の雑菌が誤嚥によって肺の中に入り，肺炎を発症する可能性が高くなる。そのため，口腔ケアは大変重要なケアとなる。

口腔ケアの手順を以下にのべる。

(1) うがいができる場合には，うがいをしてもらう。
(2) 歯ブラシで歯間をみがき，よごれを落とす。
(3) スポンジブラシを用いて舌や歯肉をマッサージする。
(4) 必要に応じて，口腔内用の保湿ジェルを塗布して保湿を行う。
(5) 使用した物品を洗浄して乾燥させる。

5 手の清潔

目的と効果

手は，いろいろなものに触れるため汚染されやすい。テーブルやトイレなどに触れたあとに清潔を保たないでいると，いろいろなものを媒介して眼や鼻，口などの粘膜から感染してしまう。

石けんと流水で洗うことはもちろんであるが，高齢者では認知機能が低下していたり運動機能が低下していたりすることで，こまめな洗浄ができないこともある。この場合には，消毒ジェルなどを用いて清潔を保持する。

6 衣生活

1 衣服のはたらき

人が衣服を着用する理由は大きく2つあげられる。1つは，身体保護や快適性の保持といった機能的な理由であり，もう1つは，装いによる心理的な理由である。衣服を選ぶとき，人は社会とのかかわりや，自分はなにを着たいと思うのか，また，どうしてそれを選ぶのかといったことを悩んだり，考えたりして選択をしている。

好きな服を着ておしゃれを楽しむことは，気分の高揚や心の健康につながり，喜びや生きがいとなる。また，衣服は社会参加や人間関係，日常生活にも影響を与えるため，自己表現の1つにもなる。

2 高齢者の衣生活

高齢者は加齢によって汗腺が縮小し，汗が出にくくなっている。また，皮膚の血液量が減少し，放熱作用が弱まるため，熱を体内にためやすい。そのため，体温を調整しやすい衣服を選択することが必要となる。

衣服は，形状だけではなく素材によっても熱の保有率が異なるため，素材についても考慮する。素材には以下のようなものがある。

綿● 綿は，天然繊維のなかでも最も多く使用される植物繊維である。耐熱性と吸水性があり，肌ざわりもよく，伸縮性や保温性にもすぐれる。高齢者は綿を好むことが多い。

麻● 麻(リネン)は吸水性・速乾性にすぐれているため，春夏物の衣服に使用されることが多い。涼しく着ることができる。じょうぶな素材のため洗濯にも強い。

毛● 毛(ウール)は，保温性・保湿性にすぐれているため，おもに秋冬物の衣服に使用される。弾力性もありしわになりにくい。保管には防虫剤などの対策が必要である。

化学繊維● 化学繊維の素材として，ポリエステルがあげられる。耐熱・耐久性が高く，速乾性もあり，しわになりにくいが，吸水性はわるい。セーターやワイシャツなどの生地(きじ)として使用されることが多い。また，冬物のスポーツウエアにも使用されている。綿と混紡することで，強度を高めた生地もある。

高齢者の衣服は，これらの素材の特徴をよく理解したうえで，体温調節が簡単にできるように組み合わせられるものを選択する(➲図4-22)。また，加齢により，関節の可動域が狭くなるため，脱着しやすく軽い衣服を選択することも重要である。着用後の洗濯のしやすさも大切である。

外気温が低い場合には，首もとや手首，足首が冷えやすいため，襟(えり)のついたシャツや，ストール，マフラーなどで，外気に触れやすい部分をあたためられるように調整する。帽子や手袋，レッグウォーマーなども効果的である。

スカーフ，ポケットチーフなどの小物も，おしゃれを楽しむとともに，身体の冷えを予防することができる。サイズの合っていない服は思わぬ転倒にもつながるため，とくにズボンの裾の長さや幅には注意する。

a. 外気温が高いとき
汗をかくため，涼しい素材や吸水性の高い素材を選択する。

b. 外気温が低いとき
ウールなどの保温性の高い素材を選択する。マフラーは衣服のすきまから外気の侵入を防ぐ。

➲図4-22 高齢者の衣服

外気温が高い場合は，綿や麻といった通気性のよい素材のものを選択する。冷房が寒すぎると感じることもあるため，羽織(はお)るための薄手のカーディガンやスカーフなども用意し，調整できるようにする。

3 衣服交換の援助

準備● 衣服を脱いでも寒くないように，室温を24℃前後に調整する。また，本人の状態や状況，希望に応じた衣服を準備する。たとえば手術後であれば，前開きで，着脱しやすい寝巻タイプを選択する。リハビリテーションなどを行う場合は，上下が別になっているトレーナータイプの衣服を選択する。

脱衣と着衣● ADLの自立のため，できる範囲は自分で着がえられるようにする。プライバシー保護のため，バスタオルなどで身体をおおい，露出が最小限となるようにする。麻痺がある場合には，健側から脱がせ，患側から着せる。身ごろは，合わせ方が左前とならないように注意する。➲ 図4-23～25に，脱衣と着衣の手順を示す。

■認知症者の衣類着脱援助

認知症患者の場合，衣類の着脱に手だすけが必要なことがある。脱ぐ動作を忘れてしまっている場合でも，介護者がモデルとなってボタンを外したりズボンを脱いだりする動作を提示することで，自分でできる場合もある。その人の状況を確認しながら援助していく。また，これまでの生活習慣をもとに，本人ができることを継続していけるようにするため，脱衣の順序などは本人の意志を尊重する。

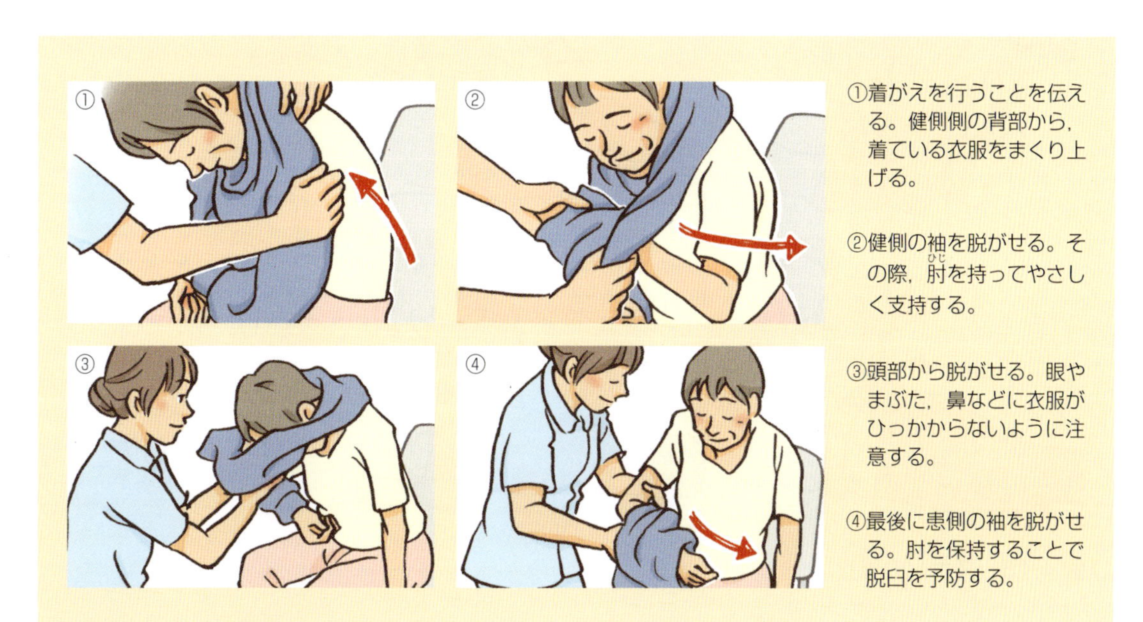

➲ 図4-23　上着の脱衣

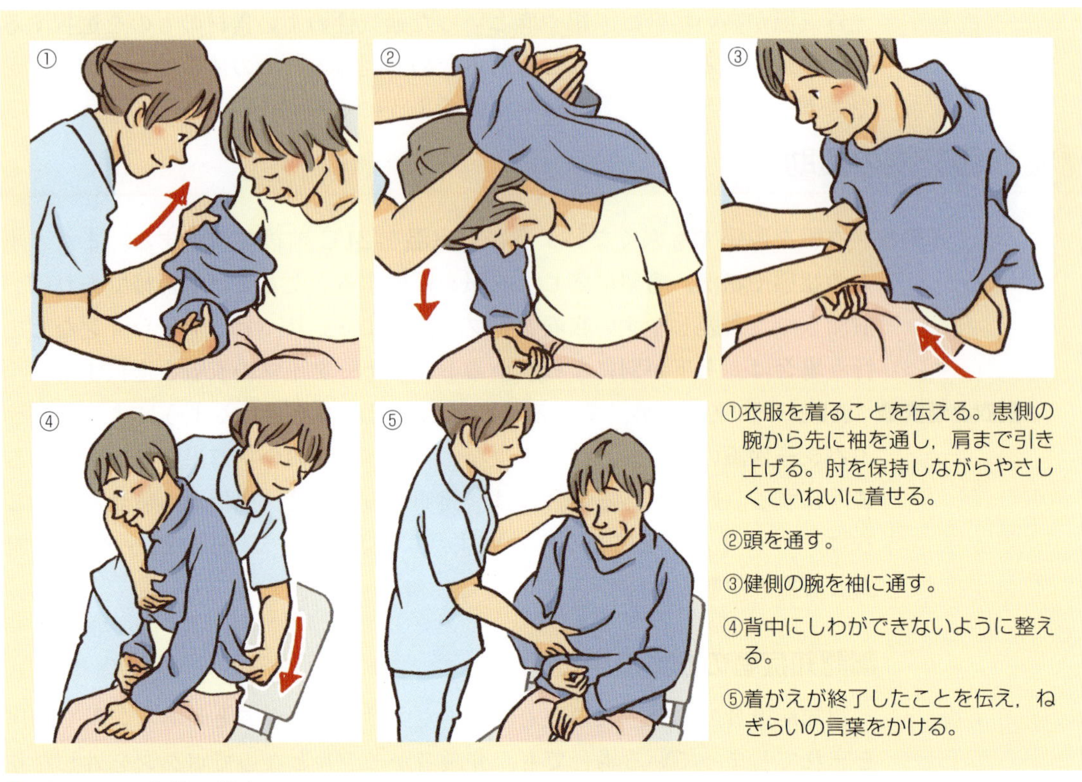

図 4-24　上着の着衣

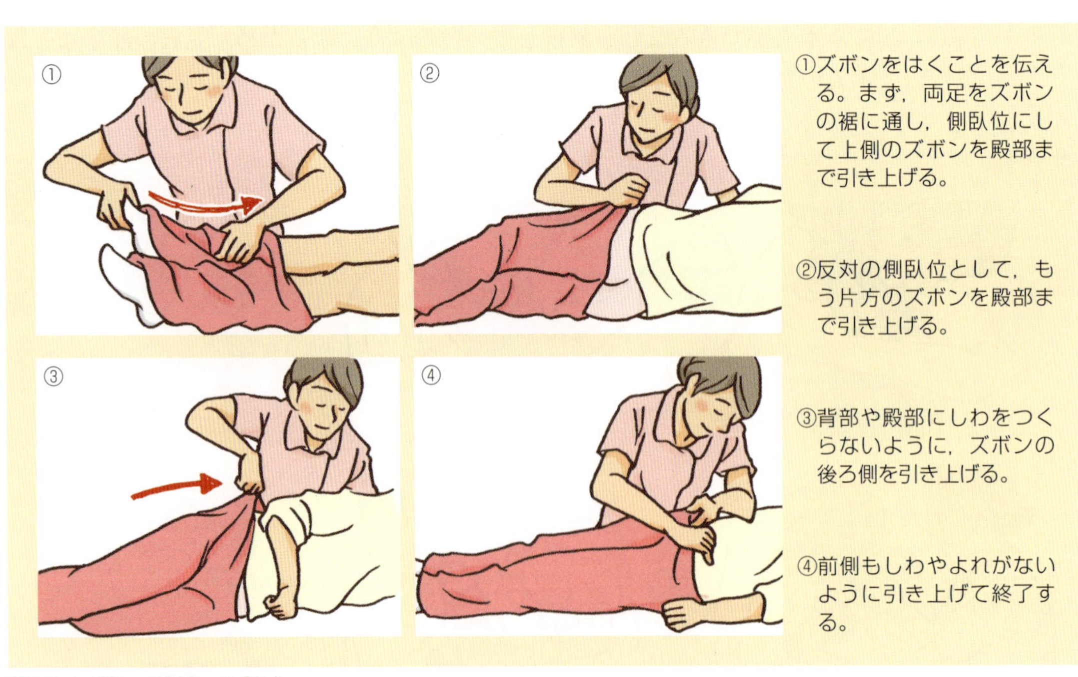

図 4-25　ズボンの着衣

7 運動と睡眠・休息

1 運動の意味

運動には，肥満や生活習慣病の予防，体力・筋力の維持強化の効果がある。高齢者の場合は，運動によってロコモティブシンドローム(運動器症候群，➲67ページ)や骨粗鬆症(こつそしょう)，肩こり・腰痛を予防する効果が期待できる。

一方で，グラウンドゴルフやゲートボールなどの運動をする習慣をもたない高齢者では，加齢による活動性の低下によって良質な睡眠が得られず，生活のリズムの乱れが生じることが考えられる。

2 睡眠・休息の意味

睡眠は，基本的欲求の1つであり，睡眠中は身体のさまざまな部位の回復・調整が行われる。脳の休息のためにも睡眠は重要であり，睡眠不足が続くと，判断力の低下などにつながる。また，日中の眠けからふらつき・転倒がおこることや，日常生活のリズムが整わなくなる可能性もある。

私たちは24時間周期で睡眠と覚醒を繰り返しているが，この体内時計のリズムの事を**サーカディアンリズム**(**概日リズム**)という。ホルモン分泌もサーカディアンリズムと深く関係している。

■眠れない原因

高齢者は不眠の問題をかかえていることが多く，その背景には身体的原因，精神的原因，環境的原因が存在する。

①**身体的原因**　加齢によって腎臓や膀胱の機能が低下することで，頻尿となり，夜間何度も排尿のために起きてしまい眠れなくなることがある。また，加齢により，体内時計の調節をつかさどるメラトニンの分泌量が減るため，体内時計のサイクルが乱れやすくなることも不眠の原因となる。

このほか，日中の活動によってはストレスや疲労によってセロトニンの分泌量が減り，ノルアドレナリンが増えることで，身体の興奮が促される。身体の興奮状態が続くと，睡眠を支配する自律神経系の乱れを引きおこし，睡眠不足となる。

②**精神的原因**　高齢者は身体の不調などから，今が人生の終盤であることを感じ，それを受け入れていくことになる。そのため，高齢者は不安をいだいており，このような精神状態も不眠の原因となる。また，不眠が続くと，抑うつ状態をまねき無気力となることや，自分の世界に引きこもり，活動性が低下するなどで，さらなる生活リズムの乱れにつながる。

③**環境的原因**　入院などで変化した環境に適応できず，不眠となることもある。就寝時間とふだんの生活リズムが異なることも，不眠の原因となる。

3 活動・運動と睡眠・休息のバランス

一般的に，昼間に運動をすると夜間にはよく眠れる。しかし，ふだん運動をしていない人が急に運動をすると，自律神経が興奮し，かえって寝つけなくなることがある。そのため，運動は精神的な緊張をとくのに適度な量とする。また，昼寝をする場合には20～40分程度にとどめるなど，生活のリズムを整え，夜間の睡眠に影響をもたらさないようにする必要がある。

運動のタイミングと睡眠に関する研究[1)]では，朝に運動をするよりも，就寝の3時間前を目安に運動をするほうが睡眠に対する効果が高いことが明らかとなっている。散歩，軽いランニング，水泳，体操，ストレッチなどを約30分行い，かるく汗ばむ程度がよい。運動のあとは，20～30分程度の休息をとるようにする。

4 睡眠へ導くための援助

睡眠前には，スマートフォンやテレビなどの光を発するものを見る時間を減らす。また，深部体温が低下するころに寝床につくと入眠しやすいため，就寝時間の1～2時間前に入浴ができるように援助する(➲図4-26)。

就寝時には，伸縮性が高く，吸水性のよい衣服を着用する。また，枕の高さ，ベッドや布団のかたさなどは，本人の好みに合うように調整する。睡眠

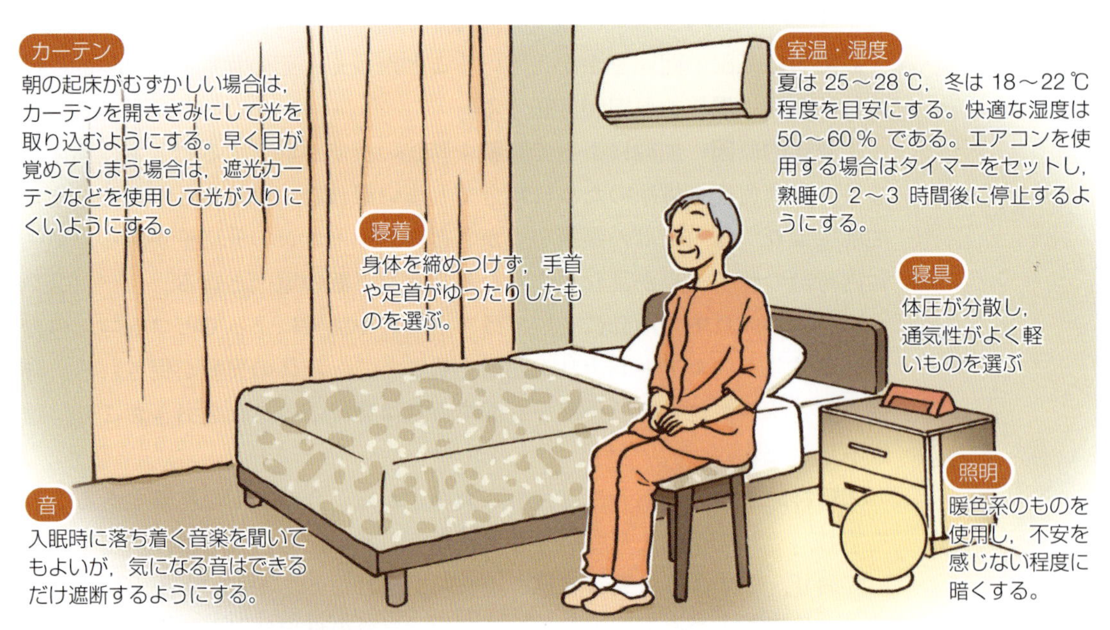

➲ 図4-26 睡眠時の適切な環境

1）厚生労働省：e-ヘルスネット(https://www.e-healthnet.mhlw.go.jp/information/heart/k-01-004.html)(参照2021-07-09)

薬を常用している場合には，服薬時間と量の観察を行い，適切な睡眠ができるように支援する。入院などで環境に慣れていない場合は，足もとの照明を使用するといった工夫で夜間の転倒を防ぐようにする。

どうしても眠れない場合には，本人の希望を聞き，可能な限り対応する。とくに，環境が変化した場合の対応では，患者の希望に誠意をもってかかわることで安心でき，入眠できることもある。

B 高齢者の生活とリスクマネジメント

高齢になると，認知機能や身体的機能が低下する。そのため，みずから危険を察知して回避することが困難な場合も少なくない。入院や要介護状態となって，他者から生活行動上の援助を受けている高齢者の場合は，援助者側の要因によって危険にさらされる場合もある。

さらに，危険を回避できずに事故などが発生した場合は，成人と比較して大きな被害が高齢者の心身に及ぶ。その結果，自立した生活が困難となり，高齢者本人と家族のQOLにも大きな影響を及ぼすことも多いため，より一層の注意が必要である。

事故の発生をゼロにすることは容易ではなく，当事者の個人的な反省だけでは，根本的な解決につながらない。過去の事故事例の分析などを通して，組織全体でアセスメントの精度，環境，システムなどについて改善点を見いだし，リスクマネジメントに取り組むことが重要になる。

1 病院におけるリスクマネジメント

病院における高齢者の事故

病院は，疾患や症状に応じて各種の検査・治療を行い，患者の健康状態を回復させることを主目的とする。したがって，生命をまもるために，安全に治療を遂行することが第一義となり，高齢者に対しても病院環境に適応することを求める。環境への適応が困難な認知症高齢者に対しては，安静を維持するために，「身体抑制」という手段が安易に用いられることもけっして少なくない。

その一方で，病院における高齢者の事故件数は多い。2019年の発生月に基づいた集計をみると，被害者としては60歳以上の患者が70％近くを占めていた(➲表4-8)。なお，事故の概要としては「療養上の世話」が35％をこえている。

病院での事故にかかわった職種としては，看護師が多く，全体の約半数にかかわっていた。また，事故が発生した場所は全体の41.8％が病室であった。おもな発生要因としては，「当事者の行動にかかわる要因」が47.2％と最も多く，そのなかでも「確認を怠った」「観察を怠った」「判断を誤った」がい

表4-8　病院における被害患者の年齢と事故の概要

被害患者の年齢	件数
0～9歳	187
10歳代	89
20歳代	116
30歳代	171
40歳代	280
50歳代	421
60歳代	632
70歳代	1,158
80歳代	823
90歳以上	191
複数患者	19
総計	4,087

事故の概要	件数	割合(%)
薬剤	387	8.1
輸血	7	0.1
治療処置	1,513	31.5
医療機器等	126	2.6
ドレーン，チューブ	393	8.2
検査	261	5.4
療養上の世話	1,578	32.9
その他	537	11.2
合計	4,802	100.0

報告義務対象医療機関数273施設における2020年1月～12月報告分(発生月に基づく)を集計。

(公益財団法人日本医療機能評価機構：医療事故情報収集・分析・提供事業 2020年年報による)

ずれも10%以上であった。

安全な療養環境の提供

病院における高齢者のリスクマネジメントを検討するうえで，こうしたデータを看護師それぞれが重く受けとめ，細心の注意をはらって事故予防に努めることはもちろんであるが，それだけでは十分ではない。病院，病棟単位で，組織として取り組むことも不可欠である。

リスクマネジメントの例として，安全な療養環境の提供について考えてみよう。病室内や移動中における高齢者の転倒事故を予防するためには，病室や廊下などに不必要な物を置かない，処置やケアに使用した物をすばやくかたづける，床面に水滴などがないようにするなど，基本的な環境整備が重要である。そのためには，煩雑(はんざつ)な業務のなかで，ついあとまわしになりがちな用具のかたづけなどについて，看護師1人ひとりの意識づけや習慣化に取り組む必要がある。

また一方で，病室と物品の収納場所や汚物処理室などの配置を考慮し，動線が短くなる工夫をしたり，看護業務の補助スタッフを投入するタイミングや時間帯を工夫するといった，施設設備面の整備や人員配置といった組織的な取り組みも効果がある。

アセスメントと情報の共有

個々の高齢者に対して，心身の機能についてのアセスメントを十分に行ってリスクを予測し，必要なケアを提供していくことも看護の基本である。患者の状況を把握して，悪化を予防することが事故防止にもつながる。

たとえば毎日のケアのなかでも，見当識が混乱しやすい高齢者に対しては，目を見てゆっくり話したり，リアリティオリエンテーション(➲229ページ)を心がけたりするだけでも不安が軽減され，せん妄や認知症の行動・心理症状(➲209ページ)の予防につながる可能性がある。

また，入院中のリスクを予測するためには，高齢者にかかわるそれぞれの医療専門職間での，情報の共有が重要である。たとえば，高齢者の身体バランス保持の程度について，看護師が理学療法士と十分な情報共有をしたり，作業療法士や臨床心理士からリハビリテーション訓練中の注意力について知ることができれば，転倒・転落事故を予防できる可能性は高くなるだろう。

2 福祉施設におけるリスクマネジメント

福祉施設の特徴とリスク

介護保険サービスの分類による福祉施設には，入所して生活全般にわたるサービスを提供する介護老人福祉施設などの施設系サービスと，デイサービスやショートステイなどの居宅系サービスを提供するものとがある。施設と提供されるサービスの種類によって，生じるリスクも異なる。

①**施設系サービス**　24時間365日そこで暮らすことを前提としているため，十分な物理的環境の整備が求められる。入所している高齢者1人ひとりにていねいにかかわっていくことで，個別のリスクを把握して対処することが可能である。しかし，一方で，入所直後の高齢者にとっては，生活環境全般が変化してしまうことによる不安や混乱が生じやすく，環境に慣れるまでの間は集中してケアにあたる必要がある。

また物理的環境は，施設の設計構想の段階から高齢者の身体的・心理的特徴をふまえた検討がなされていればよいが，生じた問題ごとに既存の施設設備を改修して対応することは容易ではない。

②**居宅系サービス**　通所というかたちで高齢者が集まり，集団で日中の時間を過ごすサービスである。日がわりで複数の高齢者が利用するため，内服薬や入浴前後の持ち物・衣類の管理など，人物の誤認には十分注意しなければならない。また，自宅での様子を把握することで健康管理につなげることが重要となる。とくにショートステイは，施設系サービスの入所直後のリスクをつねに背負っていることになるため，家族やケアマネジャーから効率的に必要な情報を獲得し，スタッフに伝達していくシステムづくりが重要である。

福祉施設における看護師の役割

福祉施設におけるリスクマネジメントも，物理的環境の整備，人員配置を含むケア体制やシステムの整備，および直接ケアにあたるスタッフ個々のアセスメントやケア技術の質の向上が重要であることは，病院におけるリスクマネジメントと同様である。

相違点としては，こうした福祉施設では多くの場合，看護師は1人から数名程度であることが多く，看護師には，健康管理に関する専門的な判断を行う役割が求められている。高齢者は症状の出現が非定型的であり，ふだんの様子とのわずかな違いから体調不良や異常を発見しなければならないこともある。

看護師は，リスクマネジメントの一環として，バイタルサインの測定や，服薬管理だけでなく，日ごろの高齢者の様子を知る機会を確保することや，高齢者の日常生活の介護を担っている介護職スタッフと連携して，異常の早期発見につながるようなしくみを積極的に構築する役割を担う必要がある。

3 独居の場合におけるリスクマネジメント

高齢となって要介護状態であったり，病気をもちながらも生活に折り合いをつけることによって，ひとり暮らしを営んでいる高齢者は少なくない。しかし高齢者は，身体の予備力の低下によって呼吸や循環の状態を悪化させやすく，また注意力の低下によって事故などをまねきやすい状態にある。そのため，高齢者本人とも相談しながら，看護師など，医療・介護の多職種連携や，親族や地域住民との協力によって，これらのリスクを低減させていく必要がある。

地域の見まもり● 近年は，電気やガスの検針員，郵便配達員などと協力して，地域の見まもり活動が幅広く行われている。

遠隔地からの見まもり● また，テレビや電気ポットなどといった毎日使用する家電製品の動作状況によって，安否を確認できるサービスもある。

熱中症の予防● 高齢者は，体温調節機能が低下していることに加え，口渇を感じにくいために水分摂取が不足しがちであり，脱水や熱中症になりやすく，重症化もしやすい。熱中症を防ぐためには，①こまめに水分と塩分を補給すること，②暑いと感じていなくても扇風機やエアコンを使用して適切な温度・湿度を保つこと，③外出時には帽子や日傘で直射日光を避けて冷却スカーフなどを用いること，などを心がけることが大切である。

火災の予防● 高齢者は判断力や運動機能の低下により，火災がおこったときに犠牲になりやすい。しかし，認知機能が低下すると，石油ストーブやガスコンロの消し忘れによる火災のリスクは高くなる。そのため，エアコンや電磁調理器などの火災がおこりにくい家電製品を用いたり，住宅用火災警報器や高齢者でも扱いやすい消火器を設置したりするなどして，いざというときに備えておくことが重要である。こうした取り組みは，機能が低下してリスクが高くなってからではなく，高齢者自身が元気なうちから，本人とともに対策をたてることが大切である。

4 災害時におけるリスクマネジメント

災害発生時には，同時に多数の被災者が存在するため，限られた医療資源を最大限かつ効率よく活用することが求められる。そして，災害医療にあたる関係者が十分に協働し，被災した自治体なども含め，災害医療に関連する組織間の連絡調整が迅速(じんそく)に行われることが必要になる。

災害発生時にこうした実践を行うためには，日ごろからの教育や訓練，体制づくりが重要である。

要配慮者・避難行動要支援者

災害対策基本法は，施策における防災上の配慮などにおいて，高齢者，障害者などのとくに配慮を要する者を**要配慮者**としている。要配慮者のうち，災害が発生し，または災害が発生するおそれがある場合にみずから避難することが困難な者であって，円滑かつ迅速な避難の確保をはかるためにとくに支援を要する者は**避難行動要支援者**とされる。

避難行動要支援者の要件は，市町村がその地理的条件や住民の特性などに応じて設定する。高齢者の避難能力は，おもに①避難勧告などの情報取得能力，②避難の必要性や避難方法などについての判断能力，③避難行動に必要な身体能力などに着目して判断され，要介護状態や障害支援の区分などが要件として設定されている[1]。

市町村長は，自治体に居住する避難行動要支援者の把握に努め，その名簿を作成しなければならない。災害から高齢者の命をまもるためには，平常時から市町村と警察，自治会，民生委員，民間団体などが協力して，地域の中にいる避難行動要支援者についての情報を共有しておくことが有効である。

災害時における高齢者のリスク

災害時における，おもな高齢者のリスクとその理由を以下にあげる。

災害に関する情報の入手困難

高齢者は，聴力の低下によって，避難勧告や避難指示を告げる防災無線などを聞き逃してしまうおそれがある。また，東日本大震災で有効とされたインターネット上のソーシャルネットワーキングサービス(SNS)などを利用していない高齢者も多いため，情報入手の手段がテレビやラジオなどに限られ，災害に関する情報を得にくい状況にある。

避難の遅れ

上記のように高齢者は，災害に関する情報の入手が困難であるため，避難行動に移るタイミングが遅れ，よりわるい状況に陥る危険性が高い。また，情報があっても，身体機能の低下によって歩行が困難であったり，独居もしくは高齢者のみの世帯であるために，避難のための準備に手間どり，避難行動が遅れてしまう場合もある。要介護状態にある高齢者の場合は，さらにこのリスクは大きい。

2016年に東北地方を横断した「平成28年台風10号」では，岩手県のグループホームが被災し，水害によって高齢の入居者が全員死亡するという事態が生じた。さらにそのあとに発生した2018年の「平成30年7月豪雨」や

1）内閣府：避難行動要支援者の避難行動支援に関する取組指針(平成25年8月)．(http://www.bousai.go.jp/taisaku/hisaisyagyousei/youengosya/h25/hinansien.html)(参照2021-07-09)

警戒レベル	状況	住民がとるべき行動	行動を促す情報
5	災害が発生している または切迫している	命の危険 ただちに安全確保	緊急安全確保 （市町村が発令）
警戒レベル 4 までに必ず避難			
4	災害のおそれ高い	危険な場所から全員避難	避難指示 （市町村が発令）
3	災害のおそれあり	危険な場所から高齢者等は避難	高齢者等避難 （市町村が発令）
2	気象状況悪化	自らの避難行動を確認	大雨・洪水・高潮注意報 （気象庁が発表）
1	今後気象状況悪化の おそれあり	災害への心構えを高める	早期注意情報報 （気象庁が発表）

図 4-27　警戒レベルと避難情報

2019 年の「令和元年東日本台風」による災害を教訓として，2021（令和 3）年に「避難情報に関するガイドライン」が改定された（図 4-27）。

避難先・避難所の環境への適応困難

高齢者は，平常時でも一般的に，新しい環境に適応することが困難である。限られた空間に多数の人々が避難してくる避難所では，室温や換気の調節も困難であり，プライバシーへの配慮もできない。こうした環境下で，高齢者は身体的にも心理的にも緊張をしいられ，健康障害が発生しやすくなる。

災害関連疾患・災害関連死

避難所は，暑さや寒さ，空間の狭さ，さらには水や食料の制限などの過酷な環境にある。そこからの直接的な影響に加え，高齢者は自分なりに適応しようとして，トイレの回数を減らすために飲水量を制限したり，過度に活動・運動制限をしてしまったりする。こうした行動は，脱水や尿路感染症，肺炎，虚血性心疾患，深部静脈血栓症などの災害関連疾患を誘発する。

また，環境に適応できないことで，ストレスや不安，疲労から不眠になり，さらには高血圧などが悪化したり，認知機能障害やせん妄がおこる場合もある。食事の支給量や内容，形態による低栄養状態のリスクも高い。

高齢者は症状の出現が非定型的であり，体調のわるさの自覚が遅れる場合もある。したがって，高齢者本人の主訴のみでは異常の早期発見は困難である。災害関連疾患が重篤となったり，発見が遅れたりすることによって，災害関連死につながってしまうことも少なくない。

生活の再建など現状への復興困難

高齢者は，経済的にも脆弱で，新しい住まいや生活基盤の獲得が困難であることも多く，長期にわたって避難所や仮設住宅での生活を余儀なくされる。

また，大地震などによって地域一帯が被災した場合は，これまでにつちかってきた地域社会のネットワークを失ってしまう。避難先で孤立してしまうリスクが大きく，閉じこもりや孤独死にいたる場合もある。

まとめ

- 高齢者の暮らしを支えていくうえでは，生活モデルを基本として，安全で安心でき，かつ活動しやすい環境を確保していくことが重要となる。
- 離床の基本動作は移動である。高齢者の生活動作を広げるためには，生活の中で基本動作の継続ができるようにはたらきかけることが必要となる。
- 食事する機能を維持していくためには，高齢者の摂食過程を観察し，個々人に適した食事の進め方を把握する必要がある。
- 加齢に伴って，排泄や排便に支障をきたすことが多くなる。排泄の機序をよく理解したうえで，その人の排泄習慣を把握し，その人に合った援助を行う。
- 加齢による皮膚の変化を観察し，清潔な状態を保ちながら，皮膚が本来もっている機能を発揮できるように援助する。
- 清潔を保つ方法には，清拭や部分浴，入浴がある。どの方法を行うかは，本人の体力などを考慮して十分相談をしたうえで決定する。入浴を行った場合は，乾燥を防ぐため保湿を行う。
- 加齢に伴って，活動性の低下や睡眠障害がおきやすくなる。休息と運動のバランスを考慮しながら生活リズムを整え，安心して睡眠ができるようにすることが重要となる。
- 病院においては，個々の高齢者の心身機能のアセスメントを行ってリスクを予測し，医療専門職間で情報を共有するなどの，組織的な取り組みが求められる。
- 福祉施設のなかで医療専門職として在籍する看護師には，介護職スタッフと連携して，高齢者の異常を早期に発見できるようなしくみを構築する役割が求められる。
- 独居の高齢者に対しては，地域住民の協力による見まもりが行われている。
- 高齢者は，災害対策基本法では防災上の「要配慮者」に位置づけられており，地域において日ごろから教育や訓練，体制づくりをしておく必要がある。

復習問題

1 次の文章の空欄を埋めなさい。

▶身体を露出する場合は室温を適温よりも約（① ）℃ 高くする。

▶転倒予防などのため，夜間は（② ）を点灯させる。

▶胃内と体外を結ぶ管状の瘻孔を（③ ）と呼ぶ。

▶食べるペースを無視して食べさせると（④ ）やむせにつながる。

▶食事の際は上半身を（⑤ ）度起こした体位が誤嚥しにくい。

▶椅子などに座るときの姿勢は各関節を（⑥ ）度とすると安定する。

▶（⑦ ）性尿失禁は骨盤底筋が弱くなることでおこり，（⑧ ）性尿失禁は前立腺の肥大が原因でおこる。

▶排便や排泄の援助を行うときには（⑨ ）に十分配慮する。

▶高齢者の皮膚は表皮が薄く，バリア機能が低下し乾燥することで（⑩ ）症となる。(⑩)症が続くと，ドライスキンや老人性皮膚瘙痒症の原因となる。

❷〔 〕内の正しい語に丸をつけなさい。

①高齢者は味覚が低下するため，食事を濃い味つけに〔 する・しない 〕ようにする。

②ベッドの高さは〔 床に足が届く・腰の高さ 〕程度とする。

③障害のある人の移動の援助では〔 患・健 〕側に気を配る。

④経管栄養の場合，歯みがきを〔 行う・行わない 〕。

⑤入浴援助の際は，〔 危険がないように全てを介助する・本人のできる範囲は任せる 〕。

⑥爪のケアは入浴や足浴の〔 前・後 〕に行うとよい。

⑦義歯は〔 水につけて・乾燥させて 〕保管する。

⑧転倒予防のため，裾の〔 長い・短い 〕ズボンなどは避ける。

⑨睡眠時は，深部体温が〔 上昇・低下 〕すると入眠しやすくなる。

⑩病院におけるリスクマネジメントは〔 個人で・組織で 〕取り組む。

第5章

高齢者の病態・疾患と看護

A 高齢者に多い疾患とその特徴

ここでは，加齢による臓器・器官の構造と機能の変化に伴い，高齢者に多くみられる疾患や症状の特徴について述べる。

1 高齢者に多い疾患

高齢者の受療率をもとに，➲**表 5-1** に高齢者に多い疾患と障害の代表的なものを示した。表にみられるように，高齢者に多い疾患は一般の内科や外科で広くみとめられる疾患であり，生活習慣病の延長上にある**慢性(まんせい)疾患**である。とくに心身の退行期に特有の病的老化(退行変性疾患)に属する疾患が中心である。

しかし，これらの疾患に合併する感染症も多いことから，急性の病状へ移行することも少なくない。

➲**表 5-1　高齢者に多い疾患と障害**

	疾患と障害
呼吸器系	肺炎，急性上気道炎，肺線維症，肺がん，肺結核，慢性閉塞性肺疾患
脳・神経系	脳血管障害(脳梗塞・脳出血)，認知症，パーキンソン病
循環器系	高血圧，虚血性心疾患(心筋梗塞・狭心症)，動脈硬化症，不整脈，弁膜症
消化器系	胃・十二指腸潰瘍，胃・食道・大腸がん，胆嚢・胆管炎，胆石，肝硬変，ヘルニア
泌尿・生殖器系	腎硬化症，糖尿病腎症，尿路感染症，尿路結石，腎盂腎炎，前立腺肥大
内分泌・代謝系	糖尿病，痛風，甲状腺疾患
骨・関節系	変形性関節症，関節リウマチ，骨粗鬆症，大腿骨頸部骨折
感覚器系	視力障害(白内障・緑内障など)，難聴，言語障害
血液系	貧血
その他	褥瘡，疥癬

2 高齢者の疾患の特徴

高齢者の疾患は，臓器・器官の加齢現象により引きおこされているものが多く，成人期の疾患とは異なる特徴をもっている。高齢者の疾患の特徴には以下のようなものがあげられる。

①**多臓器にわたる疾患をもっている**　高齢者の平均疾患数は，65～75歳で4.6疾患，75歳以上で5.8疾患といわれている。臓器・器官の老化が進み，異なる器官の疾患を同時にもつことが多い。そのため治療が困難になりやすく，薬剤の使用についても他の疾患への影響に注意を要する。

②**病状・症状が非定型的である**　高齢者の場合は，老化や既往疾患，恒常性の維持障害，免疫機能の低下によって，その疾患の典型的な症状があらわれにくい。そのため，早期に主病状の把握ができず，発見が遅れる場合がある。

たとえば肺炎の場合，一般には高熱(39～40℃)・咳・痰・息切れなどの呼吸器症状や，胸痛が典型的であるが，高齢者の場合は微熱や咳，疲労感や食欲不振だけを訴えることもある。心筋梗塞では，激しい胸痛発作もなく心窩部の不快感や肩こりなどを訴えることもある。一方，症状は急激に悪化するため，救急時のケアやプライマリケアの知識と技術が大切となる。

③**慢性化しやすい**　高齢者は，成人期からの疾患を引きつづきかかえている場合がある。これらの疾患は，完治できない慢性疾患や非可逆的な経過をとることが多いため，一時的に病状が軽快してもしばしば再発し，また病状や病態が進行することも多い。

④**合併症を併発しやすい**　疾患の慢性化・長期化は長期臥床をもたらし，筋萎縮・筋力低下・関節拘縮・骨粗鬆症・褥瘡・肺炎・抑うつ状態などの廃用症候群を発生させやすい。

⑤**退行変性疾患が多く，機能障害につながりやすい**　退行変性疾患とは，退行期にみられる病的老化で，パーキンソン病・認知症・動脈硬化症などとその二次的影響(脳梗塞・虚血性心疾患・大動脈瘤・腎硬化症)がある。

これらの疾患による身体機能障害は，認知障害や日常生活活動(ADL)の低下，社会的な適応障害，生活の質(QOL)の低下へつながりやすく，そこから生きる意欲の消失にもつながる。疾患が慢性化したり合併症を併発したりすると，要介護状態をまねきやすいので，生活の再調整が必要となる。

⑥**社会的要因や環境によって，病状が変動しやすい**　家族がいないひとり暮らしの人や高齢夫婦の場合，社会からの援助が不十分であると疾患の発見が遅れ，回復期における社会復帰への意欲やリハビリテーションの効果が低下しやすい。機能障害がある場合にはとくに，家族をはじめとした周囲からの援助が必要であり，自覚症状が乏しい場合には，周囲の人々によって異常が発見されることが多い。

⑦薬物が蓄積されやすい 高齢者の生理的機能の低下は，薬物のはたらきや効果を変化させる。薬物の吸収機能が低下するため，薬がききはじめるのが遅くなる。また，体内の総水分量が減少し，脂肪量が増加することで，脂溶性の薬物は体内で分布が広がり，血中半減期が長くなる。そのため脂溶性の薬は効果が長く続いたり，肝臓に蓄積されやすくなる。さらに，肝臓の解毒(げどく)機能や腎機能も低下しているため，薬物中毒をおこしやすい。

⑧薬物の副作用が出現しやすい 高齢者は複数の疾患をもっており，多種類の薬剤を服用していることが多い。そのため，薬物の相互作用や副作用が出現しやすい。ジギタリス製剤は，重篤(じゅうとく)な不整脈，吐きけ・嘔吐(おうと)，下痢(げり)，食欲不振などの消化器症状をおこしやすい。向精神薬では気分の動揺(どうよう)や運動失調，降圧薬では起立性低血圧や徐脈(じょみゃく)などに注意する必要がある。

認知症などの認知障害や，麻痺(まひ)・視力低下・嚥下(えんげ)障害などの機能障害の場合には，服薬の自己管理は困難であるため，高齢者への与薬指導と管理，症状の観察を十分にしなければならない。

⑨水・電解質の異常をきたしやすい 高齢者は恒常性維持機能の低下によって，水・電解質の代謝障害がおこりやすい。

⑩意識障害がおこりやすい 高齢者は，脳血管障害，硬膜下血腫(けっしゅ)，認知症などの中枢神経系の疾患以外にも，脱水・電解質異常，非ケトン性高浸透圧昏睡(こんすい)，肝性脳症，呼吸不全，心不全，血糖異常，内分泌疾患などによって，意識障害へとつながりやすい。

3 老年症候群

疾患の治療の目標は，治癒や症状の消失が一般的であるが，高齢者の場合には完全な治癒(ちゆ)は望めない場合が多く，不完全な治癒や対症療法になることが少なくない。**老年症候群**とは，高齢者に多くみられる，治療と同時に介護・ケアが必要となる一連の症状所見である(➲図5-1)。老年症候群には，廃用症候群・転倒・骨折・褥瘡・失禁・感染症・せん妄などがある。

老年症候群の3分類

老年症候群は発症する頻度により3つに分類ができる。

①加齢により変化しない症候群 急性疾患に付随(ふずい)するもので，若い人と同程度の頻度でおこる。しかし，対処方法には工夫が必要である。

②前期高齢者で増加する症候群 慢性疾患に付随するもので，65歳～75歳未満の前期高齢者から増加する症候群である。

③後期高齢者で増加する症候群 75歳以上の後期高齢者に急増するもので，日常生活動作(ADL)の低下に関連し，介護が重要となる症候群である。

フレイル

老年症候群と強く関連する状態として，**フレイル** frailty がある(➲135ページ)。フレイルは，加齢に伴って運動機能や認知機能などの生理的予備機能が低下し，ストレスに対する脆弱性(ぜいじゃくせい)が亢進(こうしん)した状態である。フレイルは，体重・筋力・身体活動量などの低下となってあらわれるため，これらによっ

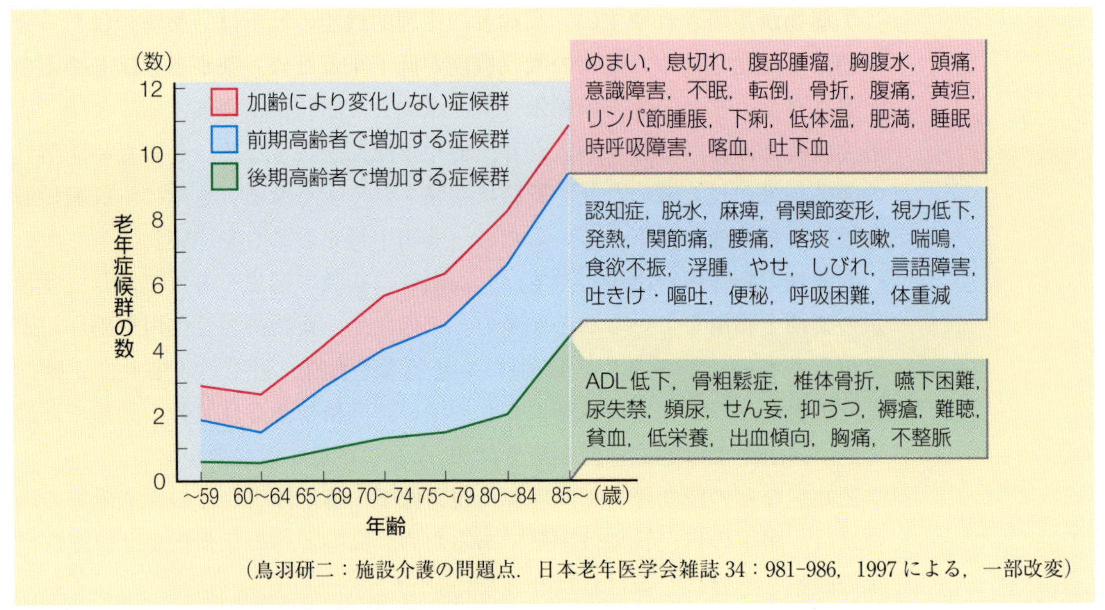

図 5-1　3つの老年症候群の分類と加齢変化

て評価されるが，適切な介入・支援によって生活機能の維持・向上が可能であることから，早期の発見が重要とされている。

B 系統別にみる症状・疾患と看護

ここからは，器官系統別に，高齢者によくみられる症状・疾患とその看護について学ぶ。なお，各疾患の治療法については，基本的に成人看護で学ぶ内容と同様であるため，ここではとくに高齢者の場合における特徴を中心に述べる。

1 脳・神経系の症状・疾患と看護

2016(平成 28)年の国民生活基礎調査によると，高齢者が要介護となる原因疾患の第1位は認知症，第2位は脳血管疾患である。

ここでは，代表的な脳血管障害として脳梗塞(こうそく)を，神経系の疾患では，中年以降の発症が多く，高齢になるほど有病率が増加する，パーキンソン病を取り上げる。

1 脳梗塞

脳血管障害のなかでは最も発症が多く，アテローム血栓性脳梗塞・心原性脳塞栓症・ラクナ梗塞がよく知られている。脳梗塞の前駆(ぜんく)症状としては，片麻痺(まひ)や失語，黒内障などがあらわれる**一過性脳虚血(きょけつ)発作** transient ischemic attack（**TIA**）が重要である。

ラクナ梗塞は，患者自身に自覚症状はなく，頭部CTやMRI検査で発見される無症候性脳梗塞である場合もある。また，多発性にラクナ梗塞が発生するものを**多発性脳梗塞**という。多発性脳梗塞は，運動障害や自発性の低下をまねき，寝たきりや血管性認知症となりやすい。

■脳梗塞患者の看護

■急性期の看護

①**経時的な観察**　病状が進行するおそれがあるため，頭蓋内圧亢進(こうしん)症状（頭痛，吐きけ・嘔吐(おうと)，意識障害，血圧上昇，瞳孔(どうこう)不同，徐脈(じょみゃく)）の変化に注意する。また，意識状態や神経症状の変化，バイタルサイン（とくに血圧）の変動にも注意が必要である。高浸透(しんとう)圧利尿薬使用時には，水分出納(すいとう)に注意する。

②**早期リハビリテーション**　運動障害が発生しやすいため，ほかの疾患よりも早期離床を心がけることが肝要である。発症直後から，良肢位の保持や体位変換，ベッドサイドでの他動的関節可動域訓練などを行うことにより，拘縮(こうしゅく)を予防する。さらに，早期から座位保持訓練を行い，離床に努める。

③**危険防止**　高齢または意識障害のある場合には，点滴・ドレーン・気管内チューブの抜去がおこりやすい。回復に伴い，ベッド柵(さく)を乗りこえての転落や，1人で移動する際の転倒などのリスクが高くなる。予防のためには，頻回な巡回や，行動のこまやかな観察により，発生を予測することが重要である。一時的に抑制を行うこともあるが，高齢者の場合にはせん妄(もう)につながりやすいため，必要最少限にしなければならない。

■慢性期の看護

①**再発予防**　降圧薬や抗凝固(ぎょうこ)薬などの確実な服用ができるようにする。日常から脱水・発熱などに注意して生活する。食事療法では減塩を行い，動物性脂肪や糖分の過剰な摂取を控えるように指導する。

②**リハビリテーション**　高齢患者の場合，後遺症が残るとリハビリテーションが思うように進まず，意欲低下や抑(よく)うつ状態となることがある。看護師は日ごろから患者のリハビリテーションへの向き合い方を観察し，わずかな改善であっても評価し，ほめたり，励(はげ)ましたりすることで本人の回復意欲が高められるように支援することが重要である。

心身の後遺症に対しては，機能維持のための適度な運動の継続を目的とした，介護保険によるサービスを活用する。抑うつ状態である可能性が高い場合には，早めに受診を依頼する。

③**家族への援助**　長期的に介護することへの不安や負担感，入院治療に伴う経済的負担など，家族は多くの問題をかかえている。看護師は早期から情報収集を行い，ソーシャルワーカーや介護支援専門員らと相談しながら家族

を支援していくことが必要である。介護者も高齢であったり，日中独居となることもあるため，患者と家族がともに安心できるような情報提供をしたり，介護保険サービスなどの社会資源の活用を行えるように支援をする。

2 パーキンソン病

パーキンソン病は，脳内のドパミンが欠乏する疾患であり，わが国の有病率は人口10万人あたり100～150人といわれている。パーキンソン病の主要な症状として，安静時振戦，無動・寡動，筋固縮，姿勢反射障害の4つがある(➲図5-2，表5-2)。

進行に伴い自律神経症状(起立性低血圧，排尿困難・頻尿，便秘など)や精神神経症状(抑うつ状態など)がみられることもある。

進行の指標● パーキンソン病の進行段階としては，**ホーン-ヤール** Hoehn-Yahr **分類**が代表的である(➲表5-3)。ステージⅢ以降になると，嚥下障害がみられ誤嚥をおこしやすい。

治療● 病気の進行をとめる治療法はまだないが，薬物療法を中心に行う。ドパミ

➲図5-2 パーキンソン病患者の姿勢

➲表5-2 パーキンソン病の主要な症状

症状	特徴
安静時振戦	手に多くみられるが，上肢全体や下肢にもみられる。安静時にふるえがおこることが特徴である。精神的な緊張で増強し，動作時にとまる。
無動・寡動	動作が開始困難になったり，動作がゆっくりとして小さくなる。仮面様顔貌，すくみ足，小きざみ歩行，前傾姿勢，小字症などがみられる。
筋固縮	力を抜いた状態で関節を他動的に動かした際に，抵抗がみられる。一定の抵抗が断続する歯車様筋固縮が特徴である。四肢麻痺やバビンスキー反射などの錐体路障害は一般的にはみられない。
姿勢反射障害	バランスをくずしそうになったときに，倒れないようにするための反射が弱くなる。初期は左右差があることがあるが，進行すると左右差がなくなることが多い。

➲表5-3 ホーン-ヤール分類

ステージ	状態
Ⅰ	一側の手足のみに症状がある
Ⅱ	両方の手足に症状がある
Ⅲ	姿勢反射や歩行の障害(小きざみ歩行，ゆっくりした動作，方向転換が不安定で突進現象がある)
Ⅳ	起立・歩行は可能だが，非常に不安定であり，部分的に介助が必要
Ⅴ	日常生活は全介助となり，車椅子使用か，ほとんど寝たきりの状態

ンを補充するレボドパやドパミン受容体刺激薬，ドパミン放出促進薬，抗コリン薬などが使用される。

■パーキンソン病患者の看護

パーキンソン病の療養は長期にわたるため，家族の負担が大きくなる可能性が高い。患者や家族との信頼関係をつくり，支えながら治療参加ができるように，病状の経過や副作用，生活上の問題をよく聞き，家族の状況に合わせて指導することが必要である。看護のポイントは以下のものである。

①観察　①症状の程度，②薬物療法による副作用，③日常生活での行動，④家族の反応とサポート体制を観察し，把握しておく。

薬物の副作用としては，1日のうちで症状が変動する日内変動や不随意(ずいい)運動，長期服用による作用時間の短縮，服用後に一定時間経過時に効果が切れて動けなくなるウェアリング-オフ現象・突然切れて動けなくなるオン-オフ現象，薬物が最もきいているときに手足や舌・口唇が不随意に動くジスキネジアなどに注意する。

姿勢や動作をはじめ，食事や排泄(はいせつ)，入浴，更衣，会話などに異常がないか観察する。また，家族関係や家族の病気に対する知識などを把握しておく。

②服薬管理　患者と家族に服薬管理の重要性を説明する。症状の改善や副作用の出現時に服薬との関連を把握できるように，服薬ノートなどをつけるとよいことを伝える。

③歩行の援助や転倒予防　すくみ足に対しては，出しやすい脚を高く上げてから歩きだすようにする。小きざみ歩行には「いち・に，いち・に」とリズムをつけて大きく手を振りながら歩くようにする。小きざみ歩行からは突進歩行になりやすいので，一度とまってから再度歩くようにする。

靴は足に合ったものを選び，廊下や部屋には障害物がないようにかたづけるなどの環境整備が重要である。運動が継続できるように，趣味や散歩，スポーツ，ゲームなどのレクリエーションを取り入れながら，楽しみや気分転換として習慣化できるように工夫する。

④日常生活に関する援助　嚥下障害がある場合には，嚥下機能に合わせて，とろみなどをつけた食べやすい食事形態にする。便秘の予防のために食物繊維の多い食材を使用するとよい。箸(はし)が使いにくくなったら，スプーンやフォークなどにかえる。

パーキンソン病では歩行障害が生じ，動作が緩慢となるため，トイレには早めに行くように習慣化する。また，転倒予防のために，夜間のポータブルトイレの設置を検討する。衣服は，着脱しやすい伸縮性の素材で，大きめのボタンや面ファスナーがついているものが望ましい。

3 認知症

認知症および認知症高齢者の看護については，第7章A「自分の世界を生きる——認知症高齢者の看護」(➡200ページ)を参照のこと。

2 循環器系の症状・疾患と看護

高齢者にみられる循環機能に関連する症状として，胸痛（きょうつう）・胸部不快感がある。高齢者は，加齢による活動レベルの低下によって労作性の症状が生じにくく，疼痛（とうつう）感覚の低下により重篤な疾患があっても自覚されにくい。

また，症状の出現状況や経過についての訴えも，あいまいな記憶や不十分な表現であることもしばしばであり，把握することが困難な場合が多い。

1 胸痛・胸部不快感

高齢者の場合には，狭心症や心筋梗塞などの虚血性心疾患の特異的症状である，①押されるような痛み(圧迫感)，②締（し）めつけるような痛み(絞扼（こうやく）感)，③焼けるような痛み(灼熱（しゃくねつ）感)，④心臓や肺が張り裂（さ）けるくらいの激しい痛み，などを表現することが少ない。むしろ➡**表5-4**のような表現によって，胸部不快感を訴える場合が多い。

原因● このような胸部不快感は，虚血性心疾患だけでなく，不整脈や大動脈疾患，血栓に伴う肺梗塞などのほかの循環器疾患によっても生じるが，気管支喘息などの肺疾患や胃食道逆流症・食道痙攣（けいれん）などの消化器疾患，不安神経症などの心因性症状によっても生じる。

しかしながら，急性心筋虚血状態にある場合には，胸痛などの症状の発現から治療開始までの時間が予後に大きく影響する。したがって，まずは原因としてリスクの高い疾患を想定すべきであり，胸部不快感の場合も心疾患，とくに虚血性心疾患の主要な症状と考えて対処することが重要である。

■胸痛・胸部不快感のある患者の看護

①**全身の観察**　胸痛・胸部不快感は，虚血性心疾患の主要な症状であるが，局部だけでなく全身の観察が必要である。まず，問診によって➡**表5-5**に示した5点を確認する。

➡**表5-4　胸部不快感の表現の例**

圧迫感	「押される」「つぶされる」
絞扼感	「息苦しい」「締めつけられる」
灼熱感	「胸やけがする」「もやもやする」「チクチクする」
激しい痛み	「胸が重い」「へんだ」

表 5-5　胸痛・胸部不快感のある患者の観察ポイント

1. 症状の出現部位	全体的・部分的・範囲
2. 症状の程度	強い・弱い
3. 発症の仕方	突然・なにかしているとき・安静時
4. 持続時間	継続的・間欠的
5. 随伴症状の有無	冷汗，吐きけ・嘔吐，動悸，息切れ，呼吸困難，めまい，頭痛，意識障害，四肢のしびれ，麻痺，背部痛，腰痛など

表 5-6　胸痛・胸部不快感への緊急時の援助

1. バイタルサインの確認	脈拍や呼吸，体温，血圧などに異常がないか把握する。
2. 心電図の装着	狭心症や心筋梗塞，心不全，不整脈などの診断に用いる。
3. 医師や家族への連絡	まずは医師を呼び，他の処置と並行して家族にも連絡をとる。
4. 呼吸管理	気道確保，酸素吸入，吸引器・気管挿管・人工呼吸器の準備などを行う。
5. 動脈・静脈ラインの確保	輸液・薬剤を投与するために留置針を用意する。
6. 輸液・薬剤の準備	輸液，昇圧薬・抗不整脈薬・強心薬・鎮痛薬・鎮静薬などを準備する。
7. 尿道カテーテルの留置	そのまま臥床となる場合もあるため，カテーテルを留置する。

高齢患者に対しては，わかりやすい表現で質問し，その訴えを表現どおりに記録する。また，患者からだけでなく，家族や介護者からの情報収集も重要である。問診につづいて，呼吸・脈拍・体温・血圧などを確認する。

②検査時の援助　チアノーゼの確認と動脈血酸素飽和度の測定，血液検査，12 誘導心電図検査，胸部・腹部 X 線検査，心エコー検査，CT 検査などを行う。採血，禁食，長時間の検査などによるストレスは，疲労・不安感・苦痛を増大させる。不安の軽減のために，病状と検査の必要性についてわかりやすく説明する。また，本人や家族の理解と協力を得ることによって，検査を円滑に進める必要がある。

③緊急時の対応　胸部不快感が強く顔面蒼白や冷汗がある場合をはじめ，収縮期血圧が 90 mmHg 以下などのショック状態，呼吸困難が強い状況などでは，急性心筋梗塞をはじめとする急性心不全・肺梗塞を予測し，ただちに治療を開始する。集中治療室(ICU)，または心臓集中治療室(CCU)へ搬送し，治療を開始する。搬送時は，急変にも対応できるように必ず医師が付き添う。

緊急時に行う看護援助の要点は，**表 5-6** のとおりである。

④不安の軽減と除去　胸部不快感は心肺機能に直結しているため，死に対する恐怖感や不安感，さらに緊張感が強くみられる。これらはアドレナリンの分泌を亢進し，心拍動や心拍出量を増大させる。心因性の場合には，とくに不安の軽減が必要になる。患者のどのような訴えでも受けとめ，安心でき

るようにやさしく声かけを行いながら，全身状態の把握を行う。

⑤**安楽な体位**　衣服による胸腹部の締めつけがないように，衣服はゆるやかにする。患者が好むらくな体位になってもらう。息苦しさや息切れを伴う場合には，ファウラー位や起座位などの呼吸しやすい体位にする。動悸のある場合には，左側臥位は寝具を通して心臓の拍動が伝わりやすく不安感を増大するため避ける。

⑥**苦痛の緩和**　医師の指示によって鎮痛薬・鎮静薬の投与を行う。その際には，頭痛・血圧低下などの副作用に注意し，5～10分に1回バイタルサインの確認を行う。またモニターの観察も頻回に行う。

⑦**安静**　心筋梗塞の場合には絶対安静であり，自力での体位変換は厳禁である。体位変換用のクッションやタオルを利用し，背部・腰部などの苦痛を緩和する。その他の疾患によって症状がある場合には，安静を保ち静かに臥床してもらう。検査後，医師の判断をもとに安静度に応じた日常生活への援助を行う。

2 心不全

わが国における65歳以上の高齢者の心不全発症率は，年々増加傾向にある。高齢者の心不全は，疾患を診断しにくい非定型的症状を示すことが多い。また，長期入院や退院をしても早期に再入院することが多く，入院をきっかけにADLの低下や要介護状態にもなりやすい。心不全の原因としては，諸臓器の予備能低下や，服薬状況，社会的要因といった，疾患以外の要因が関係しやすいといわれている。

原因●　高齢者に心不全をもたらす疾患や誘因では，虚血性心疾患が約75％を占める。高齢者の心不全の基礎疾患は，高血圧およびそれに伴う左心室肥大である。拡張障害を背景とする血圧上昇により，容易に左心室拡張期圧が上昇して心不全になりやすい。また，僧帽弁・大動脈弁の変性や，石灰化による狭窄・閉鎖不全，刺激伝導系の変性・線維化による徐脈性不整脈，頻脈性心房細動でも心不全が引きおこされる。

重症度の指標●　高齢者心不全の症状は，心拍出量低下に伴う臓器血流障害による症状と，全身や肺のうっ血による症状が混在する。重症度の評価には，ニューヨーク心臓協会 New York Heart Association による **NYHA 分類**が用いられる（➲ 表5-7）。

■心不全患者の看護

■急性期の看護

①**症状の観察と訴えの把握**　とくに高齢者では，全身の動脈硬化や腎機能・呼吸機能の低下，栄養状態の不良などが背景にある場合が多いため，全身状態の観察も行う。さらに「なんとなく元気がない」「認知症様の精神症状」などの非定型的な場合があるため，訴えを聞くだけでなく注意深く観察

表 5-7　NYHA 分類

クラス	
Ⅰ	心疾患を有するが，身体活動に制限はなく，通常の身体活動では疲労・動悸・呼吸困難・狭心痛を生じない。
Ⅱ	心疾患のために，身体活動に少しの制限はあるが，安静にするとらくに生活できる。通常の身体活動で疲労・動悸・呼吸困難・狭心痛を生じる。
Ⅲ	身体活動に強い制限があるが，安静にするとらくに生活できる。通常以下の身体活動で疲労・動悸・呼吸困難・狭心痛を生じる。
Ⅳ	心疾患を有し，いかなる身体活動にも苦痛を伴う。心不全・狭心症の徴候が安静時にもみとめられることがある。いかなる身体活動によっても苦痛が増強する。

を行う。

②安静保持と投薬管理　急性症状として，呼吸困難やチアノーゼ，冷汗，四肢の冷感，乏尿（ぼうにょう）を含めた低心拍出症候群が出現した場合は，起座位またはファウラー位をとり安静を保持する。経鼻酸素吸入・利尿薬投与の指示に従い，薬剤の管理を行う。重症の肺うっ血や右心不全，胸水の貯留（ちょりゅう）による呼吸困難時には，薬物の静脈内投与が行われるため，内容物と投与時間の管理をする。

慢性期の看護

①増悪の予防　過度な心負荷（ふか）がかからない程度の日常生活を心がけ，浮腫（ふしゅ），体重増加，心不全の増悪（労作時呼吸困難など）予防のために，減塩と水分制限を行う。高齢者の利尿薬内服時は脱水症状に注意する。過度の安静や運動制限は，高齢者の場合は廃用症候群の原因となるため望ましくない。

②体調の管理　毎日の体重測定は，心不全の増悪を把握できる簡便で重要な指標である。息切れや急激な体重増加など，心不全悪化の徴候（ちょうこう）がみられた場合に，医療的処置が受けられるようこれを習慣化する。患者や家族が疾患を理解し，体調管理を行えるように指導する。

③服薬の管理　日ごろの薬剤管理は重要である。ジギタリス製剤を内服している場合には，定期的な血中濃度の測定状況を確認し，吐きけ・不整脈などの中毒症状の観察を行う。

3 呼吸器系の症状・疾患と看護

加齢による肺機能の変化

加齢による肺への影響は大きい。加齢による生理的変化としては，①呼吸筋の筋力低下，②胸壁の硬化，③肺弾力性・収縮力の低下，④気管支粘膜の線毛運動の低下，⑤予備呼吸量の減少，などがみられる（➡表 5-8）。

1 呼吸困難

呼吸困難とは，息苦しい，息がつまる，十分な空気を吸うことができないなどの不快・苦痛の自覚症状があり，呼吸することに努力をしなければなら

表 5-8　加齢による肺機能の変化

呼吸筋の筋力低下	呼吸筋(横隔膜・肋間筋)は，加齢とともに筋力が低下し，十分な呼吸運動ができなくなるため換気が不十分になりやすい。
胸壁の硬化	肋間筋が石灰化してかたくなり，支持組織の弾力性も低下するため，肋骨が十分に動かないことによって，肺の運動が制限される。そのため，肺内のガス交換率が低下し，低酸素血症が進行する。
肺弾力性・収縮力の低下	肺弾力性の消失や肺伸展性の増大，姿勢の変化によって肺活量が減少する。
気管支粘膜の線毛運動の低下	気管支粘膜上の線毛運動の低下によって，分泌物の排泄が困難になり，炎症が生じやすい。
予備呼吸量の減少	残気量の増加がみられる。

表 5-9　ヒュー-ジョーンズの分類

Ⅰ	同年齢の健常者と同様の労作ができ，歩行，階段昇降も健常者並にできる。
Ⅱ	平地では同年齢の健常者と同様に歩行できるが，坂道や階段では息切れをする。
Ⅲ	平地でも健常者並に歩けないが，自分のペースなら 1 マイル(1.6 km)以上歩ける。
Ⅳ	休み休みでなければ 50 m 以上歩けない。
Ⅴ	会話や着がえでも息切れする。息切れのため外出できない。

0	なにも感じない
0.5	非常に弱い
1	かなり弱い
2	弱い
3	
4	やや強い
5	強い
6	
7	かなり強い
8	
9	
10	非常に強い

図 5-3　修正ボルグスケール

ない状態をいう。身体的要因のほかに感覚的・心理的要因の影響を受けるため，同じ状態であっても患者によって訴えが異なる。比較的高齢者に多い症状の1つである。

呼吸困難の指標● 呼吸困難の自覚症状の程度をみる臨床的指標には，呼吸器疾患を対象とした**ヒュー-ジョーンズ** Hugh-Jones **の分類**，呼吸困難度には**修正ボルグスケール**が用いられている(➲ 表 5-9，図 5-3)。

ヒュー-ジョーンズの分類は，どのような状況で息苦しさを感じるかを表現したもので，病歴をとるときに便利な指標である。また修正ボルグスケールは，患者が呼吸困難の程度を，息苦しさがまったくない状態から，これ以上想像できないくらい息苦しい状態までを想定して，自分がどのくらいに位置するかを主観的に表現してもらうものである。

呼吸困難時の看護

①**呼吸の援助**　衣類は胸部の動きを妨害しないように，ゆとりのあるものを着用し，寝具の掛け物は軽いものにするか除去する。体位は一般には「前かがみの姿勢」が望ましいが，患者の好みに合った体位でもよい。ベッド上では，リラックスができるように起座位をとるようにする(➲70ページ)。横隔膜が動きやすくなり，呼吸がしやすくなる。

②**酸素吸入**　一般に，動脈血酸素分圧(PaO_2)が60 mmHg以下の場合には，血液中に酸素が十分に供給されないため，酸素療法が開始される。酸素吸入は，医師の指示に従って確実に行い，その流量が正しく調整ができるように流量計を使用して観察する。酸素吸入開始後は，原則的に30分ごとにPaO_2・動脈血二酸化炭素分圧($PaCO_2$)を確認するとともに，意識状態を観察する。

③**痰の喀出**　慢性気管支炎や気管支拡張症などでは，気管支粘膜から分泌される粘液が増加し，1日に200～300 gの粘稠性の痰が出る場合がある。呼吸筋力が弱い高齢者では，咳による痰の喀出が不十分になり，肺炎を引きおこしやすくなるので，排痰を行うことが重要である。まず聴診して，痰の貯留場所や程度を確認する。その後，排痰する区域の気管支の位置が上方になるように体位を調節する(**体位ドレナージ**)。体位ドレナージをしながら，胸や背中に振動を与えて排痰を促す。

高齢者では振動によって呼吸筋が肋骨などから剝離しやすく，また骨粗鬆症を合併しているおそれもあるので，強すぎない振動で行う。より効果的に行うためには，心不全がない場合には水分を多めに摂取することや，排痰の10～20分前にネブライザーや定量噴霧吸入器による気管支拡張薬や去痰薬などの吸入薬の吸入を行うことが望ましい。

排痰の前後には，痰の量と色(透明・白・淡黄・黄・黄緑など)，粘稠度を観察する。

④**不安の軽減**　呼吸困難は，死への不安や恐怖を引きおこす。症状が落ち着いたあとも，またいつ呼吸困難の状態になるのかという不安・恐怖感が残るため，不安の軽減をはかることが重要である。患者の訴えを傾聴し，不安やあせりをやわらげる言葉かけを行う。呼吸困難があるときは，そばを離れず，手を握ったり背中をさすったりなどのタッチングを行う。

2 慢性閉塞性肺疾患

慢性閉塞性肺疾患 chronic obstructive pulmonary disease(**COPD**)は，タバコの煙や汚染された大気などの吸入によって発生した，肺の炎症反応に起因する慢性進行性の気流制限をみとめる疾患である。

COPDは加齢とともに病状が進行しやすく，65歳以上の高齢者に好発で，治療を受ける人が増加している。一般的な症状は，労作時の呼吸困難や痰を伴う咳嗽(がいそう)である。この状態が慢性的に反復を繰り返して2年以上継続がみられ，1年間で3か月以上症状が継続する状態が特徴である。

高齢者の呼吸障害は，一般的に慢性化をたどり，急性増悪しやすい。また，合併症や続発症によって全身状態が低下して自立性が失われやすく，ADLやQOLを低下させ，重症になると呼吸不全にいたる。高齢者の代表的なCOPDは，肺気腫(はいきしゅ)や慢性気管支炎などである。

治療と予防● COPDは不可逆の疾患であり，根治療法はない。治療と予防には，①禁煙，②気管支拡張薬・去痰薬の投与などの薬物療法，③栄養補給，④呼吸練習，排痰法，上肢・下肢運動，呼吸筋ストレッチ体操などによる呼吸リハビリテーション，⑤在宅酸素療法，⑥肺移植や肺容量減少手術療法，などが行われる。このなかで禁煙は，最も重要な治療法である。

慢性閉塞性肺疾患患者の看護

急性増悪期の看護

急性増悪期においては，まず呼吸管理が必要である。呼吸困難にかかわる身体的・精神的苦痛の軽減を中心としたケアとともに，疾患の進展を防止し，残存している肺の機能保存を行う。

慢性安定期の看護

現状の呼吸機能を維持し，COPDの急性増悪を予防する。そのためには，患者や家族に対する日常生活の管理・指導・予防教育が重要である。高齢患者の理解の程度を把握しながら，次にあげる項目について，日常生活の指導や教育を繰り返し行う。高齢者自身が自己管理能力を高められることが大切である。

①呼吸法 口すぼめ呼吸や腹式呼吸を行う。気管支拡張薬や去痰薬による吸入療法については，吸入器の正しい使用方法と作用・副作用について指導する。

②食事と運動 栄養士と相談して，呼吸運動に負担をかけない食事の仕方を検討する。具体的には，摂取エネルギー量，体重管理，食事の回数や量などを決める。一般に，慢性気管支炎患者は肥満型，肺気腫患者はやせ型の傾向にある。また，便秘を予防することが大切なので，飲水や緩(かん)下剤をすすめる。さらに，ADLやQOLの低下を予防するために適度な運動が望まれる。1日5,000歩，または20分程度の歩行がよい。

③合併症などの予防 気道感染(肺炎・インフルエンザ)の予防には，ワクチン接種が有効なので，流行の時期には接種をすすめる。また，COPDが進行して呼吸不全状態になると，在宅酸素療法が必要になる。COPD患者への急激な高濃度酸素吸入は，$PaCO_2$の急激な上昇をまねき，CO_2ナルコーシスを引きおこす危険性があるため注意が必要である。

4 消化器系の症状・疾患と看護

加齢とともに消化器系の形態機能にも変化がみられ，上部消化管では，咀嚼機能の低下や喉頭蓋の閉鎖不完全による嚥下時の誤嚥，食道の蠕動運動の低下による胸やけ，胃食道逆流症がおきやすい。また下部消化管では，腸管平滑筋の萎縮，腹圧の低下，排便反射の減弱，ならびに肛門括約筋の脆弱化によって便秘が生じやすい。

消化性潰瘍や胆石，腸炎，ヘルニアなどの消化管に関する疾患は，腹痛や腹部不快感という主訴によって表現されることが多いため，注意深く観察する必要がある。

1 腹痛・腹部不快感

腹痛や腹部不快感の原因として考えられる症状・疾患には，消化性潰瘍（胃・十二指腸潰瘍），胆石，胆囊炎，膵炎，胃炎，腸炎，虫垂炎，憩室炎，腸閉塞，イレウス，便秘，下痢，尿路結石，膀胱炎などがある（➲図 5-4）。心窩部の痛みは心筋梗塞などの虚血性心疾患の症状である場合もあるため，注意を要する。

■腹痛・腹部不快感のある患者の看護

①**腹部の腸蠕動音の聴診**　「腹が痛い」「おなかがはる」などの腹痛・腹部膨満感の自覚症状を確認するとともに，胃・腸内容物とガスが腸管内を移動するときに発する音である腸蠕動音の聴診を行う。これによって体内で不要になった排泄物を排出する力を把握することができる。

腸蠕動音の特徴とそこから予測される状態を➲**表 5-10** に示した。腸蠕動音の聴診は，右下腹部の 1 か所に聴診器を 10～20 秒あてて行う。腸蠕動

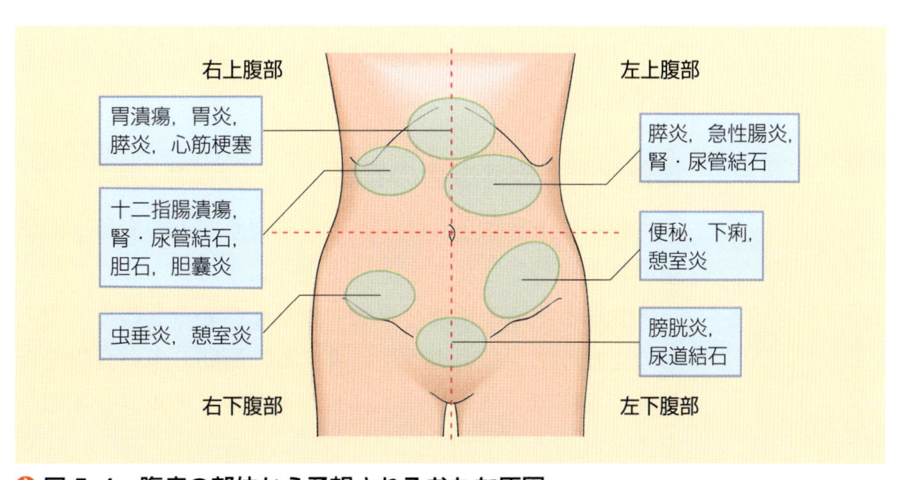

➲図 5-4　腹痛の部位から予想されるおもな原因

➲表 5-10　腸蠕動音の特徴と予測される状態

回数の目安	音の性質	予測される状態
0～3回/分 (20秒以上に1回)	無音もしくは低音	イレウス，腹膜炎
4～12回/分 (5～15秒に1回)	(グルグル・ゴロゴロ)	正常
12回以上/分 (5秒未満に1回)	高音もしくは金属音	下痢，腸閉塞

音の回数が少なく，イレウスなどが予測される場合には，➲**図 5-4** で示した腹部の4区分すべてで聴診する。

②**腹痛の観察**　消化器の炎症症状がある場合，一般的には激しい腹痛を訴えるが，高齢者は痛みを感じにくくなっているため，強い痛みを訴えることが少ない。発熱・呼吸数・脈拍などのバイタルサインと，表情の様子などの非言語的情報も重視して観察する。

③**検査**　血液検査では感染や炎症の徴候をみるため，白血球数(WBC)やC反応性タンパク質(CRP)値の上昇の有無を確認する。胸腹部の単純X線検査では，ガス像，ニボー像などがないかを調べる。必要時，超音波やCTによる検査が行われる。

2 胃食道逆流症

逆流性食道炎を含めて，胃酸の逆流による病態をまとめて**胃食道逆流症**(GERD)という。加齢に伴い，食道の蠕動(ぜんどう)運動が低下する。そのため，食塊(しょっかい)の食道を通過する速度が遅くなる。さらに，下部食道括約筋の機能低下に加え，円背(えんぱい)の高齢者では胃が圧迫されて胃食道逆流症がおきやすくなる。このため，胸やけや下部食道・咽頭(いんとう)の違和感，嚥下困難が生じる。

診断と治療●　診断は内視鏡検査に基づいて行われ，治療には胃酸分泌抑制(よくせい)薬(プロトンポンプ阻害(そがい)薬〔PPI〕，H_2 ブロッカー)，消化管運動機能改善薬，制酸薬，粘膜保護薬などが用いられる。

■胃食道逆流症患者の看護

①**腹圧の上昇防止**　腹圧が上がる前かがみの姿勢，排便時のいきみ(努責(どせき))，重い物を持つことなどを避けるようにする。

②**食事と生活の指導**　胃酸の分泌を高めるものや，胃内の停滞時間が長いものを食べすぎないように指導する。脂肪の多い食物やチョコレートなどの甘味，柑橘(かんきつ)類，コーヒー・紅茶，香辛料，アルコール類，タバコなどの摂取を控える。

③**食後・就寝時の注意**　食後1～2時間は横にならないように心がける。

就寝前の食事は避け，夕食の量は少なめにする。就寝時の体位は上体を少し起こしたファウラー位がよい。通常，左側臥位のほうが胃酸の逆流が少ない。

④**服薬管理**　高齢者は服薬管理能力が低下していることが多いため，指示されたとおりに服薬ができないことが多い。薬剤数と服薬回数を減らすことを相談したり，一包化調剤にしたり，服薬カレンダーや服薬ケースの利用を促したりする(➲174ページ，図6-4)。また，本人が服薬を管理できない場合には，家族やホームヘルパーなどの補助や全面的管理のもとで服薬するように指導する。

3 消化性潰瘍

消化性潰瘍は，胃潰瘍(かいよう)と十二指腸潰瘍がおもな疾患であり，胃潰瘍のほうが比較的多くみられる。原因としては，①ヘリコバクター-ピロリ感染，②非ステロイド性抗炎症薬(NSAIDs[1])，③ガストリン産生腫瘍(しゅよう)があげられる。高齢になるほど，NSAIDs内服中の潰瘍発症リスクが高くなる。

症状に乏しく，高齢者では腹痛の訴えは少ない。しかし，突然の吐血や出血による貧血，穿通(せんつう)・穿孔(せんこう)などで緊急処置を要することがある。無症状の場合も多いため，貧血がある患者にはNSAIDsの服用と，抗血小板薬・抗凝固薬などの併用を確認する。

診断と治療●　内視鏡検査によるヘリコバクター-ピロリの感染判定と，バリウムによる造影検査が行われる。止血後の治療に関しては，NSAIDs潰瘍の場合はその使用が中止され，治療が始められる。また，ヘリコバクター-ピロリ感染があった場合には除菌が行われる。

高齢者では，基礎疾患がある場合が多く，薬物治療の際には，ほかの内服薬との相互作用に十分気をつける必要がある。

■消化性潰瘍患者の看護

①**安静と投薬の管理**　発生因子を理解し，身体的疲労を避け，精神的な安静が得られるよう環境を整える。また，医師の指示どおりに確実な投薬管理を行う。

②**食事と生活の指導**　食事の摂取状況や症状の出現・程度に合わせた食事指導を行う必要がある。退院に向けては，再発予防のために食事や生活環境などの危険因子を把握し，本人と家族を含めて生活指導を行う。

4 胆石症・胆囊炎

胆道疾患には，胆石症，胆囊炎，胆囊がんなどがある。胆石症と胆囊炎との合併症は高い確率でおこる。

1) NSAIDs：non-steroidal anti-inflammatory drugsの略。

①**胆石症** 脂質の消化過程において，胆囊で濃縮された胆汁が十二指腸へ排泄されず，胆囊・胆管内にたまり，胆石を生じることでおこる。胆石の主成分は，コレステロール石やビリルビンカルシウム石である。

右上腹部の圧痛・反跳痛，発熱，黄疸を3主徴とする。高脂質食や過食の約30分後に誘発される。

診断は，おもに腹部超音波検査や胆道造影，CT検査による，胆石の存在部位・数と大きさ，胆囊壁の肥厚の有無によって行われる。治療には，経口溶解療法，直接溶解療法，対外衝撃波結石破砕療法，内視鏡的治療法，腹腔鏡下・開腹下の胆囊摘出術がある。

②**胆囊炎** 胆囊炎は，胆石の存在によって，胆囊頸部や胆囊管，あるいは胆管の乳頭部に嵌頓(かんとん)が生じることでおこる。嵌頓により，胆囊組織の虚血性変化や胆囊粘膜の損傷，胆囊内の細菌増殖がおこり，急性炎症となる。

症状として，右上腹部の激痛や呼吸時の右肩の痛みが持続し，吐きけ・嘔吐，発熱がみられる。

診断は，白血球数やCRP上昇，胆道系酵素の血液検査などで行われる。また，腹部超音波検査では，胆囊の腫大と胆囊壁の肥厚などがみられる。治療は，絶飲食としたうえでの輸液と抗菌薬の投与である。

胆石症と胆囊炎の食事療法では，無症状の安定期の場合であっても，疼痛発作予防のために，脂質の過剰摂取と過食をひかえるように指導する。胆石の生成予防のためには，脂質を減らし，タンパク質摂取においては動物性タンパク質より植物性タンパク質を主とし，食物繊維を十分にとるようにする。

疼痛発作時は，静脈栄養法による水分・電解質・ブドウ糖の補給が行われる。その後の経口栄養への移行時は，重湯やくず湯などの炭水化物を主とした流動食から段階的に進める。回復期も炭水化物を中心とした軟食にし，脂質を制限した食事となる。胆石の主成分となるコレステロールも制限する。

5 大腸憩室症

大腸粘膜の一部が囊状に腸壁外に突出したものを大腸憩室，それが多発した状態を**大腸憩室症**とよぶ。大腸では加齢に伴い，腸管筋層の減少，結合組織の変化などによる腸管の脆弱化，便秘や腸管の攣縮(れんしゅく)がおこるため，腸管内圧の上昇が生じやすい。そのため，大腸憩室症は高齢者で発症頻度が高い。炎症をおこすと憩室炎となる。

症状● 多くは無症状で経過するが，下痢，便秘，腹部膨満感，腹痛などの腸管運動異常症状がみられることもある。憩室炎や憩室出血を発症すると，強い腹痛や，下痢，発熱，血便が生じる。また，腸壁の穿孔や，腸管狭窄，周囲の臓器との瘻孔(ろうこう)形成の原因にもなる。

診断と治療● おもに注腸造影検査によって診断される。治療は，無症状性の憩室症の場合には不要だが，腸管運動異常症状がある場合は対症療法が行われる。憩室炎や憩室出血に対しては，絶飲食とし輸液と抗菌薬の投与を行う。大量出血や出血が持続する場合には，内視鏡下で止血術を行う。穿孔による腹膜炎や腸閉塞の場合には外科的治療が必要となる。

食事療法としては，食物繊維，水分を多くとり，便通を整えることを心がけるように指導する。

6 尿路結石

尿の生成から排泄までの経路である，腎臓，尿細管，集合管，膀胱という尿路において，不要となった物質が結晶となり集合して石のようになった状態を**尿路結石**とよぶ。結石の存在する場所によって，腎結石，尿管結石，膀胱結石などに分類される。

尿路結石が生じる理由として，尿路の通過障害や，細菌の感染，動物性タンパク質や脂質の過剰摂取，内分泌・代謝異常といった，複数の要因が考えられる。

症状● 腎結石は無症状のことが多い。尿管結石によって嵌頓が生じた場合には，側腹部や下腹部に突然の激痛が生じる。尿管結石の症状は夜間や早朝におこることが多く，疼痛は2～3時間持続し，痛みの強弱に波があるのが特徴とされる。結石によって尿量の減少，血尿，頻尿が生じることもあるが，結石の大きさと症状の重さは一致しないとされている。再発率は約70％と高い。

診断と治療● 診断では，CTや腹部超音波検査，X線検査により診断される。尿路の閉塞や感染を引きおこさない小さな結石には，治療処置は行われない。痛みがあるが1cm未満の結石に対しては，鎮痛薬と結石排泄促進薬を服用し，十分な水分摂取により自然排出を促す。1cm以上の結石の場合には，薬物療法だけでなく，体外衝撃波結石破砕術，経尿道的尿管結石除去術，経皮的結石除去術の手術が選択される。

予防● 尿中のカルシウムやマグネシウムなどの濃度が濃くなると結石が生じやすくなるため，1日に2リットルの飲水量を保つことが望ましい。食事療法としては，日ごろから十分な水分補給とバランスのよい食事を心がけるようにする。

結石はおもに尿中のシュウ酸から作られるため，シュウ酸を多く含むほうれん草，キャベツ，緑茶，紅茶などの摂取は少なめにする。また，尿酸を生成するプリン体を多く含む，ビールや高脂肪食，動物性タンパク質をとりすぎないようにする。

5 代謝機能に関連する症状・疾患と看護

ここでは代謝機能に関連する症状として，①体内水分量の低下や電解質バランスの乱れから生じやすい脱水，② ADLの低下や摂食・嚥下障害に伴い生じやすい低栄養状態，③生理的予備能の低下による脆弱性によって生じるフレイル，④加齢に伴い生じる筋肉量と筋力の低下を示すサルコペニア，⑤インスリン分泌の低下や末梢組織のインスリン感受性低下に伴う糖代謝異常から生じる糖尿病について解説する。

1 脱水

脱水をおこしやすい理由● 高齢者は脱水をおこしやすい。その原因として以下のことが考えられる。

①体液量の減少 高齢期になると細胞内液量が減少し，体重あたりの水分量が減少する。体内の総水分量は，成人では体重の約60％であるが，高齢者では約50％である。

②腎機能の低下 腎血流量・糸球体濾過量の低下のため，水の再吸収能の低下や，尿濃縮力の低下がおこり，水分の喪失が大きくなる。

③浸透圧調節機能の低下 口渇に対する感受性が低下しているため，脱水状態が悪化しないと水分摂取が進まない状況にある。

④活動性の低下 身体の機能障害による活動性の低下によって，発汗などが減り，水分摂取量も減少する。また，食欲の低下によって水分摂取量が不足することもある。

⑤環境要因 高齢者自身が失禁や夜間の頻尿をおそれ，意識的に水分摂取を控えることがある。また，介護者が負担を減らすためにあまり水分をとらせない場合もある。

⑥基礎疾患 高齢者に多い疾患は，**➲表5-11**に示すように，脱水をおこしやすいものが多い。

脱水の種類● 脱水は，水とナトリウムの欠乏の比率によって次の3つに分類される。

①水欠乏性脱水（高張性脱水） 高齢者に多くみられる脱水で，ふだんから慢性的に水分摂取量の不足がある場合や，皮膚や肺からの不感蒸泄によってナトリウム以上に水分が失われた場合におこる。また，意識障害や強度の食欲不振などによって水が飲めない場合や，高血糖の場合にもおこる。

②ナトリウム欠乏性脱水（低張性脱水） 多量の下痢や嘔吐によって，消化管からナトリウムを多く含む消化液を多量に流出した場合におこる。そのほか，発汗などで体液が失われた場合や，なんらかの理由でナトリウムを喪

➲表5-11 高齢者に多い疾患と脱水の関連

疾患	脱水をまねく理由
意識障害や認知障害をおこす疾患	経口的に水・電解質の摂取ができなくなる。
慢性肺疾患	気道分泌物が多く，水分と電解質の喪失量が多い。
糖尿病	高血糖状態では浸透圧性利尿が促進し，多尿となる。
高血圧やうっ血性心不全	治療法に利尿薬の投与と塩分制限があるため，脱水・電解質異常を引きおこしやすい。
嘔吐・下痢・発熱・発汗を伴う疾患	水分と電解質の喪失量が多くなる。

失することによってもおこる。

③混合性脱水 水分とナトリウムの両方の不足によっておこる。

脱水の症状● 脱水は，重症になると精神状態の変化や，めまい・頭痛・意識障害などの神経症状がみられる。軽度の場合には，口腔内乾燥(舌の乾燥や深い亀裂(きれつ))，尿量減少，皮膚(とくに腋窩(えきか))の乾燥，起立性低血圧や頻脈(ひんみゃく)，便秘，元気がない，食欲低下などの症状がみられる。

■脱水の予防と看護

一般に，高齢者は脱水状態が悪化しないと症状を訴えないことが多いので，日常の観察が重要になる。また，家族や介護者からの情報も重要である。脱水の観察項目を➡表 5-12にまとめた。

水・電解質の補給● 脱水の予防のため，飲食物の経口摂取を積極的に促す。水分摂取を促すときには，水分摂取の必要性をわかりやすく説明し，気持ちよく介助が受けられるようにする。水分を自然に摂取できるように，食後，服薬時，お茶の時間，運動後，検査後など，摂取する時間を考慮する。また，毎食の食事摂取量に影響しない時間帯を工夫する。夕方以降は多量の飲水は控える。

飲み物はいつでも自分で手が届くように，床頭台やオーバーテーブルの上に準備する。少量ずつ頻回に飲めるように，本人持ちの茶わんやコップを用いるとよい。また，飲み物を飲みやすいように工夫することも大切である。たとえば，水は冷たくすると飲みやすい。水分は，スポーツドリンク・ジュース・お茶などで補給してもよいので，本人の嗜好(しこう)を尊重してすすめる。

①制限や障害がある場合 水分制限や嚥下(えんげ)困難がある場合は，あらかじめ決められた量をポットなどに用意し，水分の過剰摂取を防ぐ。嚥下困難や液体でむせる場合には，とろみをつけて摂取させる。また，お茶ゼリーでもよい。食事制限がなければ，ゼリーのほか，プリン・アイスクリーム・ヨーグ

➡表 5-12 脱水の観察項目

項目	内容
水分出納バランス	飲水量，食事摂取量，輸液量，尿量，発汗の状態，便の性状・量，排液量，嘔吐の有無，呼吸状態
体重	定時の計測，体重減少
皮膚の乾燥	全身の皮膚の状態，腋窩の状態，皮膚のはりぐあい
口腔内の乾燥	舌の乾燥，深いしわの有無，口腔粘膜の乾燥状態
口渇	有無，程度，頻度
全身状態	バイタルサイン，なんとなく元気がない，食欲がない，傾眠傾向，会話不明瞭，眼球の陥没
中枢神経症状	頭痛，めまい，抑うつ状態，錯乱(さくらん)，もうろう状態，痙攣，昏睡
検査データ	血液(ナトリウム・カリウム・塩素，血漿浸透圧，ヘモグロビン，ヘマトクリット，血清尿素窒素の異常の有無)，尿(尿量・尿比重，尿中電解質の異常の有無)

ルトなどで水分を補う。

②輸液の管理　輸液の管理は正確に行う。輸液の内容は脱水の程度によって異なるので，医師の指示を確認する。輸液は速すぎると心臓への負担が増えるので，速度には十分注意する。とくに高張液の場合には，急速に滴下するとショックをまねく危険性がある。

③合併症の予防　脱水時には，播種性(はしゅせい)血管内凝固(ぎょうこ)症候群(DIC[1])などの合併症のおそれがあるため，ヘマトクリット値の上昇がみられた場合，全身の出血斑(はん)に注意する。体位変換や四肢の運動・マッサージによって血行を促し，合併症の予防をはかる。

皮膚は乾燥によって損傷しやすく，感染をおこしやすい状態になるため，皮膚の清潔を保ち，クリームなどを塗って保湿をする。陰部の皮膚や粘膜は濃縮尿による刺激を受けやすいので，清潔を保つ。また口腔内が乾燥し，唾液(だえき)分泌が低下しているため，口腔ケアを行う。

2 低栄養状態

高齢者に多い低栄養状態

栄養障害には，全体的な低栄養状態，ある特定の栄養素が不足している状態，ある特定の栄養素が過多の状態，栄養のバランスが不均衡な状態などがある。高齢者には，そのなかでも**タンパク質・エネルギー低栄養状態** protein energy malnutrition(**PEM**)が多くみられる。PEMは，ケアを必要としている高齢者の約30～40％におこる栄養問題である(➡**表5-13**)。

低栄養状態の原因と誘因

PEMの高齢者は，摂食・嚥下機能について，障害や困難な状態を伴っていることが多い。脳血管障害の後遺症だけでなく，加齢に伴って，①嗅覚の低下，②味蕾(みらい)数の減少による味覚の低下，③歯の欠損による咀嚼(そしゃく)障害，④唾液分泌量の減少，⑤舌骨および喉頭(こうとう)の下降，⑥口腔・咽頭(いんとう)・食道などの嚥

➡表5-13　タンパク質・エネルギー低栄養状態(PEM)

型	特徴
成人マラスムス型	•骨格筋・脂肪の消耗による体重減少がある。 •血清アルブミン・トランスフェリン値はほぼ正常である。 •プレアルブミンによる診断が可能である。 •エネルギーとタンパク質の摂取不足が原因である。
マラスムス-クワシオルコル型	•骨格筋・脂肪の消耗による体重減少と低アルブミン血症がみられる。 •ストレスや疾患またはタンパク質の摂取不足が原因である。
成人クワシオルコル型	•低アルブミン血症傾向である。 •体重は標準から肥満傾向である。 •代謝は，異化が同化を上まわっている。 •タンパク質の不足が原因である。

(杉山みち子ほか：これからの高齢者の栄養管理サービス――栄養ケアとマネジメント．p.47，第一出版，1998による，一部改変)

1) DIC：disseminated intravascular coagulationの略。

下筋力の低下，⑦呼吸機能の低下，⑧咳嗽(がいそう)反射効率の低下，などの生理的変化がおこり，摂食・嚥下困難がまねかれる。そのため，多くの高齢者はPEMのリスクをもっていると考えてよい。

低栄養状態が及ぼす影響● 慢性的な低栄養状態は，筋量の減少による筋力および身体機能の低下(**サルコペニア**)を生じ，生活活動性の低下を引きおこす(➡137ページ)。また疾病の治療においては，回復の遅延(ちえん)につながるだけでなく，再入院や死亡率も高くなるなど，高齢者のQOLに重大な影響を及ぼす。

■低栄養状態の予防

日常の健康状態の観察ならびにケアを行っている看護師は，高齢者の低栄養状態の早期発見と悪化の予防ができる立場にある。栄養状態をアセスメントする知識と技術を高め，栄養士などの関連職種との連携をはかる。

リスク判定● 高齢者の栄養状態のリスクを，緊急入院の場合は24時間以内に，通常の入院・入所時は24～72時間以内に，また在宅療養者の場合には初回訪問時に，判定する。判定は体格指数(BMI)や体重減少率，血液生化学データなどで行う。

BMIが18.5未満あるいは6か月間に2～3kgの体重減少がある場合，または血液生化学データ上で低アルブミン血症(3.5g/dL以下)がみられる場合は，PEMの危険があると判定する。

栄養状態のアセスメント● 栄養状態のアセスメントは，①身体計測を実施して評価する，②血液検査値を読みとる，③その他の栄養状態に関連した項目を情報収集する，といった方法で行うことができる。

①身体計測　一定期間ごとに身体計測を行い，記録していくことにより，栄養状態の長期的変化がわかる。とくに体重や脂肪・筋肉量の減少は，栄養状態の消耗の程度を示す。

高齢者の場合には，加齢とともに身体状態の個人差が広がるため，平常時の測定値を基準とした個人別変動を考慮し，増加率や減少率を継続的に観察することが重要である。

身体計測では，身長・体重をはじめ，上腕周囲長・下腿周囲長・上腕三頭筋皮下脂肪厚・肩甲骨下部皮下脂肪厚などを計測する。

②血液検査　タンパク質・エネルギー低栄養状態の評価・判定には，内蔵タンパク質の代表的指標である血清アルブミン・トランスフェリン・プレアルブミンなどの血清タンパク質が用いられる。

半減期が比較的長い血清アルブミンは，中期的な栄養状態の変動を把握できる。慢性的に病状が推移している患者や虚弱(きょじゃく)者，リハビリテーション期の患者には有効な判断指標である。

③その他の項目　身体組織のなかで，毛髪・皮膚・眼・口腔などの上皮細胞は新陳(しんちん)代謝が速いため，特定の栄養素の欠乏状態が比較的早期にあらわれ

るという特徴がある。

精神状態については，意欲の低下，認知状態の悪化，無関心・無表情な態度，傾眠(けいみん)傾向といった状態の変化に注意する。摂食・嚥下機能に影響する口腔内の衛生状態や歯の欠損状況，かみ合わせなどの観察も重要である。

また，基本的な栄養状態として，日ごろの食事の摂取習慣や，炭水化物とタンパク質の多い食品の摂取状況を把握することも大切である。

■低栄養状態の改善

低栄養状態を改善するためには，高齢者がスムーズに食事をできるようにする工夫が必要である。食事をとらない原因は，食事内容や周囲の環境だけではない。摂食・嚥下機能の低下によって口腔内の衛生状態が保てず，食欲や経口摂取量の低下が影響している場合もある。

■障害別にみた看護の注意点

①嚥下困難者の食事の工夫と介助　誤嚥を防ぐためにも，嚥下をスムーズに促すことが大切である。食事は少量ずつ，頻回に口へ運ぶ。また，食品の選択を行う。カフェインやネギ類，トマト，酸味の強い果物・果汁などの刺激があるもの，甘すぎるものや強い香辛料などは避ける。

好ましい食品の形状は，ゼリー状・ポタージュ状・乳化状・マッシュ状・とろろ状・かゆ状などである。障害の状態に合わせて，増粘(ぞうねん)剤を使用してとろみをつけるなど，献立(こんだて)・調理法を工夫する。口あたりのよい，のどに通りやすいものがよい。逆に，注意するべき食品の形状には，スポンジ状(凍(こお)りどうふ)・練りもの(かまぼこ・ちくわ)・繊維状(セリ・モヤシ・タケノコ)などがある。

②咀嚼困難者の食事の工夫と介助　咀嚼困難の原因を確かめ，その高齢者に適した義歯の装着を行い，咀嚼機能を回復させる。食事は，やわらかいものにきざんだものなどを取り入れるなどの工夫をし，かむ機会を与える。食後には，口腔内に食物残渣がないかを確かめ，口腔ケアも忘れずに行う。

③認知症高齢者の食事の工夫と介助　個々の状況に応じた柔軟な対応が大切である。

(1) 拒食(きょしょく)・偏食(へんしょく)などに陥(おちい)りやすいので，量より質を重視した内容にする。
(2) 歯の状態がわるく，咀嚼，飲み込みが不十分なことが多いので，消化しやすく栄養価の高い食品選択が重要である。
(3) 異物を食べることがあるので，食卓には余分なものは置かない。
(4) 手間がかかっても，自力で食べるように援助する。
(5) 拒食や食後まもなく食べたいということもあるので，人間性を尊重し，あたたかい気持ちで，根気よく接する。
(6) 安心してここちよく過ごせる食事環境づくりに心がける。
(7) 看護師だけでなく，介護職・栄養士(管理栄養士)・医師・臨床心理士などによるチームケアが重要である。

④麻痺のある高齢者の食事の工夫と介助　身体に麻痺のある高齢者に適した自助具の選択と，具体的な使用方法を指導する。

(1) 障害の程度に合った自助具と生活用具の選択を行う。
(2) 残存機能をいかすために，根気強く自分で食べるように援助する。
(3) 食べる姿勢，たとえば安楽な姿勢，食膳が見える位置，テーブルの高さなどを工夫する。
(4) 衣類のよごれを気にしないですむようにエプロンを使用する。
(5) 食べやすい大きさに切る，おにぎり・ロールサンドのようにまとめるなど，形状を工夫して満足感が得られやすいようにする。

■食欲や経口摂取量を回復させるための援助

①栄養補助食品の活用　現在，多くの栄養補助食品が開発されている。栄養状態と高齢者の嗜好に合った食品を選択して活用することも選択肢の1つである。

高齢者用の栄養食品には，牛乳・大豆・卵などを精製分離したものが多い。タンパク質では，乳タンパク質・大豆タンパク質を使用したもの，脂質ではダイズ油・コーン油・サフラワー油・ココナッツ油を使用したもの，糖質ではデキストリンやマルトース(麦芽糖)・ラクトース(乳糖)などの二糖類，グルコース(ブドウ糖)を使用したものがある。

栄養補助食品は，長期間使用しても必須脂肪酸や微量栄養素の欠乏をおこしにくい成分構成になっている。血糖上昇防止や便通改善などのため食物繊維を多く含んでいたり，腸内細菌叢の改善のためにオリゴ糖が添加されているものもある。また抗炎症・抗粘膜障害作用のある *n*-3 系多価不飽和脂肪酸が加えられる場合もある。

②食前・食後の口腔ケア　食前・食後の口腔ケアは，口腔内の清潔の保持だけでなく，唾液の分泌を促し，食欲を促進する効果がある。歯ブラシ・歯間ブラシなどを使用して，歯・舌など口腔内全体のブラッシングを行う。義歯の場合は，毎食後に外して清掃する。経管栄養を実施している場合や歯のない場合でも，唾液分泌による自浄作用を促すために，毎食後口腔ケアを行うことが望ましい。

③運動・体操　運動や体操は神経や筋に刺激を与え，心臓・肺などの機能を向上させるはたらきがある。また，基礎代謝量を保持し消費エネルギーを増大させたり，食欲を増加させる効果もある。さらに，運動は便秘を解消するほか，運動中のコミュニケーションや，運動後の爽快感で明るくなったり，社交的になったりと，精神的・社会的健康の獲得にもつながる。

3 フレイル

定義●　フレイル frailty の定義は，「加齢とともに心身の活力(運動機能や認知機能など）が低下し，複数の慢性疾患の併存などの影響もあり，生活機能が障害され，心身の脆弱性が出現した状態であるが，一方で適切な介入・支援により，生活機能の維持向上が可能な状態像」[1]とされている。つまりフレイルは，要介護状態の前段階ととらえることができる。

日本老年医学会では，フレイルについて「高齢期に生理的予備能力が低下することでストレスに対する脆弱性が亢進し，生活機能障害，要介護状態，死亡などの転機に陥りやすい状態で，筋力の低下により動作の俊敏性が失われて転倒しやすくなるような身体的問題のみならず，認知機能障害や抑うつ状態などの精神・心理的問題，独居や経済的困窮などの社会的問題を含む概念である」と述べている。

診断● フレイルの診断基準 Cardiovascular Health Study（CHS）には，①体重減少，②疲労感，③身体活動量の減少，④歩行速度の低下，⑤握力の低下の5つの項目がある。このうち，3項目以上に該当する場合にフレイル，1または2項目に該当する場合にフレイルの前段階の**プレフレイル**と判断される。CHSを日本人向けに改良したJ-CHS基準を用いた場合，地域在住高齢者におけるフレイル有病率は，約10％との報告がある（➲表5-14）。

予防● フレイルの予防には，多角的な視点からの介入が必要である。筋量・筋力向上，ならびに日常生活の活動量を高めるためには，筋力を強化するようなトレーニング，ウォーキングやサイクリングのような有酸素運動が効果的である。

栄養面では，タンパク質とビタミンDを十分にとり，炭水化物や脂質の適正摂取によって1日のエネルギー摂取量を確保することで，体重や筋肉の

➲表5-14 フレイルの診断基準（J-CHS基準）

診断項目	
体重減少	6ヶ月で2～3kg以上の体重減少
筋力低下	握力：男性26kg未満，女性18kg未満
疲労感	ここ2週間，わけもなく疲れたような感じがする
歩行速度の低下	通常歩行速度：1.0m/秒未満
身体活動の低下	軽い運動・体操，および定期的な運動・スポーツのいずれについても「していない」と回答
判定	
0項目	健常
1～2項目	プレフレイル
3項目以上	フレイル

（佐竹昭介ほか：長寿医療研究開発費事業平成27年度総括研究報告――フレイルの進行に関わる要因に関する研究（25-11）より作成）

1）鈴木隆雄ほか：後期高齢者の保健事業のあり方に関する研究，厚生労働科学研究費補助金厚生労働科学特別研究事業，平成27年度総括・分担研究報告書.

減少を防ぎ，タンパク質の利用効率を高めることができる。また，楽器の演奏や絵画，読書，囲碁将棋など，楽しみながら認知機能を活性化させる知的活動や，人との交流のある社会活動も有効である。

4 サルコペニア

サルコペニアとは，ギリシャ語のサルコ(肉)とペニア(減少)を組み合わせた，筋肉の喪失を意味する造語である。筋肉量は加齢とともに徐々に減少していき，高齢者では減少が加速化するが，このとき，進行性に全身の筋肉・筋力・筋機能を喪失する症候群がサルコペニアである。

分類● 加齢に伴う原発性サルコペニア(加齢性筋肉減少症)と，疾病などの影響に伴う二次性のサルコペニアに分類される。

診断● 2019年に公表されたサルコペニアの診断基準 Asian Working Group for Sarcopenia(AWGS)2019では，筋量を評価する骨格筋量指標を使用し，日本人の体格への適応が考慮されている。AWGS 2019は二次性サルコペニアにも対応している。

治療● 原発性サルコペニアの治療には，運動療法と栄養療法の併用が有効である[1,2]。トレーニングとあわせてタンパク質のサプリメントを摂取することが，筋肉の増強に有効である。さらにアミノ酸のロイシンを摂取すると，吸収されたロイシンがタンパク質より先に分解されるため筋タンパク質の分解が抑制される。また，インスリン分泌も促進されるため，筋タンパク質の合成作用も増大される。

活性型ビタミンDは，筋タンパク質の合成を促進し，血中のカルシウムイオン濃度を調整することで骨・筋肉量の維持にも役だつ。そのため，ビタミンDが含まれるきのこ類や魚類の摂取が推奨される。ビタミンKには骨代謝を適切に保つ機能があるため，納豆や鶏肉・鶏卵などの食品を中心に摂取することが推奨される。

二次性サルコペニアの患者では，疾病と炎症による悪液質[3]や，過度な飢餓(きが)状態の場合があるため，運動・栄養療法の実施にあたっては十分な留意が必要である。

5 糖尿病

糖尿病は心筋梗塞(こうそく)・脳血管障害，さらに免疫機能の低下に伴う感染症の危険因子や基礎疾患になる。また反対に，これらの疾患が糖尿病の悪化をもたらす要因ともなる。合併症としては，糖尿病昏睡(こんすい)・糖尿病網膜症・糖尿病腎

1）山田実：サルコペニアに対する介入の効果. 医学のあゆみ 253(9)：813-817, 2015
2）葛谷雅文：サルコペニアの診断・病態・治療. 日本老年医学会雑誌 52(4)：343-349, 2015
3）悪液質：慢性疾患において，重度の栄養不足により全身状態がきわめて不良となった状態。

症・糖尿病神経障害などを併発する。そこからさらに失明，腎不全などの重大な障害にいたることもある。

高齢者に多い糖尿病の特徴● 高齢者に多い糖尿病は，インスリンの分泌低下と末梢組織でのインスリン作用不足による2型糖尿病である。そのため，治療はインスリンの必要量を減少させることが中心となる。食事療法と運動療法を中心に代謝を改善し，血糖と体重コントロールをはかる。それでも改善がみられない場合には，薬物療法が実施される。

高齢期の糖尿病は，自覚症状がほとんどないことが多い。初期のおもな症状は，口渇・多飲水・多尿・体重減少・倦怠(けんたい)感などである。

■糖尿病患者の看護

食事療法・運動療法・薬物療法が継続的に行えるように，医師や栄養士，さらに家族を含む介護者などと協力して援助することが重要である。

適正体重の管理● 肥満がある場合には，体重減少が必要である。高齢者にとって望ましい体重は，BMI=22を用いた理想体重による画一的な目標体重ではない。身体状況・栄養状態・生活習慣・行動変容などを考慮しながら，適正体重を設定していく。

血糖のコントロール● 血糖値は糖尿病のコントロールの指標として重要であり，空腹時血糖値や食後2時間血糖値，ヘモグロビンA1c(HbA1c)値で評価することが多い。糖尿病の合併症を引きおこさないようにコントロールしていくためには，朝食前の空腹時血糖値は80～130 mg/dL未満，食後2時間血糖値は80～180 mg/dL未満，HbA1cは7.0％未満になるようにすることが必要である。

食事療法● 糖尿病患者の食事は，エネルギー摂取制限が極端になったり，摂取栄養素のバランスがかたよらないように注意する。とくに低脂肪・高糖質食にならないようにする。

食事療法には，従来は食品交換表を用いた1日の摂取総エネルギー量の制限を基本にしてきた。しかし，最近では**グリセミック-インデックス(GI)**を用いた食事療法をとることも多い。食後の高血糖・高インスリン血症を抑制することで，糖尿病療法としての効果が期待されている。

GIとは，糖質(炭水化物)食品の食後血糖上昇能を示したものである。つまり，GI値が小さいほど血糖値を上げにくい食品といえる。白米の米飯を100(基準値)としたとき，うどん(58)，スパゲッティ(56)，米飯と牛乳を同時に摂取した場合(69)，すし飯(67)といった値になる。

運動療法● 運動療法は，➲表5-15に示すように多くの効果がみられる。運動療法の実施の可否は，虚血性心疾患などの合併症の有無に注意して判定される。高齢者では運動量や筋肉量の減少を考慮して，標準体重1kgあたり20～30 kcal，具体的には1日に5,000～10,000歩程度の運動が望ましい。

薬物療法● 薬物療法には，経口血糖降下薬の投与とインスリン注射がある。食事療法

➲ 表 5-15　糖尿病における運動の効果

•運動中や運動後の血糖が低下する	•高血圧の改善がみられる
•インスリン感受性が改善される	•エネルギー消費量が増加する
•血中インスリン濃度が低下する	•心肺機能が改善する
•グリコヘモグロビン値が低下する	•体力と柔軟性が向上する
•脂質代謝が亢進する	•精神的ストレスの発散につながる

や運動療法で血糖コントロールが不十分な場合には，経口血糖降下薬が用いられる。それでも効果がない場合には，簡易血糖測定器で血糖値を測定しながらインスリン注射が実施される。これらの方法を正しく実施し，自己管理ができるように，薬物療法の目的，具体的方法，注意事項，薬物療法中におこる可能性のある問題への対処法の教育が必要である。

高齢者は腎機能が低下しているため，薬物の排出が遅延し，薬のききすぎによる低血糖が高頻度に発症しやすい。体重の減量が行われている場合には，低血糖になりやすいので十分に注意する。

低血糖の症状には，指先のふるえ，冷汗，動悸（どうき），空腹感，不安感，頭痛，集中力の低下，倦怠感，脱力感，意識の低下などの神経症状がある。低血糖発作を予測して，グルコースや砂糖を常時身につけ，低血糖症状のある場合には，すぐに摂取するように説明する。

6 運動器の症状・疾患と看護

1 大腿骨近位部骨折

大腿（だいたい）骨近位部骨折は転倒などによって生じ，骨粗鬆症（こつそしょうしょう）の高齢者に好発する。毎年 10 万人以上の高齢者が受傷している。骨折をしたことで歩行困難や寝たきり，閉じこもりになってしまう場合が多く，受傷後の問題が大きい。

分類●　大腿骨近位部の骨折は，①内側骨折（頸部骨折）と②外側骨折（転子部骨折）に分けられる（➲ 図 5-5）。内側骨折の診療においては，骨折の転位の大きさと方向で状態を分類する**ガーデン** Garden **分類**が用いられる（➲ 図 5-6）。

症状と病態●　患者は転倒直後に起立不能となり，股（こ）関節部の疼痛を訴える。内側骨折は骨粗鬆症を有する高齢者に多発するため，骨再生能力が低下していること，両骨片に剪断（せんだん）力が作用することで骨折部が離開して骨癒合（ゆごう）が阻害（そがい）されることなどにより，難治性となることが多い。

治療●　大腿骨近位部骨折の治療法は通常，骨接合術か人工骨頭置換術のいずれかが採用される。ガーデン分類のステージⅠ・Ⅱでは骨接合術，ステージⅢ・Ⅳでは人工骨頭置換術が適応となる。基礎疾患や歩行能力，廃用症候群や認知症の有無なども加味したうえで治療法が決定される。

看護のポイント●　以下，手術療法後の看護のポイントについて述べる。

①せん妄（もう）の予防　突然の受傷と，入院による急激な環境の変化，激しい疼

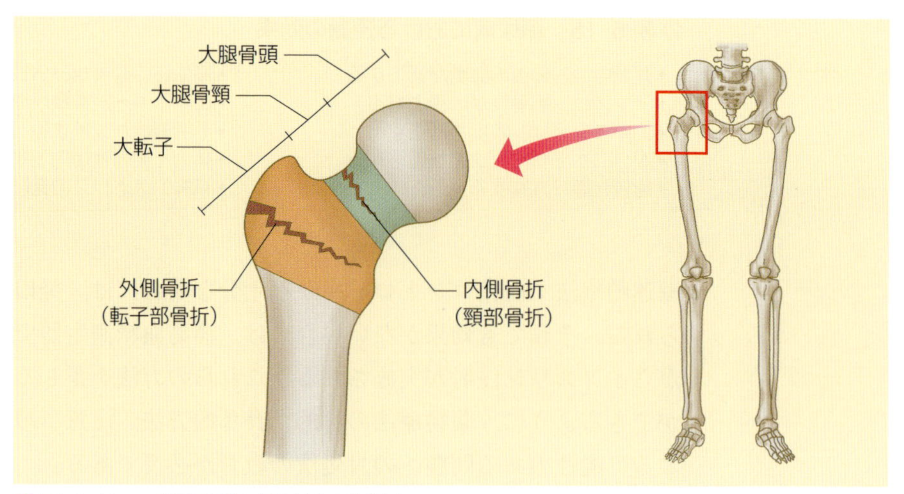

図 5-5 大腿骨近位部骨折の種類

	ステージⅠ	ステージⅡ	ステージⅢ	ステージⅣ
特徴	不完全骨折 （骨性の連絡あり）	完全骨折だが， 転位はない	完全骨折で転位もあるが，骨頭内部組織の連絡が残る	完全骨折で，すべての連絡が断絶
	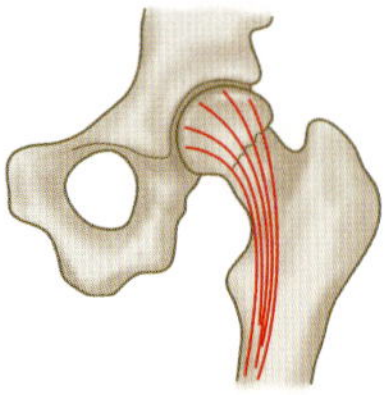	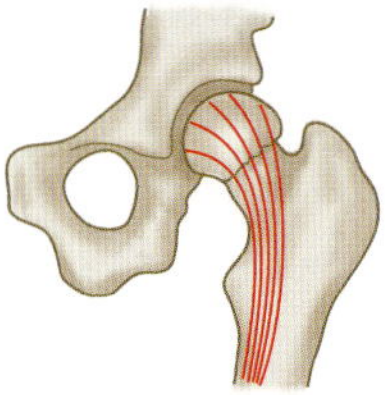	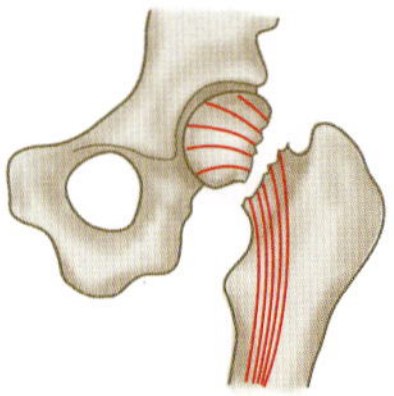	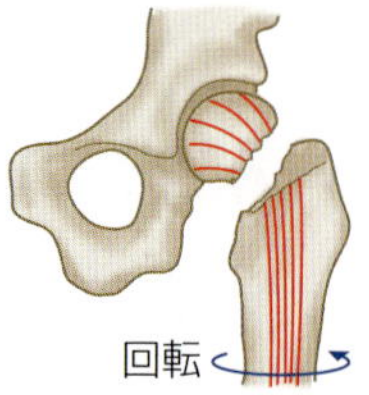 回転
一般的な治療法	骨接合術	骨接合術	整復可：骨接合術 整復不可：人工骨頭置換術	人工骨頭置換術

図 5-6 ガーデン分類と治療法

痛などにより，せん妄を発症する可能性が高い。せん妄の予防と適切な対応に努める。

②疼痛の緩和 骨周辺組織への刺激と血腫形成により痛みが生じる。また，安静による同一部位の圧迫による疼痛も生じうる。疼痛は不動性やせん妄の原因ともなるので，適切に除痛することが望ましい。

③術後合併症の予防 創部感染や深部静脈血栓症，呼吸器感染症などの術後合併症をきたす可能性がある。また，手術の影響で股関節脱臼や腓骨神経麻痺などをおこしやすくなることがある。あらかじめおこりうる問題を予測し，未然に防ぐように援助する。同時に，早期離床をはかり，リハビリテーションが適切に行われるように援助する。

④**日常生活活動への援助**　疼痛や関節可動域制限に伴う臥床により，清潔・移動などの日常生活上のニーズを患者自身で満たせない状態が生じる。安楽に日常生活上のニーズが満たせるように援助するとともに，早期に日常生活復帰ができるように機能低下を予防する。

⑤**転倒や再骨折のリスク回避**　筋力低下や慣れない補助具の使用により，転倒や転落をおこすおそれがある。安全に移動ができるように援助するとともに，損傷予防のための環境整備を行う。

2 変形性膝関節症

加齢による関節軟骨の変性や，関節周囲組織・軟骨化骨の増殖変化により，関節の変形が生じる。性別では女性に多く発症する。歩行が困難になるため，要介護状態につながるロコモティブシンドロームのおもな原因の１つにあげられている。

症状と病態●　初期には，膝関節のこわばる感じや，座位を続けたあとの立ち上がり時の疼痛，歩きはじめの疼痛を訴えることが多い。進行すると歩行時や階段昇降時などにも，持続的な疼痛が生じてくる。関節包にしばしば関節液の貯留がみとめられる。

治療●　変形性膝関節症の治療方法には，大きく分けて保存療法と手術療法の２つがあり，保存療法には生活指導，運動療法，物理療法，装具療法，薬物療法がある。これらの療法は初期から症状に合わせて選択され，必要に応じて組み合わせて行われる。手術療法には，関節鏡視下手術，高位脛骨骨切り術，人工関節置換術がある。

看護のポイント●　以下保存療法時の看護のポイントについて述べる。

①**疼痛の緩和**　血液循環を促して筋の緊張をやわらげ，神経の鎮静・鎮痛をはかる。入浴や足もとをあたためることは効果的である。

②**関節可動域訓練と筋力低下予防**　痛みをあまり感じない範囲でのおだやかな運動を温熱療法と組み合わせて行う。等尺性収縮運動により，関節の安定性に重要な大腿四頭筋の筋力を増強することができる。

③**関節への負担を軽減した生活様式**　立ったり座ったりしゃがんだりすることの多い和風の生活様式は足腰をじょうぶにするが，痛みのある場合にはそれが負担となる。状態に応じてベッド上安静とし，トイレ・洗面程度の歩行からできるようにしていく。

④**体重のコントロール**　体重による膝への負担を軽減するため，食生活に気をつけて肥満や骨粗鬆症を防ぐようにする。

3 骨粗鬆症

骨粗鬆症とは骨量が減少し，骨の微細構造が劣化したために，骨がもろくなり骨折しやすくなった状態である。若年成人の骨密度の平均値を 100 %

➲表 5-16　骨粗鬆症予防のための栄養素の摂取目標量とおもな食品

栄養素	摂取目標量(1日あたり)	おもな食品
カルシウム	700～800 mg	牛乳，緑黄色野菜，小魚，大豆製品
ビタミンD	400～800 IU	魚類，きのこ類
ビタミンK	250～300 μg	納豆，緑黄色野菜

(骨粗鬆症の予防と治療ガイドライン作成委員会編：骨粗鬆症の予防と治療ガイドライン，2015年版をもとに作成)

としたときの70％未満を骨粗鬆症と診断する。

症状と病態●　進行すると腰背部痛を自覚し，他覚的には脊椎(せきつい)変形や彎曲(わんきょく)が生じる。

分類●　骨粗鬆症には原発性のものと続発性のものがある。原発性は加齢や遺伝的要因，長年の生活習慣，栄養不良によって生じるもので，ダイエットが原因となることも多い。女性が閉経を迎え，女性ホルモン(エストロゲン)の分泌が低下すると，骨芽(こつが)細胞が新しい骨をつくる骨形成よりも，破骨細胞が骨をこわして吸収する骨吸収のペースが早まり，骨量が低下する。

続発性の原因には内分泌疾患や血液疾患などの疾患，不動化，胃切除術後，薬物の副作用，栄養障害などが含まれる。

看護のポイント●　高齢者の骨粗鬆症の治療は非常に困難であるので，発症の予防と，骨折などによる不動性をおこさせないことが大切である。

①**栄養指導**　食事指導により栄養状態を改善させることで，骨量を維持する効果が期待できる。骨形成にかかわる主要な栄養素であるカルシウム，ビタミンD，ビタミンKを必要量摂取することが望ましい(➲表 5-16)。

②**適度な運動療法**　安静は骨吸収を促進し，また筋力低下予防の観点からも運動は有効である。医師や理学療法士と連携しながら，対象者の状態に合わせた強度・時間・頻度を提示する。

③**骨折の予防**　骨粗鬆症の高齢者は転倒によって骨折しやすい。段差の解消や，適切なはき物および衣服の選択・着用など，環境面からの転倒予防のはたらきかけは重要である。骨粗鬆症の場合，転倒だけでなく荷物の持ち上げ，くしゃみといった外力でも骨折することがある。日常生活のなかで腰背部への負担を軽減する工夫を実践できるように支援する必要がある。

7 感染症の症状・疾患と看護

1 インフルエンザ

高齢者はインフルエンザをきっかけとして肺炎や気管支炎を併発し，脱水症状や心不全などがある場合には重篤(じゅうとく)化する危険性がある。インフルエンザウイルスは咳(せき)やくしゃみの飛沫(ひまつ)によって感染が拡大する。感染後1～3日の潜伏(せんぷく)期間を経て，38℃以上の高熱，頭痛，筋肉痛，関節痛などの症状が発現する。

看護のポイント● インフルエンザに対しては，ワクチンの接種や感染予防が重要となる。

①**ワクチンの接種**　インフルエンザワクチンはインフルエンザの発症を必ず阻止するものではないが，重症化を軽減することは実証されている。インフルエンザワクチンの予防効果の持続期間は，接種後2週間ごろから5か月間程度とされている。

②**日常生活における感染予防**　うがいと手洗いの励行(れいこう)に加え，マスクの着用が重要な感染予防策となる。また十分な休養とバランスのよい食事によって抵抗力を高めることが重要である。

③**環境整備**　インフルエンザウイルスは空気が乾燥した環境で活性化しやすく，気道粘膜に感染しやすくなる。感染予防のためには，室内の湿度を50～70％に保つようにし，定期的に換気をすることが望ましい。

④**感染経路の遮断**　病院内で感染者が発生した場合は，感染拡大を防ぐため，個室への変更，集合スペースへの出入りの制限，移動時のマスク着用などの対応が必要となる。看護職者や介護職者が感染の媒体(ばいたい)とならないよう，感染患者との接触時のマスク着用と手洗い，手指消毒を徹底しなければならない。

2 肺炎

咳・痰(たん)・胸痛・呼吸困難などの局所症状と，発熱・全身倦怠(けんたい)感などの全身症状が組み合わさって急激に出現する。高齢者では典型的な症状が出現しない場合もあり，食欲不振や不活発などの漠然(ばくぜん)とした症状の場合もある。

看護のポイント● 肺炎の急性期と回復期の看護について，以下に述べる。

①**急性期の看護**　咳・発熱・呼吸困難などの苦痛の緩和と栄養状態の改善を行い，安静を促す。また症状によって障害される生活行動を支援する。出現している症状について，程度・変化・経過などを観察し，緩和する(➲表5-17)。呼吸困難は生命の危機状態をイメージさせ精神的不安をまねくため，心理的支援も必要となる。

②**回復期の看護**　活動と休息のバランスを調整し，生活行動能力の回復を促す。症状が重篤な間は，十分に休息をとり，栄養状態を回復することに努

➲表5-17　呼吸器感染症の症状とそのケア

咳嗽	気道への刺激となる環境要因の調整(ほこり，化学物質など)
喀痰	気道浄化の支援，病室の湿度管理，水分摂取，体位ドレナージ，スクイージング
呼吸困難	呼吸運動を抑制する要因の調整(衣服，体位，食事，便通など)
胸痛	温熱刺激，咳嗽(がいそう)法の指導(咳嗽時に胸郭(きょうかく)に手をあてて，痛みを緩和する)
発熱	体温の調整，冷罨(あんぽう)法，水分摂取

めるよう支援する。可能な範囲で日常生活行動の自立を促し，徐々に活動耐性の向上をはかる。

感染防御能を高め，再罹患を予防するための自己管理行動を強化する支援を行う。栄養管理方法や手指や口腔の衛生方法について患者や家族とともに考え，正しい服薬が継続できるように指導する。

3 結核

わが国では肺結核は過去の病気と思われがちだが，2019(令和元)年の1年間で14,460人の新規患者登録があった。そのうちの約40％は80歳以上の高齢者である。感染後長年にわたって発症せず，免疫機能低下をきっかけに発症する高齢者が増加しており，高齢者施設や病院内などでの集団感染も懸念されている。

結核菌は飛沫核感染(空気感染)し，気道から肺に入り，胸膜直下の肺胞に定着する。肺炎の症状に加え，血痰や喀血(かっけつ)がみられる。高齢者の場合，自覚症状に乏(とぼ)しいことも多い。

看護のポイント● 結核患者の看護にあたっては，感染予防と適切な内服に加え，患者への心理的援助も重要となる。

①感染拡大の予防　咳をするときは顔をそむけてティッシュペーパーの中に咳をし，使ったティッシュペーパーは適切に捨てるように指導する。感染が広がる危険性が高いことを説明し，一定期間の隔離(かくり)が必要であることを理解してもらう。患者家族はN95マスクを着用すれば面会に訪れることはできるが，結核菌の感染経路と，患者の痰・排泄(はいせつ)物・吐物の扱い方を説明・指導する必要がある。

②適切な内服確認　WHOは，結核制圧のために，喀痰塗抹(かくたんとまつ)陽性患者の服薬を第三者が確認することで，治療中断と結核菌の耐性化を防ぎ，確実な治癒を目ざすことを提唱している。この方法は直接監視下服薬短期療法(DOTS)とよばれ，治療開始後は患者が抗結核薬を飲み込むまで確認することが必要となる。

③心理社会的問題に対する配慮　隔離によって患者は孤立した状況におかれ，継続して治療を受けなければならないことや将来的な不安をかかえることになる。空気が室外へ出て行かない設備(陰圧(いんあつ)病棟)がある病院は多くはないため，入院や付き添いに伴う家族や介護者の負担も大きい。それらを理解し，患者・家族が気持ちを表出できるようなかかわりをもつことが必要である。

4 ノロウイルス感染症

ノロウイルスは冬季の感染性胃腸炎の原因となる主要なウイルスであり，高齢者施設や病院で医療関連感染として広がる危険性がある。おもな感染経路は，二枚貝(とくにカキ)を生や十分に加熱しないで食べることで発生する経口感染と，下痢や嘔吐物からの接触感染・飛沫感染・飛沫核感染(空気感染)である。

主症状は吐きけ・嘔吐(おうと)，下痢(げり)であり1〜2日で消失するが，その後1週間から1か月程度の期間，体内からウイルスが排出される。体内からウイルスが排出されることで症状が鎮静するため，下痢どめなどは用いない。高齢者は免疫機能の低下や予備力の低下から症状が遷延(せんえん)したり，吐物の誤嚥(ごえん)による二次感染をおこし，死亡にいたる場合もあるため注意が必要である。

看護のポイント● ノロウイルス感染患者に対しては，感染拡大の予防と脱水への対応を行う。

①感染拡大の予防 ノロウイルス感染が疑われる患者がみられた場合には，術後患者や抵抗力が低下したほかの高齢患者がノロウイルスに感染しないための対応が必要となる。

嘔吐や下痢症状がないか確認を行い，ノロウイルス感染の可能性が高い場合には個室隔離を検討する。

ノロウイルス感染者のケアにあたる看護師が感染媒体とならないよう，手指衛生と個人防護具(マスク，手袋，エプロン)の使用を徹底する。手指は石けんを用いて流水で洗い，物品消毒には次亜塩素酸ナトリウムを用いる。

②脱水の予防 嘔吐や下痢により体液の喪失が生じるため，水分補給と安静をはかりながら必要に応じて制吐薬や整腸薬を用いる。

5 腸管出血性大腸菌(O157など)

腸管出血性大腸菌は，ベロ毒素を産生する大腸菌である。汚染された食品や飲料水から，経口により感染する。腸管出血性大腸菌の感染力・伝播力はきわめて強く，人から人に感染することもある。潜伏期間は2〜14日である。1996年に伝染病予防法に基づく指定伝染病に指定された。

最も多いのは血清型**O157**の菌による感染であり，そのほかO26やO111なども存在する。

症状と病態● 初発症状は感冒様症状や腹痛，水様性下痢であり，続いて新鮮血を伴う血便を呈することがある。重症例ではベロ毒素の作用により溶血性尿毒症症候群や急性腎不全をきたす。高齢者では痙攣(けいれん)，昏睡(こんすい)，脳症状などによって意識障害となり，致命的になることもある。

治療● 基本は対症療法となるが，重篤な合併症を考慮し，医療機関での安静と輸液・抗菌薬の投与が行われる。

看護のポイント● 看護にあたっては，感染経路の遮断(しゃだん)と重症化の早期発見が重要である。

①感染経路の遮断 感染は，感染者の便に含まれる大腸菌が直接または間接的に口から入ることによっておこる。そのため，水洗トイレのレバーやドアのノブといった，菌で汚染されやすい場所を消毒用アルコールなどで消毒する。また，感染者および家族は食事前に十分に手を洗い，アルコール消毒

を行う。おむつ交換などで感染者の便を処理する場合は，使い捨ての手袋を使用し，決められた場所で行うようにする。感染者の便で汚れた衣類は，ほかの衣類とは別に洗濯する。

②重症化の早期発見 感染による下痢，腹痛などがおこってから，数日～2週間後に重症化により**溶血性尿毒症症候群**が発生することがある。顔面蒼白や倦怠感，乏尿，浮腫，痙攣などの中枢神経症状，傾眠や幻覚症状などがみられる場合は，溶血性尿毒症症候群の可能性が高いと考えられる。

6 院内感染・施設内感染

メチシリン耐性黄色ブドウ球菌（MRSA）や多剤耐性緑膿菌（りょくのう）（MDRP）は，高齢者や抗菌薬の長期使用患者，術後患者など，免疫機能の低下した人に感染し，病院内や施設内における感染の伝播（でんぱ）が問題となっている。

看護のポイント● 病院内や施設内の感染に対しては，感染予防に加え，患者・家族への指導を行う。

①感染拡大の予防 標準予防策の徹底に加え，接触感染予防策を行う。患者の着がえや体位変換の際にはエプロンを着用する。感染者の体温計やマンシェット，聴診器は，ベッドごとに専用とすることが望ましい。

②患者家族への指導 患者と家族は処置やケアについて不安をいだきやすい。適切な内容の情報を提供し，不安を取り除くとともに，耐性菌の伝播防止に理解や協力が得られるよう，医療従事者間で一貫した説明と指導を行う。

7 疥癬

疥癬（かいせん）は，疥癬虫（ヒゼンダニ）が皮膚角質層に寄生しておきる皮膚感染症である。伝染性が強いため，施設内での集団感染に注意が必要である。感染経

Column

新型コロナウイルス感染症（COVID-19）

新型コロナウイルス感染症はあらゆる世代の人に感染する。若年層の場合は比較的軽症であることが多いが，高齢者が感染すると重症化する傾向が明らかとなっている。亡くなった患者の多くは高齢者であるとの報道を聞くと，高齢者の免疫機能のもろさと感染の恐ろしさを感じずにはいられない。

新型コロナウイルス感染症は高齢者の社会活動にも影響を及ぼしている。高齢者が健康な生活を維持するために必要な社会的生活や趣味活動は，感染の危険性があるとされ，人々は消極的になり，活動の中止を余儀なくされている。

また，感染予防のため，デイサービスの受け入れを停止したことで虚弱になり転倒してしまう事例や，高齢者施設での直接の面会が制限され窓越しの面会を喜ぶ家族の報道を見ると，人はつくづく社会的存在であること感じさせられる。

新型コロナウイルスは変異することで，さらに猛威をふるうという可能性もある。当面は新型コロナウイルス存在下での生活スタイルを継続しつつ，高齢者の能力を維持・活用できる仕組みを構築する方法を考える必要がある。

路は皮膚から皮膚への直接接触，寝具を介する間接接触である。

約1か月の潜伏期間後に，赤い小丘疹(きゅうしん)や小豆(あずき)大の赤褐色の小結節，数mmの線状の皮疹(疥癬トンネル)，強い瘙痒(そうよう)感があらわれる。角化型疥癬(ノルウェー疥癬)は，免疫機能が低下している人におこり，感染性が強い。

看護のポイント● 疥癬患者の看護にあたっては，感染の有無の確認と外用薬の確実な塗布，個室管理などによる徹底した感染対策が必要となる。

①**皮膚の観察** 全身の皮膚をよく観察する。とくに入院・施設入所の際，観察ができていないと蔓延(まんえん)する可能性が高くなる。

②**外用薬の塗布** フェノトリンやクロタミトンなどの外用薬を塗り残しなく塗布することが重要である。

③**感染拡大の予防** 角化型疥癬はほかの患者へ間接的に感染させることのないように原則として個室管理を行う。ケア時には防護服・手袋などを着用する。衣類・寝具は毎日交換し，50℃ の湯に 10 分間浸してから洗濯する。

8 皮膚の症状・疾患と看護

皮膚は，人体で最大の臓器である。外的な刺激から身をまもるだけでなく，付属器である毛包(もうほう)脂腺系や汗腺から皮脂や汗を分泌することにより，体内の水分の喪失を防ぎ，体温調節にもかかわっている。また，温度や痛みなどに対する感覚器としての機能や，免疫能も有している。

「人肌程度」や「肌で感じる」という言葉もあるように，皮膚には心の動きとの関係もあり，親しい相手とのスキンシップによってセロトニンが分泌され幸せを感じることもできる。このように，皮膚の感覚は大切であり，老年看護においては QOL の向上にかかわる重要な要素となる。

1 褥瘡の予防

褥瘡(じょくそう)は一般的に「床ずれ」とも言われ，組織の同一の場所に，長時間にわたり外力による圧が加わることで生じる創傷である。典型的には，骨突出部位におこる。局所的に外力がかかることで，毛細血管がつぶれ，虚血により組織が壊死(えし)状態となり，潰瘍化することなどで生じる。

高齢者では皮膚のバリア機能が低下していることや，筋肉量が少ないこと，また，寝たきりになることで特定の部位に長時間圧がかかるなどの理由で褥瘡が発生しやすくなる。

褥瘡の好発部位は骨突出部であるため，体位によって生じやすい部位が異なる(➲図 5-7)。

予防● 高齢者に褥瘡が発生してしまうと，疾患が複合していることや，多種類の薬剤を内服していることなどから，治癒に時間がかかってしまう。そのため，予防に努め，褥瘡を発生させないようにすることが大切である。

予防のためには，日常生活で褥瘡のリスクとなる要因の有無を観察するこ

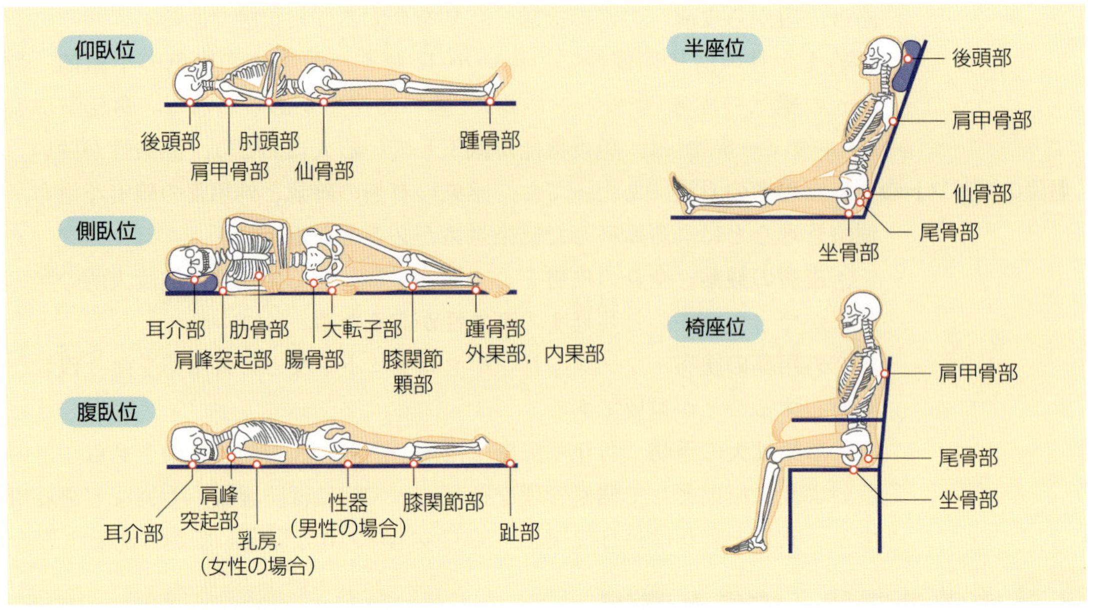

図5-7 褥瘡の好発部位となる骨突出部

とが重要である。具体的には，意識レベルや，自力で体位変換ができるか，オムツを常時使用しているか，栄養状態の悪化はないか，摩擦やずれが生じる体位となっていないか，などである。

褥瘡の発生を見きわめるためのアセスメント用のツールとして，**ブレーデンスケール**がある(➲表5-18)。ブレーデンスケールは6つの項目からなり，4段階で評価を行う。最低6点で最高は23点である。点数が低いほど褥瘡の発生リスクが高くなる。評価に迷った場合は，低いほうの点数をつける。病院では，14点以下，在宅や施設では16点以下の人にとくに注意する。以下に，各項目について述べる。

①**知覚の認知** 意識レベルの状態と，身体の麻痺などにより知覚を感じることができるかどうかをみる。意識レベルはグラスゴー－コーマ－スケール(GCS)などで確認する。知覚は麻痺などの状況で判断する。

②**湿潤** 皮膚の状態を観察する。浸軟(しんなん)[1)]の有無や，おむつの交換頻度に応じて評価を行う。

③**活動性** 行動の範囲を評価する。寝たきりなのか歩行が可能なのかなど，それぞれの項目に合ったものを評価する。

④**可動性** 自分の力で体位をかえたり整えたりできる能力を評価する。

⑤**栄養状態** ふだんの食事で栄養をどの程度摂取できているのかを確認する。通常の食事をとっていない場合には，経管栄養や点滴栄養の必要量が充足されているかで評価する。

1）角質層に一時的に水分が入ることで白くふやけた状態

表 5-18 褥瘡発生予測スケール（日本語版ブレーデンスケール）

知覚の認知 圧迫による不快感に対して適切に対応できる能力	**1．全く知覚なし** 痛みに対する反応（うめく，避ける，つかむなど）なし。この反応は，意識レベルの低下や鎮静による，あるいは体のおおよそ全体にわたり痛覚の障害がある。	**2．重度の障害あり** 痛みのみに反応する。不快感を伝える時には，うめくことや身の置き場なく動くことしかできない。あるいは，知覚障害があり，体の1/2以上にわたり痛みや不快感の感じ方が完全ではない。	**3．軽度の障害あり** 呼びかけに反応する。しかし不快感や体位変換のニードを伝えることが，いつでもできるとは限らない。あるいは，いくぶん知覚障害があり，四肢の1，2本において痛みや不快感の感じ方が完全でない部位がある。	**4．障害なし** 呼びかけに反応する。知覚欠損はなく，痛みや不快感を訴えることができる。	
湿潤 皮膚が湿潤にさらされる程度	**1．常に湿っている** 皮膚は汗や尿などのため，ほとんどいつも湿っている。患者を移動したり，体位変換するごとに湿気が認められる。	**2．たいてい湿っている** 皮膚はいつもではないが，しばしば湿っている。各勤務時間中に少なくとも1回は寝衣寝具を交換しなければならない。	**3．時々湿っている** 皮膚は時々湿っている。定期的な交換以外に，1日1回程度，寝衣寝具を追加して交換する必要がある。	**4．めったに湿っていない** 皮膚は通常乾燥している。定期的に寝衣寝具を交換すればよい。	
活動性 行動の範囲	**1．臥床** 寝たきりの状態である。	**2．座位可能** ほとんど，またはまったく歩けない。自力で体重を支えられなかったり，椅子や車椅子に座るときは介助が必要であったりする。	**3．時々歩行可能** 介助の有無にかかわらず，日中時々歩くが，非常に短い距離に限られる。各勤務時間中に，ほとんどの時間を床上で過ごす。	**4．歩行可能** 起きている間は少なくとも1日2回は部屋の外を歩く。そして少なくとも2時間に1度は室内を歩く。	
可動性 体位を変えたり整えたりできる能力	**1．全く体動なし** 介助なしでは，体幹または四肢を少しも動かさない。	**2．非常に限られる** 時々体幹または四肢を少し動かす。しかし，しばしば自力で動かしたり，または有効な（圧迫を除去するような）体動はしない。	**3．やや限られる** 少しの動きではあるが，しばしば自力で体幹または四肢を動かす。	**4．自由に体動する** 介助なしで頻回にかつ適切な（体位を変えるような）体動をする。	
栄養状態 普段の食事摂取状況	**1．不良** 決して全量摂取しない。めったに出された食事の1/3以上を食べない。タンパク質・乳製品は1日2皿（カップ）分以下の摂取である。水分摂取が不足している。消化態栄養剤（半消化態，経腸栄養剤）の補充はない。あるいは，絶食であったり，透明な流動食（お茶，ジュースなど）なら摂取したりする。または，末梢点滴を5日間以上続けている。	**2．やや不良** めったに全量摂取しない。普段は出された食事の約1/2しか食べない。タンパク質・乳製品は1日3皿（カップ）分の摂取である。時々消化態栄養剤（半消化態，経腸栄養剤）を摂取することもある。あるいは，流動食や経管栄養を受けているが，その量は1日必要摂取量以下である。	**3．良好** たいていは1日3回以上食事をし，1食につき半分以上は食べる。タンパク質・乳製品を1日4皿（カップ）分摂取する。時々食事を拒否することもあるが，勧めれば通常補食する。あるいは，栄養的におおよそ整った経管栄養や高カロリー輸液を受けている。	**4．非常に良好** 毎食おおよそ食べる。通常はタンパク質・乳製品を1日4皿（カップ）分以上摂取する。時々間食（おやつ）を食べる。補食する必要はない。	
摩擦とずれ	**1．問題あり** 移動のためには中等度から最大限の介助を要する。シーツでこすれずに体を移動することは不可能である。しばしば床上や椅子の上でずり落ち全面介助で何度も元の位置に戻すことが必要となる。痙攣，拘縮，振戦は持続的に摩擦を引きおこす。	**2．潜在的に問題あり** 弱々しく動く。または，最小限の介助が必要である。移動時皮膚は，ある程度シーツや椅子，抑制帯，補助具などにこすれている可能性がある。たいがいの時間は，椅子や床上で比較的良い体位を保つことができる。	**3．問題なし** 自力で椅子や床上を動き，移動中十分に体を支える筋肉を備えている。いつでも，椅子や床上で良い体位を保つことができる。		
				Total	（点）

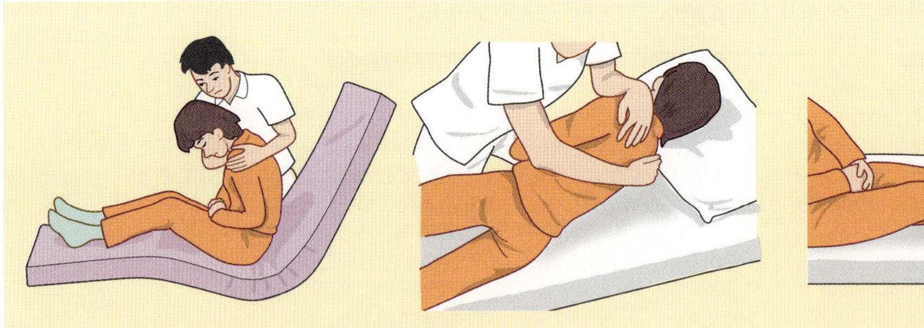

a. 背抜き
ギャッチアップをしていない場合は，身体の片側ずつを，脊柱線をこえるように仙骨部まで浮かせる。

b. 足抜き

➲ 図 5-8　背抜き・足抜き

⑥**摩擦とずれ**　おもにギャッチアップした際に，皮膚と寝具の間に生じる摩擦力によって組織にずれが生じる。このずれにより褥瘡にいたるため，摩擦の有無について評価する。

以上の評価は，1 週間ごとに評点をつけていき，点数が高くなるようにケアを見直していく。ケアの介入は，6 項目の中の点数が少ないものから開始するとよい。また，褥瘡が発生してしまったとしても，ブレーデンスケールを活用することで悪化を予防することができる。

看護のポイント●　おむつを常時使用している場合には，排泄物による皮膚障害を予防するため，おむつ交換時や排泄物の処理を行うたびに撥水性のあるクリームを塗布して，予防的スキンケアを行う。

可動性の項目の点数が 2 点以下の場合には，体圧分散寝具であるウレタンマットレスやエアーマットの使用を開始する。体圧分散寝具が利用者に合っているかを確認するために，体圧測定器を使用することもある。現在のエアーマットには，自動体位変換機能があり，夜間はエアーマットに頼ることで体位変換を代用することもできる。ベッドアップを行うときには，必ず足側から先に上げ，そのあとに頭側を上げる。足側から上げることでずれを防止できるため，褥瘡予防となる。

背抜き・足抜き●　皮膚と寝具の間に生じる摩擦とずれを開放する方法として，**背抜き・足抜き**がある(➲ 図 5-8)。背抜きは，ベッドから上半身を離し，マットレスと背中との間に生じたずれを開放する方法である。図に示した方法以外にも，摩擦の少ない背抜き用グローブもしくは，ビニール袋を皮膚と布団の間に入れるという方法もある。また，良肢位を保持することで骨折を予防できる。

2 医療関連機器圧迫創傷

医療関連機器圧迫創傷　medical device related pressure ulcer（**MDRPU**）は，

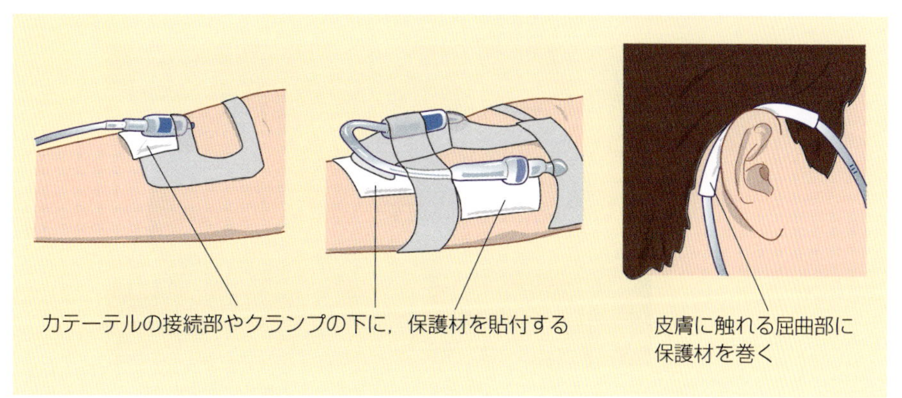

図 5-9 医療機器関連圧迫創傷の予防例

医療関連機器による圧迫で生じる，皮膚または下床（かしょう）の組織損傷[1]である。

高齢者の肌は，加齢変化により外力による損傷を受けやすくなっているため，MDRPU が発生しやすくなっている。発生頻度が高い医療機器には，ギプス・シーネ，医療用弾性ストッキング，非侵襲的陽圧換気療法（NPPV）マスク，経鼻酸素カニューレなどがあり，これらを用いている場合は注意が必要である。

MDRPU を予防するには，クッション性を加味した薄い創傷被覆（ひふく）材などを利用するとよい。これにより，機器が皮膚に直接接触しないように保護することができ，かつ，圧力がかかる面積が広くなる（図 5-9）。皮膚への圧力が分散されると，創傷を避けることができる。

3 スキンテア

高齢者の皮膚は，加齢により皮膚が薄くなることで，損傷を受けやすくなる。**スキンテア**は，おもに高齢者の四肢に発生する外傷性創傷であり，摩擦単独あるいは摩擦・ずれが原因となる。表皮が真皮から分離する部分層創傷や，表皮および真皮が下層構造から分離する全層創傷などがある[2]（図 5-10）。スキンテアは，腕を引っぱる，車いすのフットレストにすねをぶつけるなどの少しの外力でもおこる。

看護のポイント● ドライスキンがあるとスキンテアが容易におこるため，予防のため保湿剤の塗布を行う。塗布時にもスキンテアが生じる可能性があるため，皮膚を強くこすらないように，押さえるようにして塗布していく。また，皮膚が露出

1）日本褥瘡学会では MDRPU を「医療関連機器による圧迫で生じる皮膚ないし下床の組織損傷であり，厳密には従来の褥瘡すなわち自重関連褥瘡と区別されるが，ともに圧迫創傷であり広い意味では褥瘡の範疇に属する。なお，尿道，消化管，気道などの粘膜に発生する創傷は含めない」と定義している。

2）日本創傷・オストミー・失禁管理学会：スキンテア（皮膚裂傷）の予防（https://jwocm.org/wp-content/themes/jwocm/assets/img/public/wound/M_best_practice_furoku_.pdf）（参照2021-07-21）

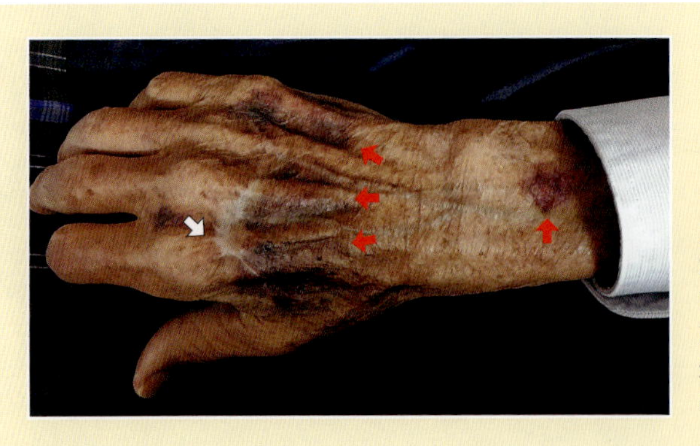

スキンテアの例。赤黒くなっている部分が創傷部位である（➡）。星状に白くなっている部分は，過去に生じたスキンテアのあとである（⇨）。

➲ 図 5-10 スキンテア

していると損傷の可能性が高くなるため，寝衣は皮膚の露出を最小限にするものを選ぶ。長袖および長ズボンを着用することや，半袖の場合は肘まであるアームカバーを用いるとよい。下肢には長めの靴下やレッグウォーマーを使用する。

4 老人性皮膚瘙痒症

加齢に伴い角質層の水分保持機能が低下することで，皮膚が乾燥する。乾燥が進行すると浅い亀裂が生じ，角質層がめくれ上がってうろこ様になり，瘙痒（そうよう）を伴うようになる。この**老人性瘙痒症**は高齢者に高頻度で発症し，つらい訴えとなる。また，かゆみから爪で皮膚を傷つけてしまい，さらにかゆみをまねくという悪循環も生じる。

看護のポイント● かゆみを防ぐため，保湿が重要となる。とくに入浴時には，①熱い湯での入浴を避ける，②身体を洗う際にはナイロンタオルなどは使用せず，泡だてた洗浄剤を用いて手でやさしく洗う，③石けん成分が残らないように十分洗い流す，④入浴後は，かるく押さえふきを行う，といった対応が重要である。入浴後には保湿剤を塗布する。

冷暖房を使用する際には，室温だけでなく湿度にも注意する必要がある。加湿器を用いるなどで，冬季でも 40% 以上の湿度を確保するようにする。

5 低温熱傷

熱傷による皮膚障害の程度は，接触する熱源の温度と接触時間によって決まる。そのため，44～50℃ 程度のものであっても，長時間接触することで熱傷を引きおこす。これが**低温熱傷**である。

加齢で温度や痛みの感覚が鈍くなると，熱傷に気づきにくくくる。このため，冬季には湯たんぽや電気あんか，電気毛布，使い捨てカイロなどの長時間使用による低温熱傷が生じやすくなる。

これらを予防するには，湯たんぽは寝る前にふとんから出す，電化製品は電源を切るなどで，器具が長時間同じ部位に触れないようにすることが重要である。

9 感覚機能の低下を伴う疾患と看護

感覚機能が低下すると，毎日の活動や社会生活を送るうえで必要な情報を収集することが十分にできなくなる。とくに75歳以上の後期高齢期になると，視覚や聴覚などの感覚機能の低下が著しく，日常生活に影響が出る。

高齢者に多い感覚機能の低下としては，視力や聴力の低下があげられる。視力低下の原因には，老視や老人性白内障，加齢黄斑(おうはん)変性，緑内障，糖尿病網膜症などがある。聴力低下の原因は，老人性難聴が代表的である。

1 視力の低下を伴う疾患

加齢による視力の低下

健常な日本人の視力は1.2前後とされ，年齢別の高齢者の裸眼視力の平均は，60歳代で0.51，70歳代で0.39，80歳代で0.31，90歳代で0.26と低下するという報告がある。動体視力(動いている対象を見きわめる能力)は，60歳以上で0.6〜0.1(成人：0.7〜0.8)となり，色の濃淡(のうたん)などのコントラスト認識は約30％低下する。調節力低下は，10歳ごろから始まり40歳ごろに自覚しはじめる。暗順応は60歳以後に低下がみられる。

■高齢者に多い眼疾患

①老視(老眼)　男女差や個人差は少なく，40歳代から50歳代にかけてあらわれる。おもな原因は，水晶体内のタンパク質成分の変性による水晶体の弾力性低下である。そのため，水晶体の曲率を上げて近くの対象物に焦点を合わせることがむずかしくなる。いつもの距離で新聞を広げたときに，細かい字が読みにくいため新聞を目から離したり，時刻表が見えにくくなったりすることで気づく。老眼鏡によってある程度の矯正(きょうせい)は可能である。

②老人性白内障　白内障とは，水晶体の混濁(こんだく)により視野がぼやけることで視力の低下を生じる疾患である。水晶体の混濁は，加齢による変化として出現し，60歳で約60％，70歳で約70％と，年齢が高くなるにしたがって発生頻度が高くなる。原因は不明である。

初期には，まぶしさを訴えることが多い。また，すべての老人性白内障の高齢者が，日常生活に不便をきたすほど視力が低下するわけではない。視野は，水晶体の黄変によって，全体的に黄色がかって見えるようになる。一般に水晶体の短波長域の濃度が増すため，暖色系の色は区別できるが，青紫色などの寒色系の色が見えにくくなり，区別がつけにくい。

治療には薬物療法と手術療法がある。白内障の進行を抑制する方法として点眼薬による薬物療法があるが，点眼薬では混濁が進行した水晶体の症状改善はむずかしいため，水晶体物質を吸引して，眼内レンズの挿入を行う手術療法が行われる。

③加齢黄斑変性　近年増加している加齢黄斑変性とは，黄斑部という物を見るときに焦点を結ぶ網膜の領域に，出血・浮腫・白斑・線維増殖などがおこり，視力低下をもたらすものである。60歳以上の男性に多く，治療方法としては，血管内皮増殖因子阻害薬の硝子体内注射や，光線力学療法がある。高齢者の失明原因の上位を占めつつある。

④緑内障　緑内障は眼圧の上昇によって，視機能が障害される疾患である。房水の循環経路の障害によるもので，一般に眼圧が21 mmHg以上になると緑内障のおそれがある。慢性で潜行性の疾患といわれ，夜間に突然眼圧が上昇し，激しい頭痛と眼痛を伴い，視野欠損・視力障害がおこることもある。

緑内障は大きく，隅角自体が狭くなる**原発閉塞隅角緑内障**と，それ以外の理由で房水の流出機能が低下する**原発開放隅角緑内障**とに分類される。原発開放隅角緑内障のうち，眼圧が正常範囲にあるものをとくに正常眼圧緑内障とよぶ。

原発閉塞隅角緑内障の症状としては，頭痛，眼痛，吐きけ・嘔吐，矇視，視力低下などがある。また，電灯を見ると色の輪がまわりに見える虹輪視を自覚する。他覚所見としては，結膜の充血，角膜浮腫，房水の混濁などがみられる。視力障害の進行が速いと失明することもある。

一方，原発開放隅角緑内障は，眼圧の上昇とともに乳頭が陥凹して視神経を圧迫し，視野欠損・眼精疲労・虹輪視・矇視などの不定愁訴が出る。

⑤糖尿病網膜症　糖尿病の最も一般的な合併症であり，後天的な失明の原因に占める割合は高い。糖尿病網膜症の発症は糖尿病罹患期間と関係があり，糖尿病歴が長いほど網膜症をきたす割合が高くなる。異常な微小血管の増殖と網膜毛細管の閉塞・損傷・出血によって，瘢痕や拘縮，ついには網膜剝離にいたる。

中心的な症状は，視力障害である。視力の減退は高齢の糖尿病患者ほど速く，60歳以前の約3％に比べ，60歳以降では約20％が失明している。

治療目標は，失明を遅らせることであり，内科的治療法には血糖コントロールが，外科的治療法には光凝固，硝子体切除がある。

■視力低下のある高齢者への看護

なんらかの原因によって，視力が低下した，または障害された高齢者は，家庭や社会での生活に制約が加えられ，心身の活動性が低下しがちになる。また，視力低下のある高齢者は生活情報を得にくいことによって不安感が増強する。心理面ではがんこになることや，猜疑心などが強くなることもある。

適切な環境調整●

高齢者には，視力低下のために明るい照明が必要である。30歳と70歳を比較すると，70歳では約3倍の明るさが必要といわれる。暗い場所では距離感を誤りやすいので，夜間は廊下やトイレ，とくに足もとを明るくして転倒事故を予防する。また，水晶体の変化によって色が黄色に見え，青紫系の色が区別しにくいので，カラー表示に暖色系の色を使用することが望ましい。

高齢者が歩く環境を整え，廊下に物を置かず，水滴や滑りやすいものはないかを確認しておく。またベッドの周囲を整理し，高齢者が使用する物は，同じ位置や場所に置くようにする。

接し方の工夫 高齢者が自分に話しかけられていることを認識できるように，高齢者へ接するときには明るくはっきりと名前をよぶ。声をかけるときは，難聴のないほうから話しかける。

触覚の利用 視力低下を補うために，触覚を利用して情報を得られるようにする。たとえば歩行の介助の際には，看護師は肘(ひじ)を軽く曲げ，高齢者が看護師の腕に手をかけられるようにする。椅子やベッドに座る場合には，手で触れてもらい，位置や高さを確認できるようにする。さらに，話しかけるときには，高齢者の肩や手に触れながら話す。

食事や会話の際の注意 食事の際には食器の置いてある場所を手で触れて確認してもらう。食器の位置をあらかじめ決めたあとは，それをかえないように看護師間で徹底する。また高齢者の話し相手になったり，ほかの患者と話せるような雰囲気(ふんいき)をつくることも重要である。まわりでひそひそと話をしたり，大きな音をたてないような配慮も必要である。

眼鏡などの使用 白内障の手術後や老視の場合には，視力の矯正が行われる。眼鏡をかけることによって，得られる情報量は非常に多くなる。これまで眼鏡を使用したことがない高齢者もいるので，高齢者や家族には適切な眼鏡の使用法を指導する。注意点は以下のとおりである。

(1) 白内障の手術後は遠用と近用の眼鏡が必要であり，老視では近用の眼鏡が必要である。
(2) 眼鏡に慣れるまでは，遠近感や高低が異なり，物も大きく見えるので，安全にはとくに配慮する。
(3) レンズがよごれていたり，曇っていないように清潔を保つ。また，レンズが傷つかないように取り扱う。
(4) 1年に一度は検眼し，必要ならば矯正しなおす。

2 聴力の低下を伴う疾患

高齢者の聴力低下 聴力機能の低下ならびに障害の最も一般的なものは，**老人性難聴**である。これは，内耳・内耳神経の老化によっておこる感音難聴である。軽度の難聴の場合には，日常生活を送るうえでの支障は少ないため，周囲の人々だけでなく，高齢者自身も気づかない場合がある。

聴力を音域別に調べると，加齢とともに全音域の感度が，徐々に低下してくる。老人性難聴は，高周波音(高音域)の聴力レベルの低下が中心であり，高齢者とコミュニケーションをとるときにふつうの会話が困難になるなど中程度以上の難聴は，75歳以上の高齢者にしばしばみられる。

表5-19　難聴者の聞こえ方

聴力レベル	言語の聴取や弁別
30 dB〜40 dB	• 小さな話し声やささやき声は聞きとりにくい。 • ふつうの会話には不自由がない。
40 dB〜50 dB	• 1対1の会話では，さほど困難はない。 • 3〜5m以上離れた場合や集団での話し合いの場合には，ふつうの話し声では聴取が困難。 • 高音域の聴力が落ちている場合は，聞き違いが多い。 • 話し相手の顔が見えないときには，言っていることが半分くらいしか理解できない。
50 dB〜70 dB	• 1mほど離れた会話は可能である。しかし聞き違いが多い。 • 集団での話し合いの場合は聞きとりが困難。 • 高音域の障害が大きい場合には，サ行，カ行，タ行の子音が聞きとれず，タ行，ダ行に聞き違えられる。 • 強い音を少し大きくしただけで非常に大きく聞こえる現象（補充現象）がある場合には，言葉の聞き分けがわるく，大きな音を聞くと耳がガーンとする。
70 dB〜85 dB	• 耳もとで言えば会話ができる。 • 比較的近いところでの自動車の警笛，犬の鳴き声など，大きな音は聞こえる。 • 耳もとで母音の聞き分けはできるが，たいていの子音の聞き分けは困難。 • 補充現象のある場合はとくに言葉の聞きとりがわるく，大きな音を聞くと耳がガーンとする。
85 dB〜	• 耳もとの大声はかすかに聞くことができる人から，まったく聞こえない人まである。 • 母音の弁別がある程度可能な人もいるが大多数は不可能。 • 相当大きな物音にも気づかないことがある。 • 太鼓や爆音などに反応することが多い。 • 補充現象がある場合は実際以上の大きな音に聞こえ，頭がガンガンする。

（岡本途也監修：補聴器コンサルタントの手引，改訂7版．p.20，リオン株式会社，2010による，一部改変）

表5-20　高齢者が聞きとりにくい音や話し方の例

人の声	• 女性の声・高い声 • タ行やサ行，カ行，パ行などの音 • 早口の会話 • 抑揚のない話し方 • 電話を通しての声
電子機器・警告音	• 電子音・信号音（電子レンジ，電話，体温計など） • 自転車のベル • 車のクラクション • 緊急放送

表5-19は難聴者の聴力と聞こえ方の例である。

聴力低下のある高齢者の特徴

聴力の低下がみられる高齢者には，以下のような特徴がある。これらに対して，注意と配慮をしながら接することが大切である。

①危険の察知が遅れやすい　難聴があると，聴覚を通して入手できる情報量が低下する。**表5-20**は，高齢者が聞きとりにくい音や話し方の例である。ここからもわかるように，日常生活では音によって危険を知らされることが多いため，難聴の高齢者は危険を察知して回避することが困難になる。

②対人関係の問題が生じやすい　コミュニケーションにおいては，言葉の聞きとりがわるく誤解する，聞き返しが多い，不要な大声で話す，突然の話

しかけに気づかないなどの問題が生じやすい。この問題を高齢者自身が認識すると，相手に遠慮して消極的になったり，言葉数が減り他人からの声かけも減少してくるようになる。

このような状況が続くと対人関係が狭くなり，仲間はずれにされたという孤立感や不安感が増し，自尊心が傷つくおそれもある。さらに，情報が届きにくいことから猜疑心をもちやすくなることがある。

■聴力低下のある高齢者への看護

話しかける際の配慮●

聴力低下のある高齢者には，次のことを重視して援助する。

(1) ふだんから外耳の清潔の保持に努め，耳垢（じこう）(耳あか)をためない。
(2) 高齢者に対しては，話し手の表情や口の動きがわかるように真正面に向かい合い，口を大きく開けてゆっくり話す。また，聴力のよいほうから話しかける。
(3) 最初はふつうの音量で口ごもらず明瞭（めいりょう）に発声してみて，どの程度の大きさ，高さが最も聞きやすいかを確認する。
(4) 高齢者が聞き慣れている，わかりやすい言葉を用いる。
(5) 筆談のほか，絵，身ぶりなどの非言語的手段も用いて理解をたすける。
(6) できるだけ会話に参加できるように，はたらきかけを積極的に行う。
(7) 会話がスムーズに進まなくてもイライラせず，ゆっくりと聞く姿勢をもつ。
(8) 高齢者が了解するまで待つ態度をとる。
(9) なるべく静かな環境で話しかける。
(10) 本人と関係のない内容であっても，周囲では小声で話をしない。

以上のような配慮をすることによって，高齢者との意思疎通（そつう）が円滑となり，看護師や周囲の人々への信頼や安心感も生まれてくることになる。

補聴器の使用●

聴力のレベルに応じて，補聴器を使用する場合がある(➲ 図 5-11)。補聴器の選択や訓練は，医師や聴能訓練士などによって行われる。看護師は，補聴器の適応がある高齢者が，その装着や使用に慣れ，言語的コミュニケーション能力を回復・維持できるように援助する。

補聴器に対しては，高齢者も周囲の人々も，以前の聴力が回復できるのではないかという大きな期待をもつことが多い。しかし，補聴器は必ずしも聞きたい音だけを増幅するものではなく，周囲の雑音まで拡大してしまう。また，語音の明瞭さにも限界がある。

期待が大きいだけに裏切られ，失望し，補聴器に慣れる前に使わなくなることも多い。とくに補聴器を使いはじめた高齢者と家族に対しては，補聴器の特徴と性能，装用の意義・注意点を十分に説明して理解してもらう必要がある(➲ 表 5-21)。

高齢者が補聴器の使用をかたくなにこばんだり，補聴器を使用できなく

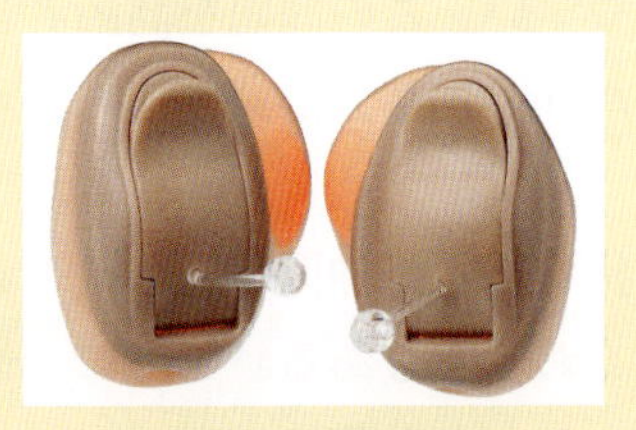

a. 耳穴型

耳の中におさまる大きさで，同時に眼鏡もかけられる。音をとらえるマイクロホンが耳の穴の位置にあるので，より自然な聞こえに近い状態になる。

b. メガネ型(骨伝導型)

補聴器が眼鏡に組み込まれている。音声を頭蓋骨への振動で伝える。使用していることがほとんど気づかれない特長がある。

c. ポケット型

補聴器を胸のポケットなどに入れ，イヤホンを耳に入れる。本体が大きめなので，操作がしやすい。市販の電池を使えるものもある。

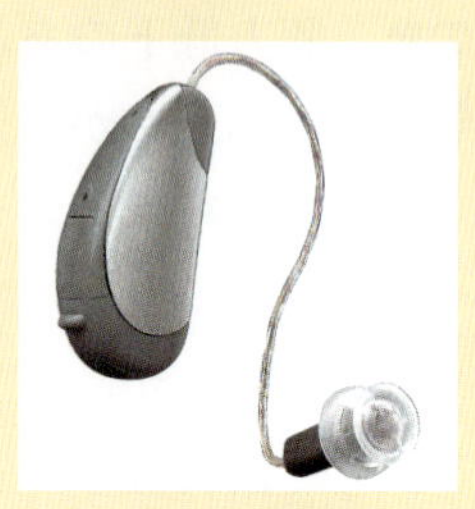

d. 耳かけ型

耳の後ろにかけて使う補聴器。扱いやすい大きさのものもあるが，目だちにくい小型のものは，髪が長い女性の場合，ほとんど隠すことができる。

(写真提供：リオン株式会社)

図 5-11　補聴器の種類

表 5-21　補聴器の使用指導のポイント

1. 補聴器に慣れるまでに1年くらいはかかることを伝える。
2. 最初は数時間から使用を始め，1日に30分くらいずつ使用時間を増やしていく。
3. 音量を上げすぎないようにする。
4. 使いはじめは静かな場所で用いて，補聴器の音に慣れるようにする。
5. 補聴器は，騒音の多い街頭や駅，電車の中ではほとんど効果がないことに注意する。また，反響の多い病院や銀行の待合室などでも効果が少ないことを伝える。
6. 補聴器のマイクをできるだけ話し手のほうに近づける。
7. 周囲の人々にも，補聴器を用いることによってふつうに会話ができるようになるわけではないことを理解してもらう。
8. 補聴器の取り扱い方(電源スイッチ，電池，清掃の仕方，コードの長さの調節など)を説明する。
9. 補聴器は直射日光に長時間あてないようにする。
10. 補聴器は湿気の多いところには置かないようにする。雨や汗でぬれたら，乾いた布でふきとる。

なったりした場合には，補助具として小型の拡声器を用いる。これを高齢者の耳もとにあて，ふつうの声で話しかけると，声が拡大され会話が可能になることもある。

10 精神活動に関連する症状と看護

シュトラッツ Stratz, C. H. は，身体活動は30歳くらいから徐々に低下するが，精神活動は60歳を過ぎるまで上昇し，その後も高い水準を保つとした。これは，長い間の経験をいかし，60歳をこえても若者に劣らずに，社会の第一線で活躍している人がおおぜいいるという現実からも明らかである。

しかし，からだが思うようにならない状況になると，精神の活動能力が十分に発揮されず精神活動が鈍くなってくる。高齢者に比較的多くみられる精神活動が低下または停滞した状態は，不安・心気状態・抑うつ状態・無為・無関心など，感情の障害としてあらわれる。

高齢者の精神活動に影響を与える要因

高齢者の精神活動は，身体機能の低下や老化に伴う疾病要因，高齢者自身の生き方，高齢者を取り巻く人々や社会環境・居住環境・家族関係などの影響を受けやすく，また個人差も大きい。

感覚機能の影響 加齢による視力の低下は，新聞の字が見えにくい，新しい情報を得にくいなど，外部からの刺激の減少となり，趣味などの活動から遠のくことにつながる。聴力の低下は，聞こえないことによっていやな思いをする機会の拒絶につながり，人との集まりを避けたり，電話が鳴っているのを知りつつも，あえて電話に出ないなど，意思疎通がはかれなくなる原因になる。

社会的役割の喪失 病気によって臥床傾向になることや，視力の低下や難聴，下肢筋力の低下などによって外出の機会が減少することは，精神機能の低下をもたらす。また，定年退職によって職や地位を失う，友人を失うなど交友関係の縮小は，日常生活の活動範囲を狭め，仕事や社会活動への意欲を失わせる。とくに，社会的活動で指導的立場にあった高齢者ほど，強い精神的ストレスを受けやすく，強い不安感・孤独感・失望感などとしてあらわれる。

孤独感や不安 また，家庭では子どもが成長することで家長としての存在感が薄れてくることや，配偶者や親しい人との別離などが孤独感や老後に対する不安につながり，精神活動へ影響を及ぼすといえる。つまり高齢者は，①心身の機能の喪失，②経済的基盤の喪失，③社会的かかわりの喪失，④生きる目的の喪失，といった4つの喪失を体験する機会が多く，これらのことから生きるために必要な精神的エネルギーを低下させてしまう。

このように，身体機能と精神機能は生活を営むうえで密接な関係にある。高齢者の精神活動低下に対する看護には，身体機能と精神機能の両面から問題を把握し，個別のケアの提供につなげることが求められる。

精神活動の低下・停滞

不安 高齢者は身体的にも心理的にも，多様な不安をかかえている。そのため，わずかな身体的不調があると不安が現実的なものとなり，その部分に意識が集中し，身体的不調感が増大するという悪循環に陥る。また，感情が不安定でささいなことにイライラしたり，落ち着きがなくなったりするようになる。

不安が強いと，胸が苦しい，めまいがするなどの身体症状を訴えることがある。この訴えは繰り返されることが多い。また，他人からの説得に応じず，自分のからだのことにこだわる傾向が強くなる。

心気状態● 心気状態(心気症)とは，自分の身体や健康状態について，過度のとらわれや不安をもっている状態である。自分には重い疾患が隠れているのではないかと何度も検査を受けたり，頭重(ずじゅう)感・便通・耳鳴り・肩こり・睡眠などがつねに気にかかり，少しでもぐあいがわるいと周囲の人々に訴えたりする。

高齢者は生活上，また，健康上のさまざまな不安をもっているが，その不安をすなおに表現できなかったり，みずから不安を抑圧すると心気状態になる。

抑うつ状態● 気分が沈み，なにもする気になれなかったり，意欲がなくなり，ささいなことでも心配するようになる。他人からは，表情に乏しく，話しかけても反応は遅くみえる。その一方で，不眠・睡眠障害・心悸亢進(しんきこうしん)・頭痛・食欲不振・腹痛・消化不良・便秘などの身体症状を訴えることがある。

無為・無関心● 無為(むい)とは，自発性が欠如し，他人から命令や刺激があれば動作するが，なければ行動することをやめ，そのまま退屈しない状態をいう。無関心とは，自己にかかわることがらには鋭敏に反応するが，自分と関係のない環境，人間関係，社会などのすべてに興味・関心を寄せない精神症状をさす。

まわりの人が笑い大喜びしていても，われ関せずといった状況で，喜怒哀楽の表現が乏しくなる。また気温の変化や身なり，においなどにも無関心になる。これらは身体機能障害の有無にかかわらず，行動や活動をしなくなり，長期間にわたると，人間性を喪失して，ただ生きるだけという状況に陥る。

■高齢者の精神活動に対する看護

①受容的な対話によって不安を取り除く 高齢者の不安に対して，心配ない，気のせいだなどと抑圧せずに，なんでも言える受容的な雰囲気をつくる。ありのままの気持ちを受け入れ，言葉に耳を傾けることが大切である。

また，口に出して言うことで気がらくになり，それが思いすごしであれば，本人がそれに気づき自然に解決の方向へ進む。援助が必要なときには，相手の気持ちを確かめながら行うことが望ましい。

②支持的態度や行動でいたわり，患者のペースを大事にする 抑うつ状態のときには，励(はげ)ますことが逆効果になるため，励まさないことがケアとなる。ふさぎこんでいる場合には，元気を出したくても出せないという苦しみを理解し，言葉よりも態度や行動であたたかくいたわるようにする。

お茶や食事の機会には，高齢者の好みに合わせた飲み物や食べ物を提供するとよい。また，寝る前に足浴をすると安眠効果がある。周囲の人々に支えられているという実感をもってもらい，高齢者自身の心が開かれるのを待つかかわりが重要である。

あせらずに，本人の意思を尊重しながら散歩に出たり，体操を促したりすることは，高齢者の心を外に向かわせる。からだを動かすことで徐々に明るくなり，症状が軽減することがある。

③耳を傾け希望を受け入れる　高齢者の自分に関心を向けてもらいたいという欲求を満たすように，相手の訴えに耳を傾ける。本人が希望すれば医師の診察や検査を受けさせ，納得を得る過程で高齢者自身が安心する場合もある。そのとき，本人の苦しい気持ちを受け入れ，苦しみをやわらげられるように，背中や手をさするなどのスキンシップを行うことも大切である。

④観察と薬物の使用　安易に薬物に頼らず，患者との日ごろの会話や態度，身体の観察から，患者のかかえる根本の原因をさがし，解決していくことが望ましい。薬物の使用にあたっては不安が不眠をまねき，不眠が不安を助長するあるいは抑うつ状態が栄養不良状態をまねくといった悪循環を断ち切るために，必要最小限に用いることを忘れてはならない。

⑤家族やほかの専門職種との連携　家族には，本人とのかかわり方への協力を依頼し，情報提供と治療への積極的参加を促す。また，医師や臨床心理士などの専門職から，治療への指示・指導をあおぐようにする。

11 せん妄状態と看護

せん妄とは，急性の一時的な脳の機能低下によっておこる軽度または中等度の意識混濁(錯乱)を基盤とし，認知障害や精神活動の変化がおきた状態のことである。手術や入院の直後のせん妄の発症率は，一般的には10～30％といわれているが，高齢，がん罹患，術後，終末期などの場合には，さらに高くなるといわれている。

せん妄の原因●　せん妄の原因には，①限局性または広汎性の脳疾患，②二次的に脳に影響を及ぼす脳以外の身体疾患，③薬物や化学物質の中毒，④常用薬物の離脱があげられる。とくに直接原因となる疾患や病態を➲表5-22にまとめた。

また，せん妄がおこりやすい背景要因として，高齢や脳の変性疾患(とくにアルツハイマー型認知症)があり，このような条件がある場合にはせん妄発症頻度は高くなりやすい。このほかのせん妄発症のきっかけとなる因子として，①心理的ストレス，②断眠，③感覚遮断または感覚過剰，④身体の不動化などがあげられる。

種類と症状●　せん妄は，急性に発症し，数日から数週間で消失する。また，1日のうち

➲表5-22　せん妄の原因となる疾患・病態

脳・神経疾患	頭部外傷による神経損傷，てんかん，脳血管障害，神経変性疾患
循環・呼吸器疾患	ショック，不整脈，心筋梗塞，うっ血性心不全，呼吸不全
代謝障害	水・電解質バランスの障害，酸塩基平衡障害，貧血，低酸素血症，低血糖・高血糖，腎不全，肝不全，ビタミンB_1欠乏症，内分泌疾患
その他	手術侵襲，重傷外傷，悪性新生物，感染症

でも症状は変動する。行動・症状は，①過活動型(行動・活動が活発で興奮して落ち着かない不穏な状態)と，②活動低下型(意識が混濁傾向であるが，行動・活動が不活発でおとなしい状態)と，③混合型(上記の①と②が混合してあらわれる状態)に分類される。

夜間せん妄は，日中は活動低下型であるが，夜間は過活動型の状態である。過活動型の代表的な症状には，落ち着きのなさ，幻覚，不眠，見当識障害，暴力行為などがある。

■せん妄に対する看護

せん妄時の看護のポイントは，①身体要因の除去，②環境の安定性の保持，③家族へのケア，④薬物療法である。

①身体要因の除去 適正な水分・電解質のバランス，正常な酸素濃度・血圧，正常な排泄(はいせつ)パターン，睡眠/覚醒(かくせい)パターンを保持する。摂取している水分量や排泄量，循環動態，皮膚などの観察を行い，さらに血液検査データの確認をする。体液が不足している場合には，飲水を促したり，点滴などによる水分の補給を行う。

②入院環境の安定性の保持 せん妄の発症を促進する睡眠障害，感覚遮断，環境の変化などの誘発因子をできるだけ取り除く。入院環境を調整して安定をはかるために，不眠や疼痛，不快感，不安などの有無を聞き，患者の反応を観察する。

一方的に指示をするのではなく，患者に不安や不快感をもたらしている原因を調整することが大切である。たとえば，不必要なカテーテル，モニターラインを取り除く，心理的拘束となる安静指示をできるだけ早く解除する，眼鏡や補聴器をつける，痛みを取り除く，ポータブルトイレをベッドサイドへ設置するなどである。

さらに患者の不安を軽減し，安心感をもたらすように，ゆっくりと大きな声で話したり，わかりやすく短い文章を用いるなど，コミュニケーションのとり方を工夫することも重要である。患者の自宅から慣れ親しんだ物を持ってきてもらったり，家族など安心できる人に面会に来てもらうなどの方法も有効である。

③家族へのケア せん妄状態の患者をまのあたりにした家族は，精神的ショックを受けることが多い。患者にとっては，家族がそばに一緒についていることが安心感につながるが，家族には精神的負担になることもある。

家族のいだいている思いや疑問を表出できるように，医療者側から，家族が話しやすい雰囲気や時間をつくることが必要である。具体的には，せん妄についての基本的な知識をわかりやすく説明したり，家族としてせん妄患者にどのように接すればよいのかを伝える。

④せん妄時の薬物療法 せん妄のために，患者の安全が保てないような状

況では，薬物での対応が必要となる。医師の指示に従い，与薬を行う。一般的には興奮を抑えるために，抗不安薬や鎮静効果のある抗精神病薬が用いられる。長期投与の場合に副作用が出る薬物もあるので，薬剤の注意事項などを確認して注意深く観察を行う。

まとめ

- 高齢者は複数の慢性疾患をもち，多種類の薬剤を服用していることが多い。脂溶性の薬物は体内に蓄積しやすく，さまざま反応を示すが，症状は遅延してあらわれやすい。
- 高齢者では加齢とともにフレイルやサルコペニアがあらわれる。フレイルは老年症候群の引きがねにもなるため，早期の発見が必要である。フレイル，サルコペニアのいずれについても，予防のためには栄養面や運動面などからのアプローチが重要となる。
- 脳血管や呼吸・循環・代謝に関連する主要な疾患や症状は，急性状態の場合には生命の危険に直結する。また，それが慢性化することによって高齢者の生活の質に影響を及ぼすことになる。発症を予防するための指導，観察による早期の発見，症状・苦痛の緩和方法を熟知しておく必要がある。
- 看護師は感染の媒体とならないように，感染予防策を徹底する必要がある。
- 褥瘡のケアの基本は予防的ケアである。まずは日常生活のなかで褥瘡のリスクとなる要因を観察し，褥瘡のできやすさについてアセスメントする。アセスメントの結果に応じて，予防的スキンケアや体圧分散寝具の使用などを行う。背抜き・足抜きや良肢位の保持といったケアも重要である。
- 高齢者では皮膚が脆弱になることで，医療機器関連圧迫創傷やスキンテア，老人性皮膚瘙痒症などがおこりやすい。保湿や物理的な保護などにより予防を行う。
- 高齢になると，視力低下や聴力低下を代表とする感覚機能の低下がみられる。機能低下の程度に合わせて転倒・転落などの事故を防ぐ工夫が必要である。また，高齢者を尊重し，訴えを傾聴する態度で接する。
- 高齢者の無為・無関心や心気状態などは，精神活動の衰えを示すサインである。心の観察と生活上にあらわれる反応に注意し，高齢者が可能な限り自身の日常生活行動を自立・自律して行えるように配慮することが必要である。

復習問題

1 〔　〕内の正しい語に丸をつけなさい。

①高齢者は多臓器にわたって〔 単独・複数 〕の疾患をもっていることが多い。

②高齢者は疾患によってあらわれる症状が〔 定型・非定型 〕的である。

③高齢者は〔 水・脂 〕溶性の薬物が体内に蓄積されやすい。

④胸痛の訴えがあった場合は，まずリスクの〔 高い・低い 〕疾患の症状と考えて対処する。

⑤慢性閉塞性肺疾患の最も重要な治療法は〔 減塩・禁煙 〕である。患者には呼吸法として口すぼめ呼吸や〔 胸・腹 〕式呼吸を指導する。

⑥高齢者は細胞〔 内・外 〕液量が減少し，体重あたりの水分量が減少している。

⑦高齢者は口渇を感じにくいため，水分摂取を〔 控える・促す 〕ようにする。

⑧骨粗鬆症の予防には〔 運動・安静 〕が効果的である。

⑨インフルエンザの予防には〔 ワクチン接種・抗菌薬投与 〕が有効である。

⑩老人性白内障では〔 暖色・寒色 〕の区別がしにくくなる。

⑪老人性難聴の人は抑揚の〔 ない・ある 〕話し方や〔 男性・女性 〕の声が聞きとりにくい。

⑫補聴器は騒音の〔 少ない・多い 〕ところで使用する。

❷ フレイルとサルコペニアについて述べた次の文章のうち，正しいものを全て選びなさい。

A．フレイルとは身体的問題である。

B．フレイルとなっても生活機能の維持や向上は可能である。

C．フレイルを生じた高齢者は要介護の状態となる。

D．加齢により生じたサルコペニアは二次性のものである。

E．原発性サルコペニアの治療では栄養療法と運動療法を併用する。

答え(　　　)

❸ 次の文章の空欄を埋めなさい。

▶脳梗塞の前駆症状では(①　　　　)発作が重要である。

▶パーキンソン病の主症状には無動・寡動，(②　　　　)，(③　　　　)障害，安静時振戦がある。

▶ヒュー-ジョーンズの分類は，どのような状況で息苦しさを感じるかを(④　　)段階に分けたものである。

▶腸蠕動音の聴取は，(⑤　　　　)腹部の1か所に聴診器をあてて行う。

▶低栄養状態は，筋肉量の減少により筋力・身体機能が低下する(⑥　　　　)という状態の引きがねとなる。

▶大腿骨近位部骨折の手術後は，股関節の(⑦　　　　)や(⑧　　　　)麻痺をおこさないように援助する。

▶閉経後の女性は(⑨　　　　)の分泌低下により骨粗鬆症になりやすい。

▶ノロウイルスの消毒には(⑩　　　　)を用いる。

▶(⑪　　　　)スケールは褥瘡の発生リスクを評価する目安である。

▶褥瘡予防のため，ベッドアップを行うときは(⑫　　　　)側から上げる。

▶高齢者の皮膚におこる，摩擦などの外力による創傷を(⑬　　　　)という。

▶老人性皮膚瘙痒症の看護にあたっては(⑭　　　　)が重要となる。

▶老視は(⑮　　　　)の弾力性が低下することによっておこる。

▶自分の健康状態について，過度のとらわれをもつ状態を(⑯　　　　)状態という。

▶せん妄の症状は(⑰　　　　)型と(⑱　　　　)型，両者の混合型に分けられる。

第6章 治療・処置を受ける患者の看護

病院で検査を行う，あるいは治療や処置を受けるとき，それがはじめての場合には経験したことのない状況におかれることになる。そのため多くの場合，高齢者は病院内で緊張した心理状態となっている。治療・処置を受ける患者の看護にあたっては，看護師のもつ雰囲気や言葉かけ，笑顔によってその緊張をときほぐし，前向きな気持ちで検査を受けることができるように支援していくことが大切となる。

治療・検査後は，多職種で連携をしながら，退院後を見通した長期的な継続看護を行うことが重要である。介護予防や薬剤の管理，退院支援などを通して，退院後の患者が自立した生活を継続できるよう支援していくことが重要となる。

A 外来受診をする高齢者の看護

高齢者の外来受診の理由の多くは，加齢現象による心身の不調や，慢性疾患による定期的な診察である(➲20ページ)。

外来受診患者の看護にあたっては，限られた時間のなかで患者の状況や問題をとらえ，安全に，そして安心して治療や検査を受けられるようにする必要がある。そのため，医師を含む多職種と協働・連携することが重要である。

高齢者の場合は，視力や聴力が低下していることが多いため，検査説明や結果の説明をきちんと理解できているかの確認が重要である。患者自身にどのように理解できたのかを説明してもらうなど，確認の方法にも工夫を行うようにする。

また，長期間にわたり定期的に受診することもあるため，外来受診時の服装や身につけているもの，日常生活動作(ADL)の状況などの変化を毎回注意深く観察する。患者の様子が前回の受診時と違うと感じた場合には，医師やほかの看護師と連携して必要な検査を実施するなど，継続して見まもりを続けていくことが重要である。

以下に，具体的な看護について述べる。

1 受診時の心理的特徴

はじめての受診時● はじめて受診する医療機関の場合，担当する医療関係者や，検査・治療の内容がわからないため，不安と緊張を感じるものである。とくに検査の場所がはじめての場合は，病院内のどこに行けばよいのか，また，わからないときには誰に聞けばよいのかもわからず不安となる。また，加齢により下肢の運動機能が低下していたり，慣れない場所を移動したりすると疲労感も増強する。それにより受診自体をやめて，自宅に帰りたい気持ちになることもある。

継続受診時● 一方で，継続して受診している高齢者の場合は，自己判断で受診を中断することや，服薬の量やタイミングを自分で調整してしまう可能性がある。

2 受診時の看護

外来受診する高齢者がはじめて会う医療者は看護師であることが多い。そのため，笑顔や態度などで不安と緊張を軽減する必要がある。また，受診の流れやその後の検査について患者や家族に説明するなかで，信頼関係を構築することも重要である。そのためには，患者がわからない点や不安な点を気軽に聞くことができる雰囲気をつくることが重要である。家族が付き添って受診する場合であっても，安心して受診ができるためには周囲のサポートが重要となる。医療者間だけでなく，事務職員との連携をはかることも忘れてはならない。

高齢者が受診する場合は，とくに感覚機能や運動機能の低下を予防するための援助が重要となる。また，治療や検査が終わり在宅に戻るときに備え，その人がどこでどのように過ごしたいか，その後の人生をどのようにとらえているかを把握しておく必要がある。食事内容や日中の過ごし方，生きがいや楽しみの有無などを聞いておき，退院後の生活に与える影響について考えるようにする。

1 安心・安全に配慮した診察の援助

高齢者は聴力の低下により，他人の名前を聞き間違えて診察室に入ってしまうこともあるため，診察室ではカルテに記載されている患者であるか必ず確認する。

診察の際には，患者・家族が医師と安心して話せるような環境づくりにつとめる。診療の介助を行いながら，話す様子や表情，しぐさなどから，説明を理解できているかを確認する。理解が不十分な場合には，ゆっくりかみくだいた内容で説明して理解を促す。難聴がある場合は，はっきりしたやや低めの声で，ゆっくり話すと聞き取りやすい。

安全への配慮● 高齢者は加齢現象による反射や平衡（へいこう）感覚の低下があるため，わずかな段差や移動でも転倒しやすい。とくに，診察室の椅子が動く場合には，転倒しないように配慮する必要がある。麻痺(まひ)などがある場合には，移動するための時間や範囲に余裕をもたせるようにする。必要に応じて，安全に介助を行う。

2 異常の早期発見

高齢者は異常があっても特徴的な症状があらわれにくく，周囲に気づかれにくい。そのため，異常の発見が遅れてしまうことがある。受診時はバイタルサインを測定し，異常の早期発見につとめる。発熱に本人が気づいていないといったこともあるため，バイタルサインのチェックは重要である。

定期的な受診をしている患者に対して，いつもと違うと感じたときには，家族やふだん介護をしている人から情報収集を行う。とくに，発熱があり，体温の上昇1℃あたり心拍数が20回/分以上増加しているときには，細菌感染症が疑われる。このような場合は，医師に報告するとともに，必要な検査が受けられるようにする。さらに，現在の状況がいつからどのように始まったのかなどを，本人や家族から詳しく話を聞くようにする。

3 外来受診継続への援助

外来受診の継続は，病気の経過や在宅での生活状況を把握するうえで重要である。治療の途中で受診を中断してしまうことがないよう，患者・家族が相談しやすい雰囲気づくりにつとめる。治療に対する疑問や日常生活での困りごと，介護状況などの相談にも応じる。定期的な受診であっても可能な限りコミュニケーションをはかり，本人の様子を観察するとともに，不安などについて傾聴するようにする。受診に家族が付き添っている場合には，ふだんの本人の様子を聞き，家族とともに支援体制を考えていく。また，必要に応じて適切な部署や人材につなげ，安心して外来受診が継続できるように支援していく。

4 在宅療養継続への援助

在宅で生活している人には，訪問看護などの在宅サービスを受けながら療養を継続している人や，特定疾患の患者や，身体障害者手帳の保有者，介護保険の利用者などがいる。状況に合わせて患者・家族からの相談窓口を明確にし，関係する部署や連携先と情報共有を行い，連携をはかりやすくすることが重要となる。

受診時には，身体的な苦痛の確認だけでなく，経済的な状況についても把握し，療養先での生活に経済的な困難がないかを確認する。

B 検査を受ける高齢者の看護

受診時には，診断の確定や治療方針の決定，治療中の観察や効果の判定を目的として，複数回にわたり検査が行われることがある。患者・家族が検査の必要性や目的・方法をきちんと理解し，納得して安全に検査が受けられるように援助を行う。

また，安全で安楽かつ確実に検査が受けられるように，環境の整備にも注意する。検査の内容によっては，身体的に侵襲（しんしゅう）を伴うものや羞恥（しゅうち）心を伴うものもある。とくに，薬剤を使用するなどの直接的な侵襲が高い場合は，十分な配慮が必要となる。

1 検査を受ける高齢者の看護問題

高齢者が検査を受ける際には，以下の点に注意する。

■検査に対する理解不足と不安への配慮

検査の目的や手順，方法などを，十分理解できるよう説明することが，スムーズな検査につながる。

たとえば，禁食の説明をする際に「ご飯を食べないでください」という表現を用いると，米飯を食べてはいけないがパンやめん類なら問題ないという勘違いをまねく可能性がある。患者の理解度を確認しながら説明することが重要である。

はじめて受ける検査への支援● はじめて受ける検査の場合，わからないことによって恐怖心や不安感が増強する可能性がある。写真付きのパンフレットなどを用いて，いつでも読み返せるようにするとよい。可能であれば，検査を行う場所を見学しておくことも不安の軽減につながる。

高齢者の場合，一度に多くのことを説明しても，検査までの日数が長いと忘れてしまうことや，説明用のパンフレットの文字が小さくて読みにくく，理解が困難な場合がある。禁食などの事前の準備が必要な場合には，誰が見てもわかるように，大きな文字で日時と時間を記載するなどの工夫を行う。

検査の際には，検査前に下剤の服用などの処置が必要となることもある。このようなときは，トイレまでの移動距離と本人の筋力を考慮して，いつどこで服用するべきかを具体的に説明する。たとえば昼から外来で検査を行う場合，病院内で下剤を服用してもらえば，トイレへの移動もしやすく，また便の性状を看護師が確認することでスムーズに検査が開始できる。そのため，自宅ではなく，早めに来院して服用することを説明する。

疾患の確認● 患者が複数の疾患を有している場合には，内服薬が検査に影響を与える場合もあるため，事前に確認をしておく必要がある。さらに，認知症の有無の確認も重要である。認知症が進行している場合，検査の意味がわからず，検査に非協力的となる場合があるため，安心できるように声かけをしたり，模型などを用いて可能な限り検査をイメージできるように配慮する。

入院後の支援● 検査によって安静が続くことで，認知症が進んだり，フレイルが悪化して寝たきりとなるリスクがある。入院後の支援では，ADL の自立を維持できるように援助を行うことが重要となる。退院後の生活の自立度は，患者だけでなく家族の負担にも影響するため，自立への支援は重要である。

2 検査前の援助

1 効果的なオリエンテーションの進め方

検査の予定が決定したら，ゆっくり話せる場所でパンフレットなどを用いて説明を行う。このときに，難聴の有無，ADL の状況を確認し，検査時に必要な体位が保持できるかなどを確認する（➡図 6-1）。また，患者の家族には，可能な限り同席するよう依頼する。家族が一緒に説明を聞くことで，自宅に帰ってからの患者の不安にも対応でき，生活の不安の軽減につなげる。

説明時には，とくに以下のことに注意する。

(1) 本人が理解できる速さかつ伝わる声のトーンで話す。
(2) 分からない点について質問をしやすいような雰囲気づくりを心掛ける。
(3) パンフレットなどを使用して，禁飲食の目的や時間などを説明する。
(4) 検査中は検査技師の合図で呼吸をとめることや，体位をかえる必要があること，また，装飾品を外すことなどを説明し，協力を求める。
(5) 検査中に痛みや苦痛が生じた場合，気分がわるくなった場合などは，遠慮せず医療者に伝えるよう説明する。

オリエンテーションでの説明事項
・検査の目的，方法，内容
・患者の状態の確認：
　難聴の有無，ADL の状況，認知症の有無
・検査前後の禁飲食などの注意事項
・検査の外来受診日，時間，場所

➡図 6-1　検査に向けたオリエンテーション

2 検査部への伝達事項

高齢者が安心して，安全に検査を受けられるよう，検査室の看護師や検査技師に申し送りを行う。難聴や視力低下，麻痺，認知症がある場合，その対応の方法についても申し送ることで，スムーズに検査が受けられるようになる。

3 検査中の援助

心理面への援助● 検査中に予期しない痛みなどがあると，驚きから突然身体を大きく動かしてしまい，転落などの危険性が高くなる。また，緊張のあまり身体をこわばらせ，全身の筋肉に力が入ってしまう場合もある。処置を行うたびに声をかけ，手を握るなどで患者のそばにいることを伝えつづけ，恐怖や緊張を緩和する。

身体面への援助● 検査に支障のない範囲でクッションなどを挿入し，安楽な体位を保持できるようにすることも重要である。とくに円背(えんぱい)や側彎(そくわん)，関節拘縮(こうしゅく)などがある場合には十分に配慮し，骨折などの事故予防に努める。

造影剤などの薬剤を使用する検査の場合，アレルギー反応によるかゆみや吐きけ・嘔吐，頭痛をおこすことがある。重症になると呼吸困難となる可能性もあるため，バイタルサインの変化や表情などに，十分な注意をはらうようにする。

高齢者はとくに腎機能と肝機能が低下していることが多く，検査後すぐにアレルギー症状を発症することもあれば，数日後や数か月後におこす場合もある。そのため，検査が終わったあとも継続した注意が必要である。

4 検査後の援助

体力のある成人と違い，高齢者にとって検査は，身体的にも心理的にも負担が大きい。検査後は，ゆっくり休息ができるよう配慮するとともに，検査に対するねぎらいの言葉をかける。さらに，検査について聞きたいことや不安に感じていることがないかを確認する。

検査後の注意点は，本人の身体の状態や疾患の状態によって異なるため，医師の指示を確認し，確実に本人に伝える。

C 薬物療法を受ける高齢者の看護

高齢者は複数の疾患をもつ人が多く，それだけ処方薬も多くなる。60歳以降は7剤以上の薬を服用する割合が増え，75歳以上では約4人に1人となるといわれている。

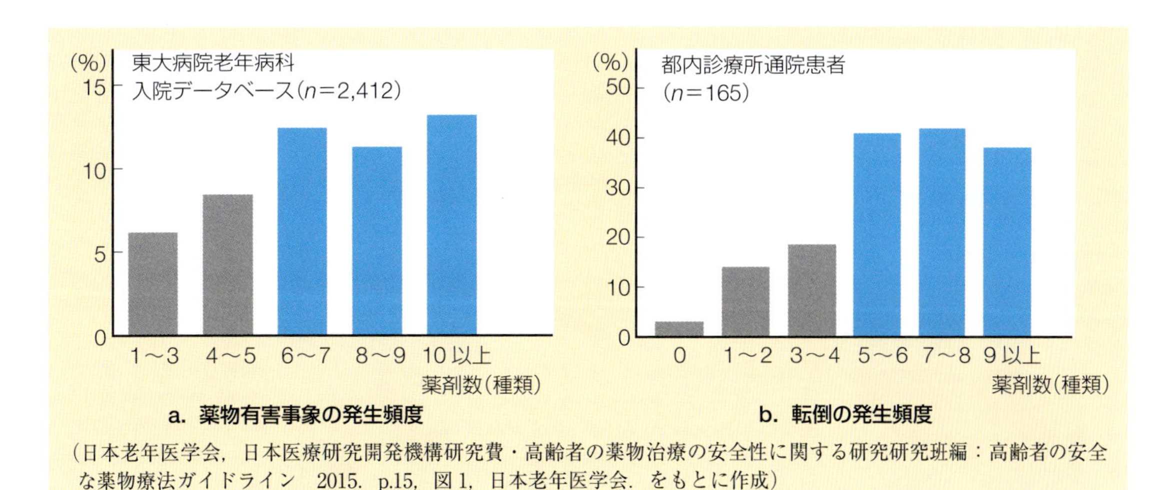

(日本老年医学会，日本医療研究開発機構研究費・高齢者の薬物治療の安全性に関する研究研究班編：高齢者の安全な薬物療法ガイドライン 2015. p.15，図1，日本老年医学会．をもとに作成)

➲ 図 6-2 多剤処方と薬物有害事象および転倒の発生リスク

ポリファーマシー● 複数の薬剤を併用することによって問題が生じている状態を**ポリファーマシー**とよぶ。高齢者では，服用する薬が6剤以上になると，薬物有害事象の頻度が上がることがわかっている(➲ 図 6-2-a)。そのため，処方されている薬の種類や量が多い場合には，本人や家族から副作用に関する情報収集を行う。それとともに，医師や薬剤師などとも相談する。

副作用● 高齢者に最も多い副作用は，ふらつき・転倒，もの忘れであり，とくに転倒は5剤以上使う高齢者の4割以上におきている(➲ 図 6-2-b)。高齢者が転倒をすると骨折する可能性が高く，それにより寝たきりとなる可能性も高まる。寝たきりは認知症の発症につながるため，薬剤の副作用による転倒を避けることは非常に重要である。

そのほかの副作用として，抑うつ状態やせん妄，食欲低下，便秘，排尿障害などがおこりやすい。

1 高齢者と薬物の関係

高齢者の場合，薬の種類が増えると副作用がおこりやすくなり，重症化もしやすい。これは，加齢により肝臓や腎臓の機能が低下することで，薬剤の代謝や排出に時間がかかってしまうためである(➲ 図 6-3)。

吸収● 経口薬の場合，多くの薬剤は胃で溶解され，小腸粘膜から吸収される。高齢者では加齢により胃酸の分泌が減少し，消化管の機能も低下しているため，ビタミンや鉄などの能動輸送により吸収されるものはその影響を受ける。しかし，薬物の吸収への影響は少ない。これは，薬物が体内濃度の違いによる受動拡散によって吸収されるためである。

分布● 消化器から吸収された薬物は，門脈を通り肝臓に集められたあとに，血液にのって全身に運ばれる。この過程が分布である。高齢者は低栄養状態とな

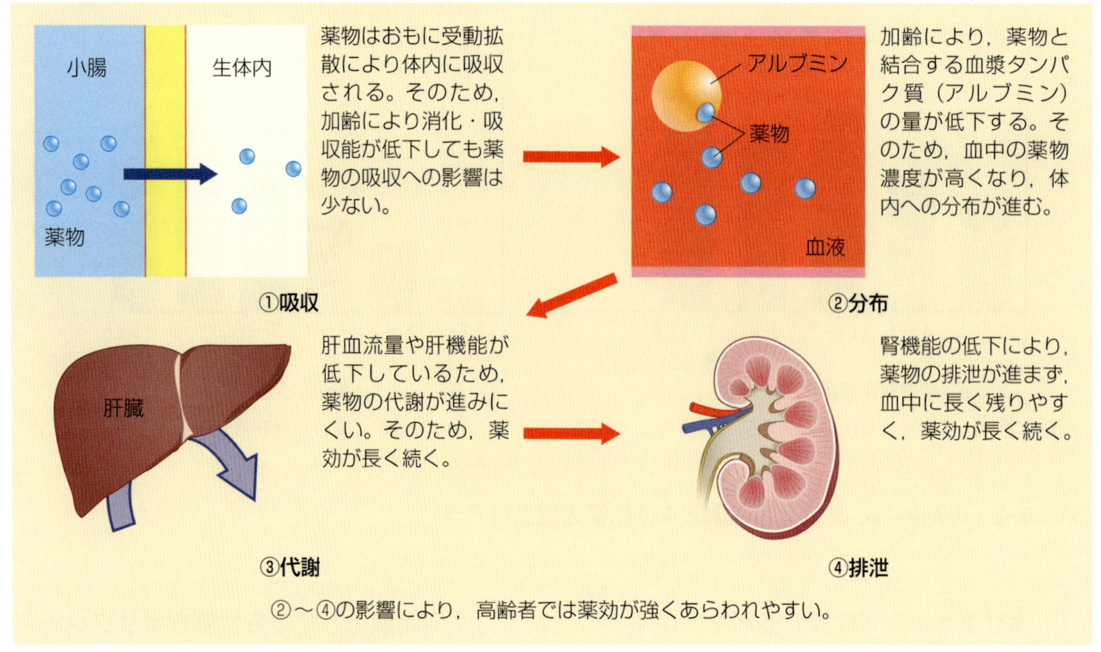

➲ 図 6-3 高齢者における薬物動態

りやすく，血漿（けっしょう）タンパク質の一種であるアルブミンの量が低下している。アルブミンは多くの薬物と結合し，薬効をおさえるはたらきがあるため，高齢者では薬効が強くあらわれやすい。

代謝● 薬物には肝臓で代謝・分解されるものがある。高齢者では肝血流量や肝機能が低下しているため，薬物代謝が行われにくく，また時間もかかる。この結果，血中での薬物濃度が高くなり，薬効が出やすくなる。

排泄● 薬物はおもに腎臓から尿中へと排泄される。高齢者では腎血流量が低下し，糸球体濾過率も低下しているため，尿中への薬物の排泄が進まず，血中濃度が高まり，薬効が強くなる。

2 薬剤の管理と服用の援助

高齢者の場合，管理が煩雑（はんざつ）だと同じ薬を重複して飲んだり，医師の指示した服薬方法と異なる方法で内服したりしてしまうことがある。用法用量がまもられないと，本来の薬の作用が増強したり低下したりしてしまうことがあるため，十分に注意する。とくに，薬が余っているからといって，他人にあげたり，足りないからと他人からもらったりすることは，医療事故につながりかねないため，避けるよう十分に説明する。

また，高齢者は複数の薬剤を処方されていることが多いため，飲み合わせにはとくに注意する必要がある（➲ 表 6-1）。

お薬手帳● 適切な服薬のためには，薬剤師との協力も重要である。受診の際にはお薬

表 6-1 飲み合わせに注意が必要な食品と薬

食品名	相互作用に注意が必要な薬物	薬効への影響	相互作用
グレープフルーツ	カルシウム拮抗薬 脂質異常症治療薬	↗	グレープフルーツジュースに含まれるフラボノイド類が薬剤の吸収を高めるため，血圧降下作用が増強される。
	抗アレルギー薬	↘	薬剤の消化吸収を妨げるため効果が減弱する。
納豆，クロレラ，青汁(ビタミンK)	抗凝固薬	↘	ビタミンKにより，抗凝固作用薬の作用が減弱する。
牛乳，粉ミルクなど(高カルシウム食品)	抗菌薬	↘	薬剤の吸収を妨げるため効果が減弱する。
スポーツ飲料	骨粗鬆症治療薬	↘	薬剤の吸収を妨げるため効果が減弱する。
コーヒー，紅茶など(カフェイン)	強心・気管支拡張薬 選択的セロトニン再取り込み阻害薬 脂質異常症治療薬	↗	中枢神経刺激作用が増強する。
チーズ	抗パーキンソン病薬 消化性潰瘍治療薬	—	チーズに含まれるチラミンの分解を妨げるため，顔面紅潮や血圧上昇などのチラミン中毒がおこる可能性がある。

手帳を持参してもらい，現在服用している薬について医師や薬剤師，看護師が確認をする。お薬手帳には次のような利点がある。

- 現在内服している薬の種類や，薬どうしの相互作用を確認できる。
- 薬の内服量や副作用の有無の記録があることで，安全に薬を使用することができる。
- 旅行先で病気になったときや災害時に避難したとき，救急時などに，正しい内容を伝えることができる。

お薬カレンダー● 自宅での服薬管理方法にはお薬カレンダーを使用するとよい(➲図 6-4)。また，飲み忘れを予防するために一包化(いっぽう)することも有効である。

服薬の工夫● 軽度の嚥下障害がある場合には，医師や薬剤師に相談する。小さい錠剤や服薬回数が少ない薬剤への変更，または，貼付薬や坐薬といった内服以外の剤形への変更について検討するようにする。水による内服が困難な場合は，ゼリーやプリンなどにまぜたり，オブラートに包むことで対応できることもある。

リウマチなどで握力が弱い人や麻痺がある人の場合，道具を使用することで，服薬がしやすくなる(➲図 6-5)。また，寝たきりの人への内服援助方法としては，ファウラー位の状態で，鼻の部分をカットしたコップを使う方法がある(➲図 6-6)。

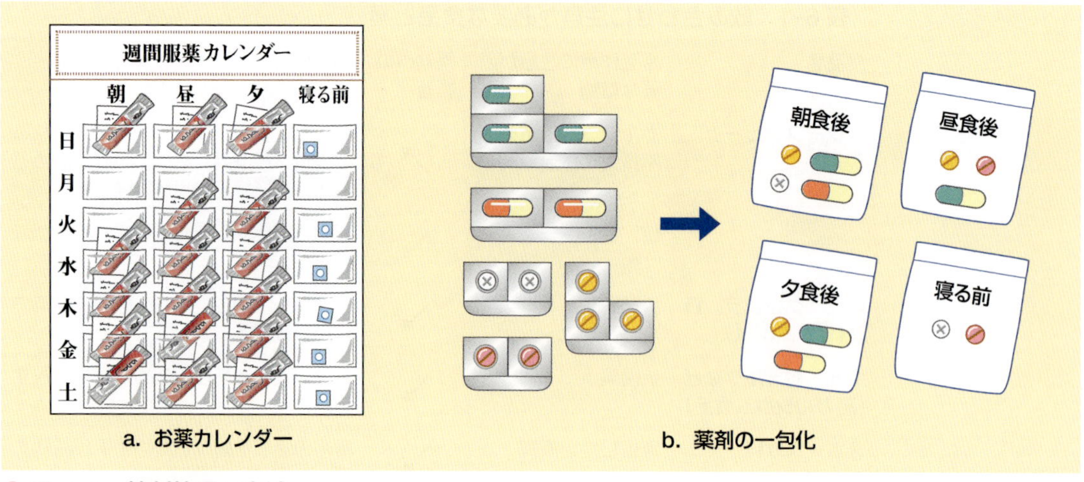

図 6-4 薬剤管理の方法

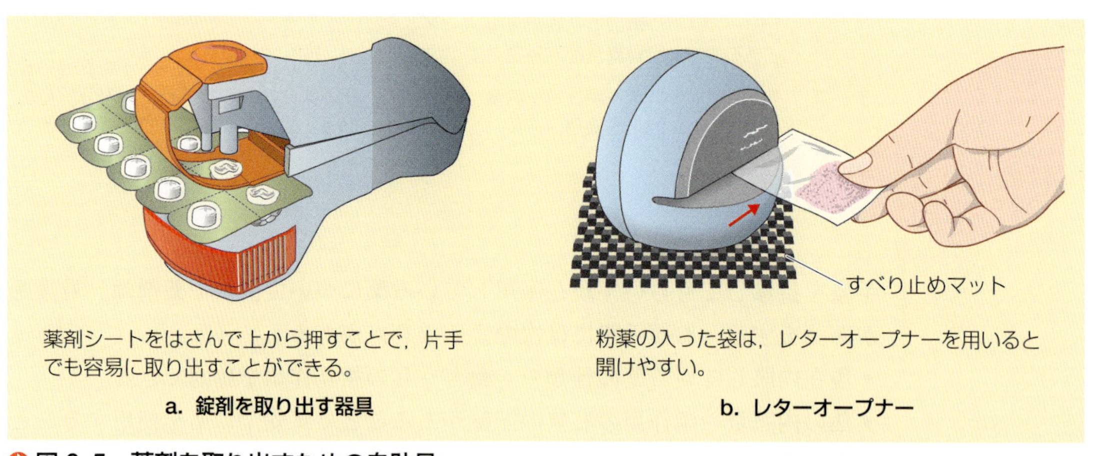

図 6-5 薬剤を取り出すための自助具

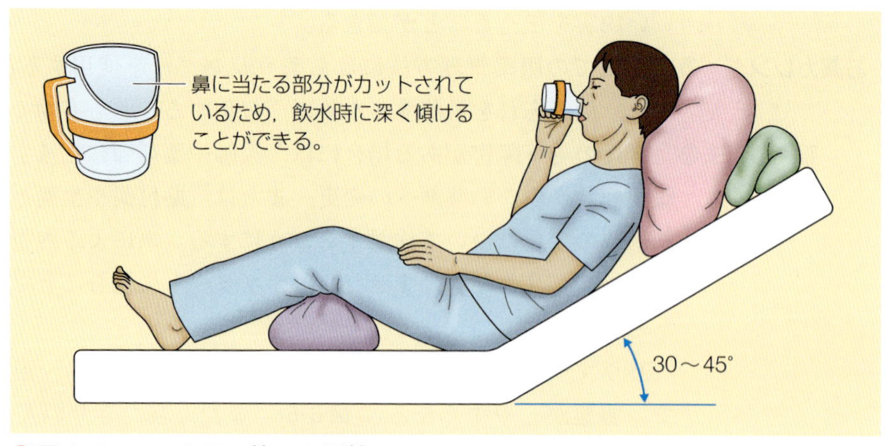

図 6-6 ファウラー位での服薬

D 入退院を必要とする高齢者の看護

高齢者が怪我や病気によって入院することはまれではない。加齢現象による変化に加え，怪我や病気による変化が重なることで，入院が長期化したり，繰り返すこともある。看護師は，環境の変化によるストレスの軽減に努めるとともに，治療が遂行できるように支援していくことが重要となる。高齢者のもっている能力を最大限維持できるようにかかわっていくことが重要である。

1 入院を必要とする高齢者の問題

高齢者は入院することで以下のような問題をかかえやすい。

①生活環境の変化によりストレスをいだきやすい　自宅とは違う環境におかれ，加えて治療も受けるという状況になるため，入院前とは生活が一変し，ストレスをいだきやすい。そのことで，夜間眠れなくなる，食欲が減少するなどの症状があらわれることがある。また，近所の友人などの親しい人との会話ができなくなることで，抑うつ状態となることもある。

② ADL が低下しやすい　畑仕事をするなどで自由に動いていた人にとって，入院は制限が多い。また，入院では室内ばきを使用し，ベッドが生活の中心となる。このことで，活動量が減り，ADL が低下しやすくなる。ADL の低下により寝たきりとなってしまうと，廃用症候群の併発の危険も高まる。

③事故の危険性が高い　視力や聴力などの感覚機能が低下しているため，不慣れな病院での日常生活では，ふらつきによる転倒やベッドからの転落などの事故がおこる危険性が高い。

④認知症の進行　入院後に，環境の変化により認知症が発症することや，家族や知人と離れてしまうことで日常生活に刺激が少なくなり，認知症が進行してしまう可能性がある。

2 入退院時の看護

多くの場合，入院は一時的なものであり，長期にわたることは少ない。しかし，過度な安静などにより問題が生じることがある。たとえば，入院前までは日中ベッドで寝ていることはなかったにもかかわらず，入院中はベッドで寝ていなければならないという思い込みをしてしまい，運動量が低下し，筋力低下につながるなどである。この場合，日中に病院内の廊下を歩く，階段を使用するなどで，入院前の生活に近い習慣を継続してもらえるよう声かけを行い，運動を促す必要がある。

1 その人らしさをふまえた援助

視力や聴力などの感覚機能や記憶力が低下していても，それを理由に「高齢者だから」とひとくくりにとらえてはいけない。その人らしさを尊重し，個性だと考え，その人に合った援助方法を提供することが重要である。

その人がそれまで歩んできた道を聞き，価値観や生活のなかで大切にしてきた習慣を理解し，患者の意思が尊重された入院生活が送れるように支援する。

2 安心感を与えるためのオリエンテーション

入院が決定すると，外来受診時に入院に必要な情報提供が行われ，治療の流れが説明される。説明の際にパンフレットなどを使用することで，患者と家族が入院生活の全体像を捉え，入院後のイメージをもつことができる。これにより，安心して心身の準備を行うことができる。

また，この際に，患者のふだんの生活や，仕事の内容，ADL の状況や現在の困りごと，といったことも確認する。これらの情報を病棟看護師に引き継ぐことも重要である。

入退院サポートセンター● 外来に入退院サポートセンターが設けられている場合は，オリエンテーションの時間が確保されているため，ゆっくりと繰り返し説明ができ，患者側もわかりにくい点を何度でも確認をすることができる。入院オリエンテーションを実施した看護職者は，病棟看護師が情報を共有できるように記録を行い，患者・家族が同じ話を何度もすることがないようにする。患者が聞きとりやすい声の大きさ・トーン・ペースなどの情報も共有するようにする。

また，患者の栄養状態や服用している薬剤などの情報をもとに，オリエンテーションの段階から多職種で介入することもある。これにより，入院直後から褥瘡(じょくそう)予防などの必要なケアが開始でき，さらに退院後の在宅看護にまで情報を引継ぐことができる。このようなシステムが構築されていると，外来から入院，退院から在宅まで，継続した医療と看護の提供ができる(➡図6-7)。

クリニカルパス● 現在は，疾患によってはクリニカルパスが使用されていることが多く，一目で治療の予定がわかるようになっている。クリニカルパスを用いることで，患者自身が術前の検査や手術について確認することができるため，不安の軽減につながる。また，医療者と患者の双方向で確認ができるため，医療事故の防止にもつながる。

ただし，高齢者の場合，文字が小さいと見えにくいことや，専門用語がよくわからないこともある。その日の予定をそのつど伝えるなどの工夫を行い，理解を促していく。

患者・家族の理解と安心のためには，コミュニケーションをよくとり，話

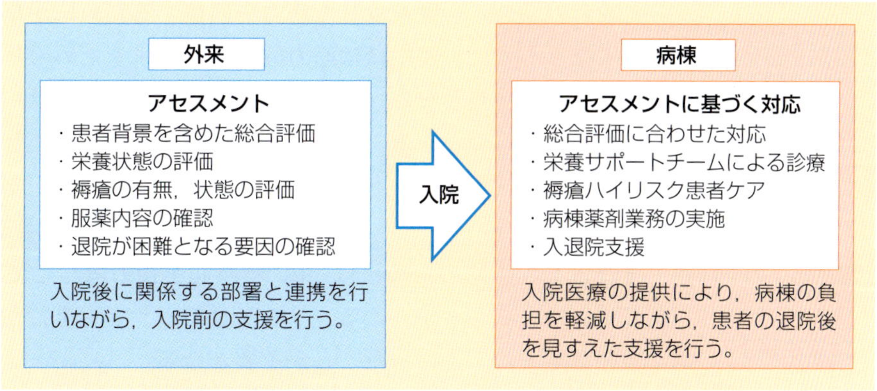

外来

アセスメント
- 患者背景を含めた総合評価
- 栄養状態の評価
- 褥瘡の有無，状態の評価
- 服薬内容の確認
- 退院が困難となる要因の確認

入院後に関係する部署と連携を行いながら，入院前の支援を行う。

入院 ⇒

病棟

アセスメントに基づく対応
- 総合評価に合わせた対応
- 栄養サポートチームによる診療
- 褥瘡ハイリスク患者ケア
- 病棟薬剤業務の実施
- 入退院支援

入院医療の提供により，病棟の負担を軽減しながら，患者の退院後を見すえた支援を行う。

➲ 図 6-7　入院前から入院をイメージできるように支援するための流れ

しやすい雰囲気をつくること，また，相談されたときに誠意をもって対応することが重要となる。質問があったときには必ず，ほかになにかわかりにくい点がないかを確認するようにする。

3 異常の早期発見

見当識の強化●　高齢者の場合，病棟などの新しい生活の場への適応がむずかしい場合がある。また，認知機能の低下などで見当識が障害され，現在いる場所や日付がわからず混乱することもある。これらは入院後のせん妄や帰宅願望をいだかせるリスクにつながる。そのため，訪室のたびに担当者が自己紹介を行うことや，ケアのなかで時間や日にち，場所を認識できるように情報を提供するリアリティオリエンテーションを実施するなどで，現実の見当識を強化することが重要である(➲ 229 ページ)。

また，入院時に，患者がふだんの生活で時間や日付の確認に使用していた時計やカレンダーを持参することも有用である。見当識を保つことは高齢者の安心にもつながり，信頼関係を構築しやすくなる。

信頼関係を構築したうえで，食事・排泄・入浴・睡眠といった，その人にあった日常生活の支援を行うと，病気や今後の生活に対する不安などの表出が可能となる。また，患者のふだんの様子を把握することは，いつもと違う表情やしぐさなどから異常の早期発見につなげることができる。

4 寝たきりをつくらないための援助

人間のからだは，下腿・大腿・胸腹部・頸部などの各部の抗重力筋によって，地球の重力に対して姿勢を保持している。30 歳以上では，1 年間で 0.5％ の筋肉量が減少するとされており，10 年で 5％，20 年で 10％ の減少となる。さらに，1 週間の絶対安静で筋肉量は 10～15% 低下し，2 か月がたつと筋肉の萎縮により筋肉量は半分になるとされている。

高齢者の場合，一度減少した筋力を回復するためにかなりの努力と時間が必要になるため，入院中には筋力低下を予防するためのリハビリテーションを行うことが重要となる。また，筋力を維持することは，退院後の自立した生活の維持にもつながる。そのために，患者ができることを見きわめ，安易に手だすけをせずに見まもり，できることを一緒に考え支援していくことが必要である。

寝たきりの予防● 寝たきりの予防のためには，臥床（がしょう）時間を極力減らしてできるだけ座って過ごす，栄養をしっかりとる，リハビリテーションを行う，筋肉を使用することを意識する，といったことが重要となる。

術後はベッドの頭側を挙上することからはじめ，移乗が可能になったら車椅子を利用し，1人で移動できるようになったら椅子に座るなど，徐々に体を起こすようにして，筋力低下を予防する。そのあとも，座ってできる運動や歩行の継続的な援助を行い，筋力の強化をはかる(➲図6-8-a, b)。

歩行を行う場合は，転倒などを防ぐため，歩行に適した靴を選ぶ。選択のポイントとして，①着用時に軽いと感じる，②指先に5～10 mmの空きがある，③靴のつま先がやや上がっている，④靴ひもや面ファスナーなどがあり，かかとが固定される，などがあげられる(➲図6-8-c)。

治療の内容によっては，ドレーンの挿入や点滴などで身体の動きに制限が生じる場合がある。医療器具が容易に外れないような固定方法を検討したうえで，本人の可能な範囲で体位変換や離床ができるように支援する。

5 退院を見すえた支援

退院を見すえた支援は，入院決定後の早い段階から開始する。まず，入院後48時間以内に，退院支援の必要性について確認するためのスクリーニン

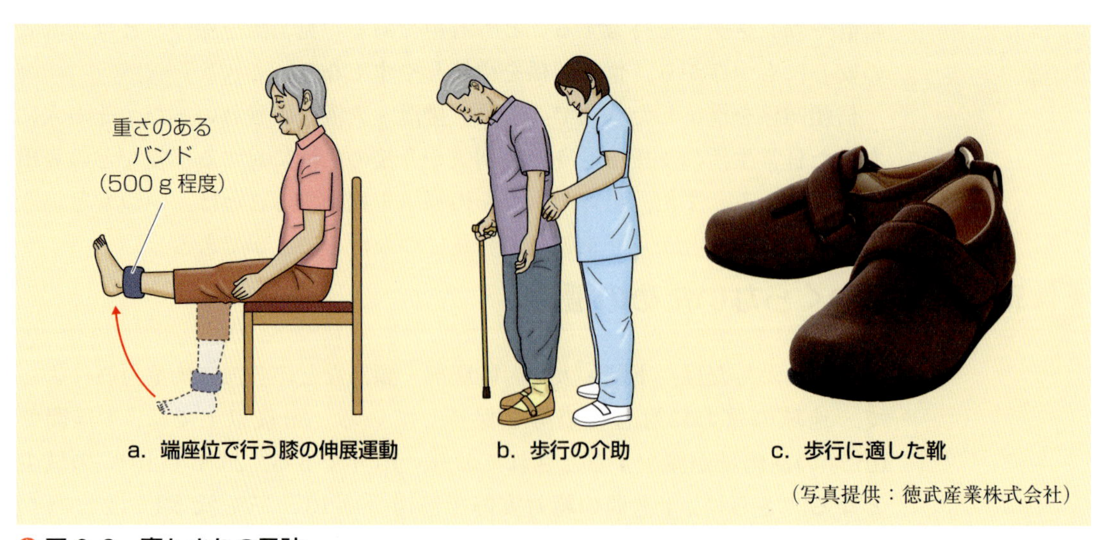

➲図6-8　寝たきりの予防

グを行う(➡表 6-2)。

スクリーニング後，結果をもとにアセスメントを実施し，支援の必要性を患者・家族と共有し，住み慣れた自宅へ安心して戻るための動機づけを行う。

次に，入院 3 日目ごろから退院まで，チームで継続的に支援を行う(➡図 6-9)。この期間に，患者・家族の疾患の理解・受容を支援することが重要となる。また，患者・家族が療養をしたい場などについての自己決定に対して

➡表 6-2　退院支援に向けたスクリーニング

入院について
- 緊急入院であるか
- 再入院であるか
- 施設からの入院であるか

患者の状態
- がん末期，難病疾患，誤嚥性肺炎などの呼吸器感染症，認知症，脳血管疾患，心不全，精神科疾患のいずれかにあてはまるか
- 脳血管疾患，骨折，認知症などの病態により，ADL や手段的日常生活動作（IADL）が低下することが予測されるか
- 心不全，糖尿病などにより在宅療養が不安定な状態か
- 摂食・嚥下機能の低下があり，栄養状態が不安定となっているか

自立度
- 医療処置があるか，または入院後に医療処置が導入されるか
- 介護支援の必要性が検討される場合，介護保険の認定があるか
- 薬剤の自己管理または家族管理が可能か
- 日常生活の自立ができているか
- 排泄に介助が必要か

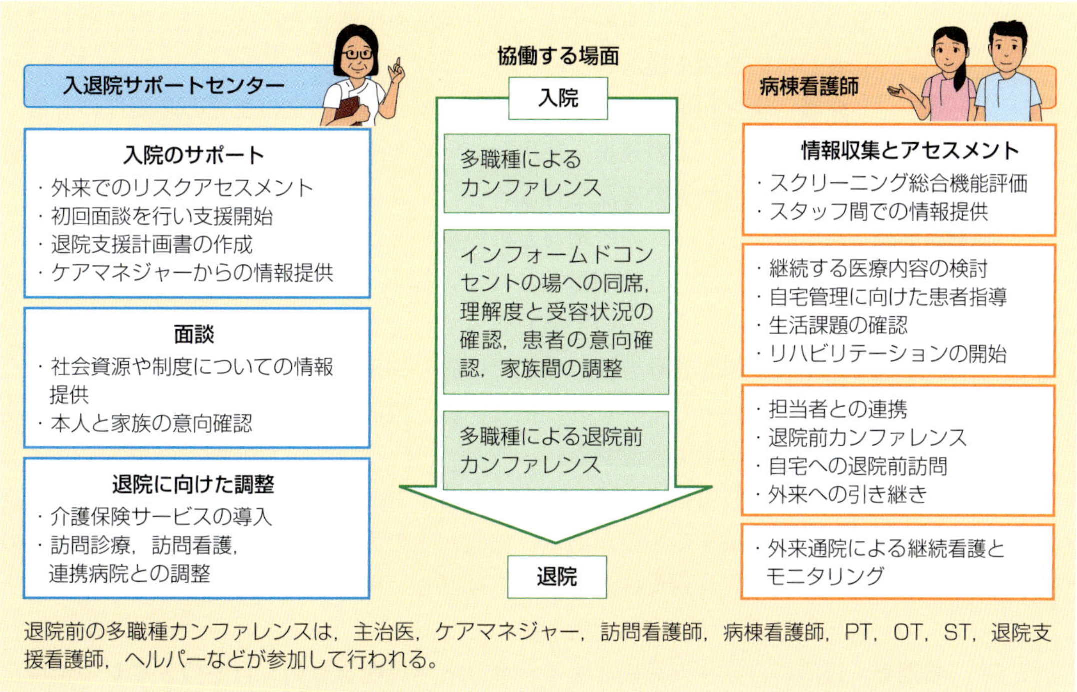

➡図 6-9　入退院サポートのイメージ

も並行して支援を行う。退院後の生活を確立するための社会資源やインフォーマルなサービスについては，必要だと判断した時点から導入のための連携・調整を開始する。

在宅看護への移行● 在宅看護への移行にあたっては，退院後にどこでどのように過ごしていきたいか，誰と一緒に暮らしたいのかといった希望について，日々のケアのなかで意思表示してもらうことが大切となる。入院中から多職種が退院調整をして，本人の望む場所で望む生活が送れるよう支援することが必要となる。

とくに高齢者の場合，「迷惑をかけたくない」という理由から，自分の希望よりも，家族の意見を優先してしまう傾向がある。そのため，本人の思いが表出できるように，ゆっくりと時間をかけてていねいに話を聞くなどして寄り添っていくことが大切である。また逆に，家族が本人に遠慮してしまうこともあるため，家族の思いも確認していくことが大切である。

そのためには，まず患者と家族が互いにできること，できないことを話し合うことが重要である。できないと考えたことでも，介護保険を使用するなどで本人の希望する場所で過ごせることもある。それぞれの状況に応じた提案を行えるよう，看護職者が制度を理解しておくことが重要となる。

3 退院後の生活への看護

退院先の決定● 退院のめどがたってきたら，病状，今後の治療方針，退院後の受診スケジュールなどの説明が行われる。ここでは，患者・家族の思いの変化の有無を確認し，療養先として，自宅，転院，施設のいずれを療養先として希望するのかを確認する。あわせて，居住環境や生活状況に応じて，生活や介護の見直しの必要性を検討する。

介護保険を利用している場合には，要介護度認定の変更の必要性の有無，ケアマネジャーとの連携，使用しているサービスの内容の検討，退院後の居住環境の整備状況の確認を行う。

医療処置● 創処置やドレーンの管理などの医療処置がある場合，患者が自立しているか，自宅で可能な方法が指導されているか，訪問診療や訪問看護の導入は必要か，といった点について話し合っておく。内服薬がある場合は，薬剤師からの指導，内服管理方法，在宅での服薬支援体制についても確認する。また，栄養状態が低下していたり，摂食・嚥下機能が低下したりしている場合の在宅支援についても検討する。

とくに，経口摂取が困難な場合には，胃瘻(いろう)の造設の有無などについて，意思決定を支援する必要がある。施設からの入院となった場合には，退院後の再度の受け入れが可能かどうかを確認し，困難な場合にはその理由を患者・家族に伝え，代替案を検討する。

排泄● 排泄の自立状況も確認する。介護者へ説明を行い，自宅のトイレの環境を確認したり，本人のセルフケア能力が維持・向上できるための方法を構築する。さらに，社会資源の活用による支援の必要性などを考慮して，話し合いを行う。

地域包括ケアシステムの利用 退院後も患者が安心して過ごすためには，医療と介護が連携した地域包括ケアシステムにのせる必要がある（➲243ページ）。退院後に困ったことが生じた場合，介護保険を利用している人であれば，ケアマネジャーに相談し，介護保険を利用していない場合には，地域包括支援センターに相談する。また，サービス担当者会議や連絡ノートなどを用いて情報共有を行う。退院後の在宅看護，訪問看護については，第8章で詳しく述べる。

E 手術を受ける高齢者の看護

高齢者の場合，手術時の麻酔だけでも大きな侵襲となる。そのため，手術を受ける高齢者の看護にあたっては，観察とアセスメントにより異常の早期発見に努め，治療が安全に遂行できるように支援する必要がある。また，加齢に伴う心身機能の低下から，麻酔による合併症がおこりやすくなっている。そのため，事前の十分な説明と予防への援助が重要となる。

術後合併症 手術や合併症に対して患者が不安をいだくことも多いため，早期からの手術前訓練の実施や，体力維持のための毎日の散歩，栄養バランスのよい食事の摂取，禁煙を行うなど，術後合併症を可能な限り予防できるように準備することが重要である。術後合併症を予防することは，入院期間の長期化を防ぐことでもあり，介護予防にもつながる。

1 手術を受ける高齢者の看護問題

手術は身体的にも精神的にも負担が大きく，その軽減には外来受診時からの準備が重要となる。高齢者にとっては，検査から入院，そして手術という流れのなかで，場所もかかわる医療者もかわることになる。そのため，検査に伴う不安や苦痛は誰に話せばよいのか，家族に弱音を吐いてもいいのかなど，さまざまな葛藤と不安をもつ。さらに，術前検査では，内視鏡検査のような，事前に処置が必要な検査も多く，また，苦痛を伴う検査もあるため，不安が増強しやすい。

患者の不安の軽減のために，検査室の看護師と外来看護師が連携しながら頻回に声をかけ，不安の除去に努めていく。また，身体的な緊張が生じることや，視力や聴力の低下から説明が聞きとれず，過度に緊張してしまうこともある。説明時にはゆっくりと大きな声で説明するなどで，その人の状況に合わせて支援することが重要である。

2 手術前の看護

1 加齢による身体的・精神的・社会的な変化の把握

手術に影響のある高齢者の身体的特徴には，加齢による筋肉量の減少，骨量減少による骨粗鬆（そしょう）症，予備能力の低下などがあげられる。これらにより，成人と比べると侵襲からの回復や創傷治癒に時間がかかり，術後合併症を併発しやすくなっている。また，体力が低下して自力での体動が減少し，寝たきりや褥瘡が発生する可能性も高くなっている。

精神的な特徴としては，記銘力や想起する力が低下しており，また，環境の変化から不安が増強しやすい。社会的な特徴としては，休職や退職に伴う経済力の低下などがあげられる。

どの特徴も把握したうえで，その人とのコミュニケーションのなかから，どのようなことが不安なのか，その不安を少しでも解決するには具体的にどのような情報が必要かを確認する。とくに，高齢者の意思決定支援をする場面では，本人が落ち着く場所で，本人が安心できる人と，図や表を活用しながら時間をとって支援することが重要である。「治療が終わったらどんなことがしたいですか？」のような開かれた質問を行い，本人の身ぶりや表情からも考えを読み取っていく。

2 手術前のオリエンテーション

術前の説明と見学● 医師から手術に関する説明が行われ，患者の同意が得られたら，手術前の処置や手術前・中・後の流れについて説明する。手術では，ドレーンの挿入など，手術以外では経験しない処置もある。術後のせん妄予防のためにも，患者が処置をイメージできるよう具体的に説明をすることが大切である。

術後は，集中治療室（ICU）に入室することもある。術前の見学やICUの看護師との面談などで，患者が具体的な情報を得られるようにして，不安の軽減に努める。手術後に病棟の回復室（リカバリー室）に入る場合や，手術の前と異なる病室に移動する場合も，見学ができるようにしておくとよい。

身のまわり品の準備● 術後すぐに必要となるティッシュペーパーやタオル，本人の使用していた時計などはベッドサイドに置いておくだけでも安心感が得られる。必要なものは前もって預かっておき，術後にすぐに使用できるようにする。さらに，高齢者の場合，手術によって時間や場所がわかりにくくなるため，訪室するたびに時間を伝えることや，時計やカレンダーを本人の見える場所に置いておくこと，夜間は照明を落としておくことなどの工夫により，日常生活のリズムがくずれないようにすることが大切である。

栄養状態の確認● 術後にはせん妄がおきることがある。せん妄になりやすい病態には，脱水，低酸素血症，電解質異常，貧血，ビタミン欠乏などがある。これらの有無に

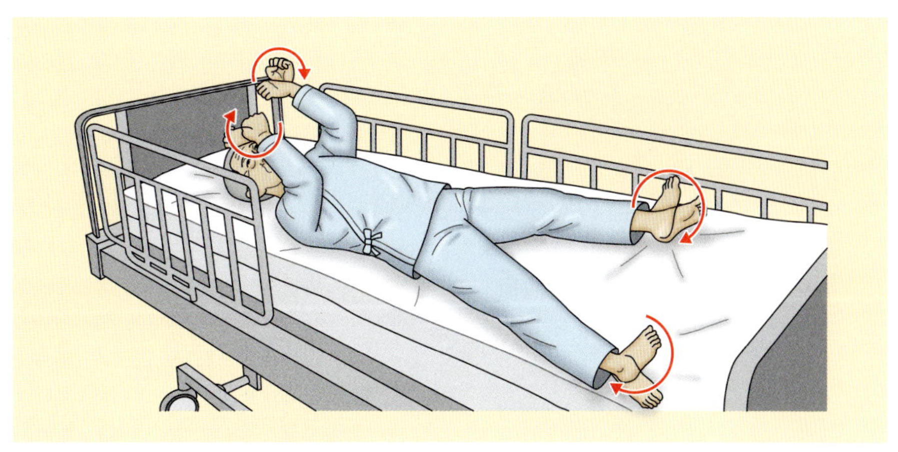

➲ 図 6-10 術後の手足の運動

ついて術前から確認を行い，栄養状態がよい状況で手術にのぞめるように支援していく。

薬剤の確認● また，投与されている薬物が術後の創傷治癒に影響する可能性がある。睡眠薬や降圧薬，副腎皮質ステロイド薬などの内服の有無についても確認する。

運動に関する説明● 術後にドレーンや点滴などが入ることで，自力で身体を動かすことができなくなると思いこんでしまう患者もいる。そのため，手術の前に，深部静脈血栓症や肺塞栓(そくせん)症の予防のため，術後には足首の屈曲などの運動を行う必要があることを説明する。具体的には，手首・足首をまわす，膝の屈曲・伸展などであり，ベッド上で可能な範囲で行うよう説明する(➲ 図 6-10)。

また，術後に下肢に弾性ストッキングやフットポンプなどを装着することもあるが，この場合でも膝の屈曲・伸展などの運動が必要であることを説明しておく。そのほか，手術部位に影響しない範囲で，下肢を外側に広げて戻すなどの運動を実施すると，関節拘縮の予防につながり，転倒の防止にもなる。

3 呼吸器合併症予防のためのトレーニング

術前からの呼吸訓練● 高齢者では，加齢に伴い呼吸筋が衰え，肺の弾力が低下し，肺活量も低下している。また，肺の機能自体も低下しているため，手術時の全身麻酔により術後無気肺や呼吸器合併症を生じる可能性が高い。無気肺により痰の貯留が生じると肺炎のリスクが高まり，そこから全身性の感染につながるなどで生命の危機に陥ることもある。これらの予防のために，手術が決定したら入院をまたずに呼吸訓練を開始する(➲ 図 6-11)。

呼吸訓練の際は，数字で目安を示しておくこと，また，成果を確認して出来ていることを認めることが，患者の訓練への動機づけとなる。継続して訓練を行えるよう，意識して声かけを実施する。喫煙者に対しては禁煙の必要性を説明し，遵守できるよう支援していく。

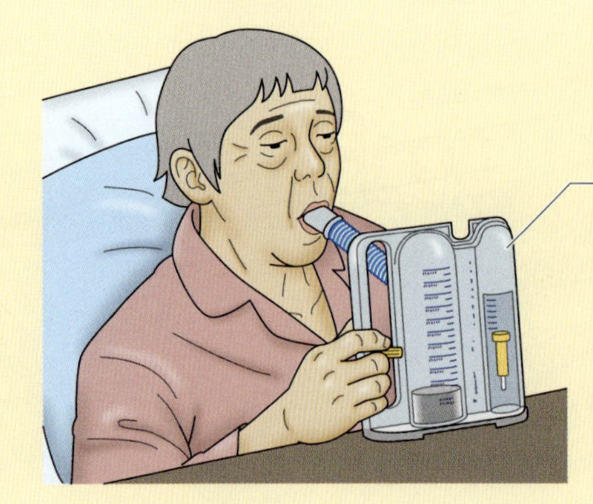

インセンティブ - スパイロメトリー

術後に早期に呼吸機能を回復するため，術前から呼吸訓練を開始する。呼吸訓練の器具には，患者が吸気量を確認しながら訓練ができるインセンティブ - スパイロメトリーなどがある。訓練の重要性を患者が理解でき，意欲的に取り組めるように支援する。

図 6-11 術前の呼吸訓練

口腔内の清潔● 唾液腺の機能低下によって唾液量が少なくなり，自浄作用が低下しており，口腔内で細菌が増殖しやすくなっている。口腔細菌により術後に肺炎をおこすこともあるため，呼吸訓練と並行して口腔内の清潔も継続できるように支援する。

4 手術前の処置と手術当日の看護

手術の前日から当日にかけての処置と看護は次のような流れで行われる。

(1) 麻酔科医の指示に従い，降圧薬などを使用する。術前に麻酔科医や手術室看護師が訪問して手術の説明を行い，患者の不安軽減に努める。また，高齢者は不安などで入眠が困難となることが多い。睡眠導入薬が処方されている場合には，消灯時に服用して睡眠時間を確保できるようにし，手術当日はいつもと同じ時間に起床できるようにする。
(2) 義歯は病棟で外し，排泄をすませてから手術室に行く。
(3) 眼鏡や補聴器を使用している場合には，手術室まで装着していき，入室後に外してもらう。預かるものは失くさないように専用の容器に入れて持ち運ぶ。眼鏡や補聴器を外すことで，手術室での説明の理解がむずかしくなる場合は，病棟であらかじめ手術の流れを説明しておく。
(4) ADL が自立していれば，歩いて手術室に行く。病室を出発する時間は，具体的に伝えておくことが大切である。高齢者は体温調整機能が低下しているため，手術着のみでは寒い場合もある。体温が低下してしまうと，血管が収縮して点滴などの際に血管確保が困難となる場合があるため，上着などを着用して体温が低下しすぎないようにする。
(5) 手術室に入室すると，麻酔科医や手術室看護師から手術までの手順などの説明がある。手術室という特殊な空間では患者は緊張状態になりがちである。事前に病室または外来で手術時の担当看護師と会っておくことで，安心感につながる。

(6) 手術時には電気メスを使用するため，金属類を装着したままの場合，熱傷となる危険性がある。そのため，ネックレス，時計，イヤリングなどはすべて外してもらう。とくに指輪などは，手術後に浮腫が出現した際にうっ血につながる危険性もあるため，必ず外すようにする。義歯についても，挿管の際に外れて誤嚥する可能性があるため，部分床義歯も含めてすべて外してもらう。

(7) 手術中は，バイタルサインの変化に注意する。高齢者の場合，循環動態の変動による血圧や脈拍の変化，不整脈の出現などに注意する。致命的な不整脈に移行することもあるため，モニターで経時的に観察を行う。

(8) 手術終了後は，麻酔の影響により，意識障害や精神障害が出現する可能性がある。また，慣れない環境や身体の負担により精神的に強いストレスがかかっている。術前・術後で意識や言動が変化している場合には，医師に報告するとともに，ベッドからの転落などがなく安全に過ごせるよう環境を整える。

(9) ドレーンや点滴などが留置されている場合は，自己抜去をおこさないよう，固定方法を工夫して抜けないように注意する。

3 手術後の看護

1 手術後の合併症に対する援助

高齢者は，術後に以下のような合併症を併発しやすい。

1 手術操作に関連する合併症

手術中の操作によって生じる合併症には，出血，縫合不全，膿瘍（のうよう），術後腸閉塞などがある。術後は，バイタルサインの変化を観察し，異常があればすぐに医師に報告する。

2 手術の侵襲によって生じる合併症

手術の侵襲による合併症には，創部痛，心不全，無気肺，不整脈，肺炎，腎機能低下，肝機能低下，ストレス性障害などがある。バイタルサインの変化を観察するとともに，異常について医師に報告し，十分な鎮静を行う。それとともに尿量の変化や，採血データなどの観察を継続して行う。

高齢者は痛覚が低下しているが，術後1日目や夜間就寝時には鎮痛薬を投与し，日中の離床を促すとともに，夜間の睡眠時間の確保に努めることが重要である。

3 麻酔に関する合併症

麻酔に関する合併症には，せん妄や気管挿管に伴う嗄（さ）声，深部静脈血栓症，神経麻痺，悪性高熱，排尿障害があげられる。排尿障害は，とくに硬膜外麻酔の使用時におこりやすい。

嗄声● 気管挿管の操作により嗄声が発生することがある。一時的に反回神経が麻痺することが原因であり，時間とともに徐々に回復することが多い。

深部静脈血栓症 長時間手術では，深部静脈血栓が生じる場合がある。これは長時間にわたり同一体位をしいられることにより，おもに下肢の静脈に血栓を生じるもので，肺塞栓症の原因となる。離床時に突然呼吸困難を訴えたり，顔色が一気にわるくなったりした場合には肺塞栓症を疑い，すぐに医師とほかの看護師のたすけを呼び対処する。

深部静脈血栓症を予防するためにも，ベッド上で足首をまわす運動は有効である。弾性ストッキングを装着することも有効であるが，糖尿病の基礎疾患がある場合は，末梢循環不全を合併していることが多く，着用時の圧により末梢循環が停止し，足趾(そくし)への血流が遮断(しゃだん)される危険性がある。そのため，必ず，足背(そくはい)動脈，後脛骨(こうけいこつ)動脈，膝窩(しっか)動脈を触診し，血流を確認することが重要である。

4 術後管理に関連する合併症

術後は創部痛により，自力での体位変換が困難となるため，褥瘡が発生しやすくなる。予防のためには，十分な鎮痛を行ったうえで早期離床を進めることが重要である。

また，加齢によって体力や免疫能が低下していることにより，感染症や肝機能障害，腎機能障害，輸血を行った際の移植片対宿主病(GVHD)なども生じやすい。感覚機能の低下により，自身の不調に気づきにくいこともあるため，バイタルサインの変化や全身観察，採血データなどの変化に注意していく。

術後せん妄 高齢者に最もおこりやすい合併症が，術後せん妄である。症状として一過性に錯乱(さくらん)や幻覚などがあらわれ，時間や場所がわからなくなり，手術をしたことも忘れてしまうことがある。手術から24時間～3日ごろにおこり，一週間程度続く場合もある。予防には，手術後に早期離床をはかり，日中の覚醒を促していくことが重要となる。

せん妄 せん妄への対応としては，時計やカレンダーを見える位置においたり，頻回に訪室して時間や処置などの予定を一緒に確認するなどで，見当識の確保に努めることが重要である。バイタルサインが安定していれば，離床を進めていく。

腸閉塞 腸閉塞もよくおこる合併症である。これは，麻酔によって腸管が休息状態となることで，腸の蠕動運動が低下または停止状態となり，腸管内腔が閉塞した状態になるものである。早期離床により，腸の機能および全身の身体機能を覚醒することが重要となる。

その他の合併症 腹部に創ができる手術の場合，起き上がりや痰の排出の際に腹筋に力が入らなくなることがある。また，創痛が影響して排痰が効率よくできないことで，呼吸器合併症として無気肺や肺炎になることがある。このほか，術後出血や縫合不全などがおこることもある。

2 手術後の精神症状に対する援助

術後の処置に関する説明● 術後は，バイタルサインのチェックや点滴，ドレーンの管理などを頻繁に行う必要があり，術前に比べると処置が多くなる。また，ドレーンなどの身体への挿入物により，寝返りができず睡眠サイクルがくずれて熟睡できないことや，処置のために医療者が何度も部屋に入ってくることなどで，患者はストレスをいだきやすい。処置にあたっては，看護師は適宜声かけを行い，処置の内容を説明して，実施の許可を得ることが重要となる。このようにして信頼関係を築くことで，ストレスが緩和され，また痛みや不安なことを話してもらえるようになる。

術後の患者は，術前の説明から想像していた状況と実際が異なることで，混乱することがある。たとえば，手術前にオリエンテーションを実施していても，実際に両手に点滴が入り血圧計が巻かれると，患者は自分の腕を動かしてよいのかわからなくなることがある。そのため，術後に再度説明を行うことが重要となる。1回の説明ではわかりにくいこともあるため，本人の理解度に応じて繰り返し説明する。

術後せん妄の予防● 術後せん妄を予防するには，術前の十分なオリエンテーションとともに，時間や場所をこまめに伝えること，不安を軽減することが重要である。患者の時計やカレンダー，写真などのなじみの物品を，患者から見える位置に配置し，訪室の際は現在の時刻を伝え，今後の予定について説明する。また，早期離床をはかり，日中の覚醒を促していくことが重要となる。

せん妄がおこる可能性が高くなる前に，痛みをがまんしていないか，不安なことを表出できているかといったことを，表情や言動などから予測することも重要である。患者がなにかを言いたそうにしていたり，「だいじょうぶ」などの単語だけを繰り返したりして話がまとまらない場合は，なにかをがまんしていたり，考えをうまく話せていない場合がある。看護師が目線を合わせたり，低い位置から話すようにして，ゆっくり時間をとれるような雰囲気のなかで説明を行うようにする(➲図6-12)。

処置にあたっては患者の希望も確認し，可能であれば処置時間の調整を行うことで対応し，不安の軽減に努める。看護師は，患者の訴えを傾聴し，共感的態度で接することが重要となる(➲44ページ)。

せん妄がおこった場合に備え，ドレーン類の誤抜去がないような固定方法を工夫しておくことも必要である。

3 早期離床への援助

目的● 手術後は，機能低下や廃用症候群の発生を予防するために，術後早期から離床を開始する。早期離床は無気肺や肺炎などの呼吸器合併症の予防につながり，循環がよくなることで血栓の予防や創傷治癒が促進される。さらに，

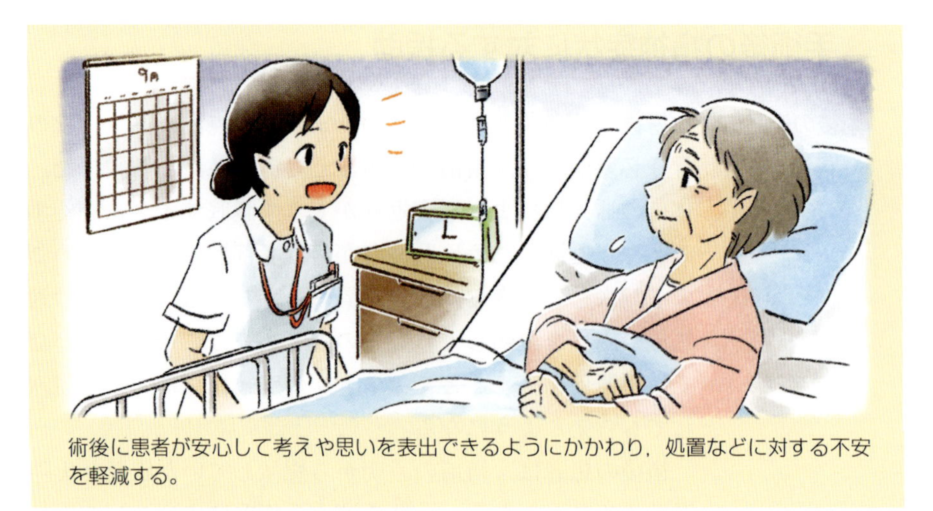

術後に患者が安心して考えや思いを表出できるようにかかわり，処置などに対する不安を軽減する。

図 6-12　患者の安心のための説明

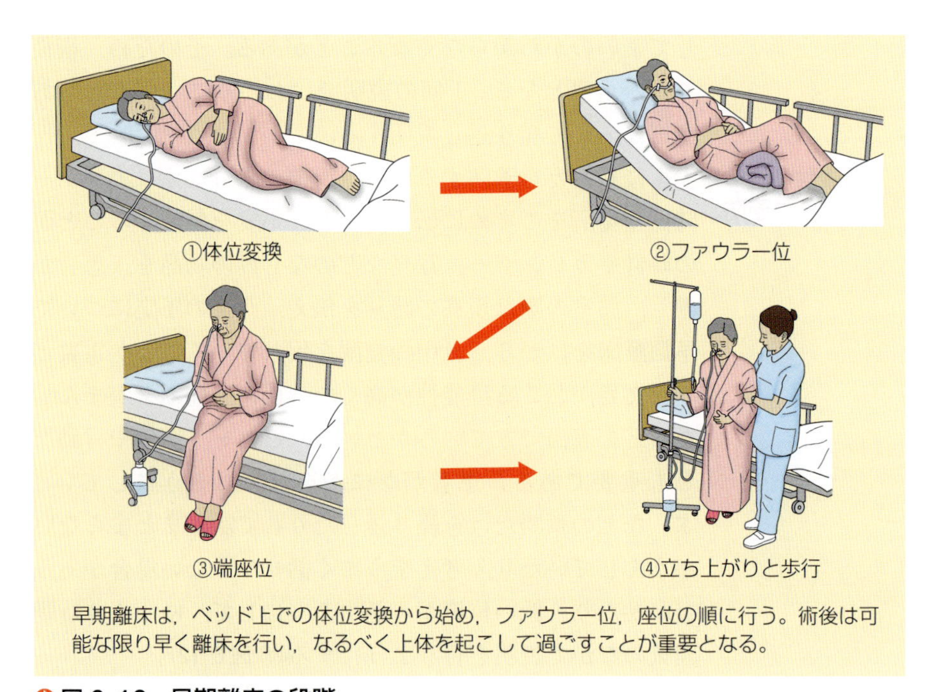

早期離床は，ベッド上での体位変換から始め，ファウラー位，座位の順に行う。術後は可能な限り早く離床を行い，なるべく上体を起こして過ごすことが重要となる。

図 6-13　早期離床の段階

腸の蠕動運動が再開されて腸閉塞の予防にもなるなど，合併症予防にも大きく貢献する。動くことによって全身が活性化されるため，生活リズムの改善にも役だつ。

実施●　医師からの特別な安静の指示がなければ，バイタルサインの変動を確認しながら，段階的に離床を実施する(➡図 6-13)。創痛がある場合でも，鎮痛薬を効果的に使用し，鎮痛時にタイミングをみて離床を進める。そうすることで，徐々に患者が離床の方法を理解でき，離床時間の延長につながる。

(1) 朝，カーテンを開けて日光を部屋の中に取り入れ，顔をふき，歯みがきやうがいなどを実施する。

(2) ベッドをギャッチアップして上体を起こす準備をする。ドレーンや点滴などは，片側にまとめておく。眼鏡や補聴器，義歯などは，このときに装着する。

(3) 離床の説明を行って端座位にし，めまいや血圧低下がないかを確認する。その後，ベッドの高さを調整して立ち上がりを介助する。けっして無理はしないようにする。

(4) 離床を進めながら，洗面や歯みがき，ひげそりといった，ふだん行っている清潔行為を，可能な範囲で本人ができるように環境調整をしていく。

■早期離床を進める際の注意点

離床を進める際には，ドレーンや点滴のルートなどがからまっていないか，また，表情がつらそうではないかなどを十分に確認して進めていくことが重要である。こわい思いをすると，次に同じことをするときに躊躇(ちゅうちょ)するため，安全を優先してケアを実施していく。

また，手術前から体力や筋力の維持を心がけ，手術後の身体の起こし方を練習しておくことも大切である。たとえば，腹部に創ができる場合には，まずからだを横に向け，腕をついて腕の力を利用してからだを起こせるようにしておくことが必要となる。

術後は臥床位から少しずつギャッチアップを行い，身体を慣らしていくことが重要となる。術後は体力が低下しているが，数か月すると徐々に戻ってくるため，長期的にリハビリを継続していくことが重要となる。

スキンテアの予防● 高齢者の場合，皮膚が脆弱(ぜいじゃく)になっているため，離床時の介助による摩擦や，ベッド柵に四肢がぶつかることでスキンテアや骨折をおこしやすい(➲151ページ)。スキンテアは，皮膚の乾燥もリスク要因となるため，手術の前から保湿ケアを実施するようにする。

また，筋力の低下や離床時の血圧の変化により座位を保持することが困難になることがある。このとき，腕だけをつかんで支えないように注意する。これは，1点で患者の体全体を支えようとすると，その部分にスキンテアをおこしやすくなるためである。

4 生活自立への援助

術後の全身状態の回復とともに，生活の自立に向けた支援が開始される。その際，患者が退院後の生活をイメージできるようにかかわる。術後から本人ができることは本人にまかせること，結果をすぐに求めずに長期的な視点でリハビリテーションを継続していくことが介護予防につながる。

退院に向けた支援● 入院中から自宅の状況を確認するなどして，自宅に戻ってからも可能な限り安全に過ごせる準備ができるように支援する。具体的には，動きやすいパジャマを着用する，動きやすい靴をはく，不必要な点滴やドレーンの固定を確実に行う，動作により点滴やドレーンが抜けないようにする，といったことが大切である。

また，できる限り経口摂取を行えるようにすることも大切な支援である。義歯があれば装着して過ごすこと，また，咀嚼（そしゃく）がしっかりできるように椅子に座って食事をすることも，介護予防につながる。全身麻酔後であれば，腸閉塞の予防のために，調理時に食物繊維をこま切れにすることも必要となる。

退院が近づいたら，退院前カンファレンスを実施し，多職種で支援できる体制を整えておく。退院後になんらかの支援が必要と判断された場合には，訪問看護などを利用できるように支援する。

F 救急対応を要する高齢者の看護

高齢者は症状を自覚しにくくなっていることが多く，本人が思っている以上に重症化している場合がある。たとえば，肩こりが続くために整骨院で治療を受けていたが治らず，ほかの医療施設を受診したところ，その痛みが狭心症の関連痛であることが判明するといったことがある。

1 早期発見のための対策

命にかかわるような疾患に伴う症状であっても，高齢者本人の自覚がないために診断が遅れることはめずらしくない。とくに，慢性的な疾患をかかえている場合には，別の疾患による症状であることに気づきにくくなる。そのため，症状が強くなったときや，診断がついたときには重症化しており，救急対応を要することも多い。看護師には，迅速な観察と判断とともに，これからおこりうることを予測した対応が求められる。

患者本人に自覚がない場合でも，急変状態となる前に，危険な徴候（サイン）があらわれることは多いため，看護師はそれに気づく必要がある。実際，60～70％の症例で，心停止となる6～8時間前になんらかの前兆（ぜんちょう）がみとめられている[1)]。

急変をおこす前に徴候に気づき，早めに処置を行うことが，重篤（じゅうとく）化を回避し，患者の生命をまもることにつながる。

1 患者の変化の観察

早期発見は，具体的な症状の確認よりも，ふだんの状況を知る看護師の気

1）Schein R. M, et al.: Clinical antecedents to in-hospital cardiopulmonary arrest. *Chest*, 98 (6): 1388-1392, 1990.

づきから始まることが多い。なによりもまず，患者の様子を見て「なにか変だ」「いつもと違う」と気づくことが重要である。患者に接したときに，ふだんの状況と比較してどう変化しているのかをとらえていく必要がある。

2 危険な徴候の確認

患者の変化に気づいたあとは，呼吸不全や循環不全，中枢神経障害，代謝異常，ショックといった，急変や死に結びつく可能性のある徴候の有無を確認し，異常の発見を行う。

①呼吸

- 1分間に24回以上の頻呼吸，努力様呼吸，明らかに不十分な呼吸
- 吸息・呼息時の異音や雑音
- 動脈血酸素飽和度(Sp_{O_2})の低下

②末梢循環

- 皮膚の蒼白，チアノーゼ
- 冷感(敗血症の場合は温感)，冷汗
- 頸動脈の脈拍の低下(心停止の可能性)
- 橈骨動脈や大腿動脈の頻脈および脈拍の低下(ショック)

③外見と意識の異常

- 表情や姿勢の違い
- 呼びかけに対する無反応，構音障害，もうろう状態

3 対応方法

在宅看護における救急時の初期対応にあたっては，まずバイタルサインを測定する。測定ができない場合には，安全な場所で呼吸を確保できる体位を確保し，体温が維持できるように毛布などの掛物を用いて保温に努める。安全が確保できていることが確認できたら，フィジカルアセスメントを行っていき，呼吸・循環の異常の有無を確認する。

呼吸が停止している場合には，まず窒息を考慮し，もちやパンなどの，気道を閉塞しやすい食べ物がのどに詰まっていないかを確認する。その後，頸動脈や橈骨動脈を触診し，脈の拍動を確認する。拍動が微弱な場合には，心停止を疑う。

末梢循環の測定では，パルスオキシメーターを使用してSp_{O_2}をはかる。パルスオキシメーターがない場合には，CRT(毛細血管再充満時間)を計る爪床圧迫テスト(ブランチテスト)[1]を行い，爪床が元の色に戻るまでに2秒以上かかるかを確認する。

心臓マッサージを実施する際は，高齢者はやせ型の人が多いことや，骨粗

1）爪床を5秒間圧迫したあとに，爪床の赤みが回復するまでの時間が毛細血管再充満時間(CRT)である。爪床圧迫テストではこの時間を計測する。2秒以上かかる場合，緊急治療が必要と判断される。

鬆症の人が多いため，胸骨圧迫による肋骨骨折に留意する。夏の暑い日には熱中症による脱水も多い(➲195ページ)。

なお急変時の対応については，心臓マッサージはしないなどの意志決定をしている高齢者もいる。そのため，日ごろからケアマネジャーなどと連携をはかり，急変時の対応について前もって話し合っておくことも大切である。

救急時の連携● 急変を予測していても，意識レベルが低下したり，心停止する場合がある。その場合には，周囲の人にたすけを求め，手伝ってくれる人を確保することが重要である。胸骨圧迫を実施する人，自動体外式除細動器(AED)を持ってくる人など人手が必要となる。医療施設以外の場合は救急車を呼ぶことも同時に行い，その場にいる人たちが連携しながら急変の対応を行う。

2 緊急連絡

緊急時の連絡先は，必ずカルテに記載しておく。連絡のつく家族や親族，友人3名程度の携帯電話番号を聞いておくとよい。ケアマネジャーにも連絡先を確認する。

近年では救急医療情報キットを配布している自治体もある。キットの中には，高齢者が救急車などで運ばれたときに必要となる医療情報や薬剤情報提供書，診察券や健康保険証の写し，本人の写真などが入っている。本人以外の人にも場所がわかるように，自宅の冷蔵庫内に保管するように指定されている。治療時に必要な情報を救急隊や医療機関にスムーズに伝えるために有効である。

■医師への報告

急変時に医師へ報告する際には，的確な報告が求められる。報告の際はISBARC(アイエスバーシー)を用いて報告すると相手が理解しやすい。I(Idenitify)：報告者，S(Situation)：状況，B(Background)：背景，A(Assessment)：アセスメント，R(Recommendation)：提案，C(Confirm)：口頭指示の復唱確認の順番に伝える。

■家族への報告

救急対応が必要な場合，家族への連絡は必須である。一刻でも早く状況を説明するため，また，診断に結びつく重要な情報がないかを確認するためである。

救急時，家族は混乱していることが多く，必要な情報を得られないことがある。ケアマネジャーなどが医療者と家族の間に入り，客観的な情報を得るとともに，必要な情報を伝えるようにする。客観的な情報は断定的に話をしてもよいが，それ以外のことを推測で話すとのちのちのトラブルのもとになるため，注意する。家族が知りたい情報と医療者が提供できる情報にはギャップがあることも，医療者は意識しておく必要がある。

不明点については，その場で解決しようとしないことが重要である。家族が感情的になっている場合には，時間をかけて何度も説明していくことが重要となる。とくに，患者と離れて暮らしている家族の場合，医療者との信頼関係が構築されていないことが多く，まずは関係性を構築していくことが重要となる。どのような場合であっても，説明時の言動によって相手が受ける印象は変わってくるため，誠実に対応する。

救急時の連絡の際に看護師が動揺していると，家族も動揺してしまう。その状態で，急ぐことを優先するあまりに信号無視などをしてしまうと，交通事故にもつながりかねない。家族が冷静に安全に移動できるような伝え方をすることも，看護師の大切な役割である。

患者急変時の家族への報告例

看護師：いつもお世話になっております。Bさんの訪問看護師を担当しています，看護師のAです。ご家族のCさんの携帯電話でお間違いありませんか？

家　族：はい，Cです。母がいつもお世話になっております。

看護師：先ほど，13時からの訪問にお伺いさせていただきました。いつもは玄関で挨拶をするとBさんが出てきてくださるのですが，今日は返答がありませんでした。なにかあったときのために鍵の場所をお聞きしておりましたので，玄関の鍵を開けて入らせていただきました。

家　族：そうでしたか……。それで，母はどうでしたか？

看護師：Bさんはリビングで左側を下にして倒れており，倒れた際に額をぶつけたようで出血がありました。お声かけをしたところ意識がもうろうとしており，血圧も180 mmHgをこえるなど，身体状況がかなり不安定な状態でした。私1人ではBさんをかかえられず，タクシーで病院へお送りすることもできないため，救急車を要請しました。あと10分程で到着予定とのことです。

家　族：ええ！そうでしたか。大丈夫なのでしょうか？心配です。

看護師：現在意識がはっきりしていない状況です。いまからこちらに来ていただけますか？

家　族：それは心配です，すぐに向かいます。

看護師：わかりました。搬送先の病院は救急車が到着してから決まります。もしCさんが到着する前に病院が決まるようでしたら，Cさんのこの電話番号にお電話させていただきますが，それでもよろしいですか。私携帯電話の番号は，○○○-○○○○-○○○○です。

家　族：わかりました，よろしくお願いします。ここからですと，20分くらいはかかってしまうかもしれません。

看護師：わかりました。私はBさんのそばを離れず救急車の到着を待ちますので，くれぐれも事故などにあわないよう，気をつけておこしください。

家　族：ありがとうございます。では，これから急いで向かいます。

3 応急処置の実際

1 呼吸困難への対応

原因● 高齢者は，加齢による気管支粘膜の線毛運動の低下や，咳嗽(がいそう)反射の低下により，呼出障害が生じやすい。また，呼吸機能自体が低下しているため，呼吸困難が生じることもある。呼吸困難の症状があらわれたときは，全身状態の観察を行い，迅速に医師に報告する(➲ 図6-14)。

観察と対応● 呼吸困難を急に訴えた場合には，すぐに医師やほかの医療者に応援を依頼し，食べ物などが詰まっていないか口腔内を確認する(➲ 表6-3)。患者に対しては，のどに詰まったものを取り除くための処置をすることを伝える。

窒息したものを排出する際は，背部叩打(こうだ)法で行う。必ず立った姿勢で，背中より口を下の姿勢にして背部叩打法を実施する。その後，患者が気を失った場合にはすぐに，心肺蘇生を実施する。

また，入院などの環境変化による不安から呼吸困難を訴える患者もいる。この場合，本人の訴えを傾聴し，不安や苦しみを理解したうえで，姿勢をかえたり背中をさすったりするなどの手当てで安楽になる場合もある。部屋が乾燥していると呼吸のしづらさを感じやすくなるため，環境の調整も行う。

2 心臓発作への対応

原因● 心臓発作は，狭心症や急性心筋梗塞などを原因とし，高齢の男性におこりやすい。圧迫感や痛み，息苦しさなどの不快感が上半身に突然生じ，それが15分以上続く場合は，心臓発作を疑う。冷汗やめまい，吐きけなどを伴うこともある。

発作は，6時～8時ごろと，20時～22時ごろにおこりやすい。また，入浴時やトイレの使用時は，温度の変化で血圧が変動しやすいため発作がおこりやすい。

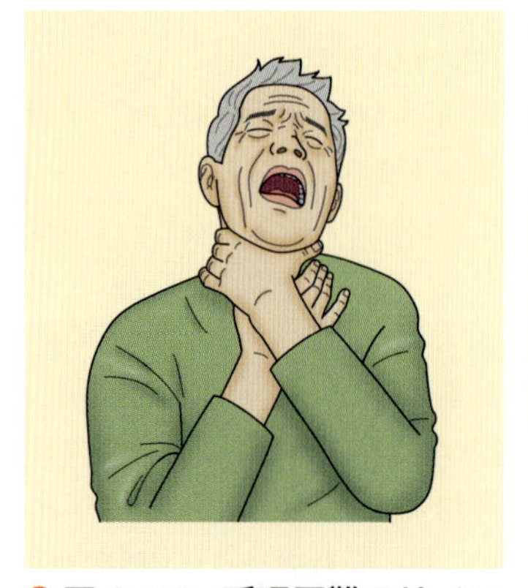

➲ 図6-14 呼吸困難のサイン

➲ 表6-3 高齢者ののどに詰まりやすい食べもの

・もち
・刺身(イカ・タコ)
・魚の骨
・海苔，わかめ
・こんにゃく
・ゴマ，豆類
・カステラやパン

観察と対応● 心臓発作を疑ったら，すぐに医師に報告を行う。致死的な不整脈が出現すると，意識が消失するとともに心臓のポンプ機能が果たせなくなり，全身に血液が循環しない状態となる。そのため，発作後は胸痛の部位や症状の観察を続けながら，AEDの準備を行う。高齢者の場合は，訴えや発作時の記憶があいまいであることがあるため，家族からも情報収集を行う。

AEDはパッドの装着後，必要に応じて電気ショックが実施される。緊急時に迅速に使用できるよう，つねにAEDの設置場所を確認し，日ごろから訓練をしておくことが重要である。

3 脱水への対応

脱水とは，体液が失われ，身体にとって不可欠な水分と電解質が不足している状態をいい，高齢者は脱水をおこしやすくなっている(➲130ページ)。脱水の症状には，のどの渇きや尿量の減少，かるい下痢，嘔吐，微熱，全身倦怠感，頭痛，めまいなどがある。重症となると，心不全や腎不全，呼吸不全がおこり，死にいたることもある。

原因● 感染症や中枢神経疾患，悪性新生物などにより水分や電解質を経口摂取できなくなることで脱水をおこすことがある。また，高齢者の場合，熱中症による脱水症状もおこりやすい。

ここでは，応急処置が必要となる熱中症による脱水への対応について述べる。

■高齢者の熱中症

症状● 熱中症を疑う症状として，めまい，失神，筋肉痛，筋肉の硬直，大量の発汗，頭痛，不快感，吐きけ・嘔吐，倦怠(けんたい)感，意識障害，痙攣，手足の運動障害，高体温がある。これらの症状がみられたら，意識があるかどうかを確認する。

対応● 意識がない重度の脱水の場合，放置してしまうと死にいたることがあるため，医療機関に搬送する必要がある。すぐに救急車を呼び，涼しい場所に移動し，服をゆるめてからだを冷却する。気化熱により熱を放散させるため，水を含んだタオルで身体をふき，その後うちわなどであおぐようにする。

意識がある場合には，涼しい場所に移動してもらったうえで，着ている服を最小限にし，熱を放出させる。経口摂取が可能な状態であれば，電解質を含む経口補水液による水分補給を行う(➲196ページ，Column)。そのうえで，身体の熱が放散できるよう，水を含ませたタオルを首や鼠径部などにあてて身体を冷やす。扇風機などを用いることも有効である。症状がよくなれば，そのまま安静にし，回復するまで十分に休息をとるように伝える。

4 熱傷への対応

熱傷とは，熱によって皮膚が損傷した状態のことをいい，一般的にはやけどとよばれる。高温のものに皮膚が一定時間以上接することで，熱傷がおこることもある。また，化学薬品や放射線などによる損傷も化学熱傷として熱傷に分類される。

熱傷の分類と重症度 熱傷は深度に応じて分類される。傷害が表皮に限局されるものがⅠ度，真皮表層までのものが浅在性Ⅱ度，真皮深層におよぶものが深在性Ⅱ度，皮下組織またはそれ以上に障害が達するものがⅢ度となる。

深在性Ⅱ度までは疼痛を伴うが，Ⅲ度よりも深くなると痛みはない。深在性Ⅱ度以上では，熱傷後瘢痕(はんこん)が残る可能性が高くなる。

重症度は熱傷深度と熱傷面積から判定され，熱傷指数(BI)や，予後を予測する熱傷予後指数(PBI)によってあらわされる(➲ 表6-4)。高齢の場合はPBIが大きくなりやすく，生命に危険がおよぶ可能性が高くなる。

高齢者の熱傷の特徴 高齢者は感覚機能が低下していることから，熱傷の受傷に対する反応が遅れやすい。また，皮膚が薄くなっているため熱が深い部位にまで伝わりやすく，免疫能も低下しているため重症化しやすくなる。使い捨てカイロの使用などでおこる低温熱傷に気づかないことで重症化することもある。熱傷部位からの滲出(しんしゅつ)液によりタンパク質が漏出することで，低栄養を引きおこす可能性もある。

予防と対応 使い捨てカイロや湯たんぽ，電気カーペットなどを使用する場合には，直接皮膚にあてないなどといった具体的な説明が重要である。万が一熱傷を受傷した際には，5～30分程度患部を冷やすことが大切である。受傷部位によっては，冷やしすぎることで低体温となることもあるため，様子を見なが

➲ 表6-4 熱傷指数と熱傷予後指数

熱傷指数(BI)＝Ⅲ度熱傷面積(%)＋1/2×Ⅱ度熱傷面積(%)
BIが10～15の場合，重症として扱われる。30以上では死亡率が約50%となる。
熱傷予後指数(PBI)＝BI＋年齢
PBIが80～100の場合，重症熱傷とされ，120以上は致命的熱傷と考える。

Column

経口補水液の簡易的なつくり方

経口補水液には市販品が存在するが，1Lの水に砂糖20～40g(大さじ2と小さじ1～大さじ4と1/2)と塩3g(小さじ1/2)をとかすことで，組成の近いものを自作することができる。さらに，レモン汁をたらすと飲みやすくなる。

軽度～中程度の脱水まではこの経口補水液で対応ができる。しかし，意識レベルが下がっていたり，飲水ができないなどの重度の脱水の場合は，救急車を呼ぶ，もしくはかかりつけ医に連絡をして対処することが重要となる。

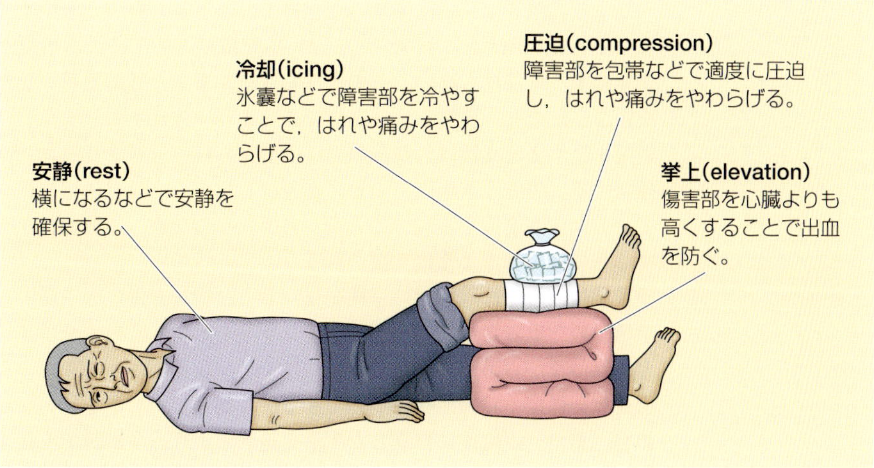

圧迫(compression)
障害部を包帯などで適度に圧迫し，はれや痛みをやわらげる。

冷却(icing)
氷嚢などで障害部を冷やすことで，はれや痛みをやわらげる。

安静(rest)
横になるなどで安静を確保する。

挙上(elevation)
傷害部を心臓よりも高くすることで出血を防ぐ。

図 6-15　骨折時の応急処置

ら冷やしていく。

5 骨折への対応

高齢者の骨折は，骨粗鬆症で骨密度が低下したことによる，脆弱性骨折であることが多い。脊椎や肩，手首，大腿の骨が骨折しやすい部位であり，そのほとんどが転倒によるものである(➡49 ページ)。

骨折が疑わしい場合には，応急処置として RICE(局所の安静 rest，冷却 ice，圧迫 compression，挙上 elevation)を行い，医師を呼ぶ(➡図 6-15)。医師が到着するまでは，患者の安楽な姿勢を保持するとともに，やさしく声かけを行い不安を軽減する。開放骨折の場合は，骨折部位からの出血によりショック状態に陥り，容態が急変する可能性があるため，注意深く観察を続ける。

まとめ

- 外来受診をする高齢者の多くは，定期的な診察が目的である。限られた時間のなかで，医師を含めた多職種と連携しながら，患者が安心して治療や検査を受けられるようにする。また，前回受診時と比べた患者の様子や ADL などの状況変化も細かく観察するようにする。
- 検査の前には，落ち着ける場所でのオリエンテーションなどを行い，患者・家族が検査の必要性や目的・方法を正しく理解して，安全で安楽に検査を受けられるように援助する。検査中は恐怖や緊張，身体的苦痛を緩和する援助を行う。
- 高齢者が薬物療法を行う際にはポリファーマシーや副作用といった問題が生じやすい。加齢により薬効や副作用が強く出やすいこと，また，飲み忘れなどもおこりやすいため，十分な説明を行う。
- 服薬管理の際は薬剤師とも協力し，お薬手帳やお薬カレンダーなどを活用する。飲み合わせの注意や服薬の工夫も行いながら，適切な服薬ができるように援助を行う。

- 入院する高齢者は，生活環境の変化によりストレスをいだきやすく，活動量が低下することでADLが低下しやすい。また，感覚機能の低下による事故がおこることや認知症が発症する可能性も高い。その人らしさをふまえた援助を行いながら，寝たきりとならないよう，また，異常を早期発見できるように注意する。
- 退院を見すえた支援は入院後の早い段階から行い，スクリーニングにより必要な支援を確認する。患者・家族両方の思いを確認しながら，自己決定支援を行う。患者の状態によっては在宅支援や施設への入所が必要となるため，地域包括ケアシステムを利用して，安心して過ごせるように支援を行う。
- 手術を受ける際は，異常の早期発見，および術後合併症の予防が重要となる。安心して手術にのぞめるようにオリエンテーションを行い，呼吸器合併症予防のトレーニングなどを行いながら手術に備える。
- 術後は合併症や精神症状について注意深く観察し，対応を行いながら，早期離床に取り組む。また，退院後に自立した生活を送れるよう，多職種で支援する体制を整えておく。
- 高齢者は複数の疾患をかかえていることが多い一方で，加齢により症状を自覚しにくくなっているため，早期発見が困難なことがある。悪化が致命的となる場合もあるため，注意深い観察で急変の徴候に気づき，早めの処置を行うことが重要である。

復習問題

1 次の文章の空欄を埋めなさい。

▶高齢者が検査を受ける際は，クッションなどを利用し，安全な（①　　）を保持できるようにする。

▶複数の薬剤を併用することで問題が生じることを（②　　）とよぶ。

▶適切な服薬を支援するため，受診時には（③　　）を持参してもらう。

▶高齢者は入院による生活環境の変化で（④　　）を感じやすい。

▶認知機能の低下により現実の見当識が障害されていることもあるため，ケアのなかで日時などの情報を伝える（⑤　　）を実施する。

▶入院中は筋力低下を予防するためのリハビリテーションを行い，（⑥　　）となることを防ぐ。

▶退院後に患者が安心して過ごすために，（⑦　　）システムを活用する。

▶術後無気肺を防ぐため，手術が決定したら（⑧　　）を行う。

▶手術により長時間同一体位をとることで，（⑨　　）に血栓が生じることがある。（⑨）血栓の予防のために，ベッド上で（⑩　　）運動を行う。

▶高齢者は術後に一過性の錯乱や幻覚があらわれる（⑪　　）をおこしやすい。

▶術後は，廃用症候群や術後合併症の発生を予防するために早期の段階から（⑫　　）を行う。（⑫）の際は，ベッド柵や介助により（⑬　　）が生じないように注意する。

▶窒息による呼吸困難時は（⑭　　）法を行い，のどに詰まったものを排出する。

▶使い捨てカイロや湯たんぽを皮膚に長時間あてると（⑮　　）がおこる。

2 〔　〕内の正しい語に丸をつけなさい。

▶高齢者になると，薬物の吸収は〔① 低下する・あまり変化しない〕が，全身への分布は〔② 進みにくく・進みやすく〕なる。また，代謝と排泄は〔③ 進みにくく・進みやすく〕なっている。このことから，薬物の体内濃度が〔④ 低く・高く〕なりやすく，薬効や副作用が〔⑤ 出にくい・出やすい〕。

▶高齢者は新しい環境への適応力が〔⑥ 低下して・高くなって〕いることがある。

▶退院を見すえた支援は，入院後の〔⑦ 早い段階・手術の後〕から行う。

▶高齢者は疾患の症状を自覚〔⑧ しやすい・しにくい〕。

▶心臓発作は〔⑨ 朝と夜・昼〕の時間帯におこりやすい。

第7章 高齢者が豊かに生きるために

A 自分の世界を生きる——認知症高齢者の看護

高齢社会を迎えたわが国では，認知症患者が増加し，それに伴う問題もクローズアップされている。その患者数は，厚生労働省の推計では2012(平成24)年時点で約462万人であったが，2025年には700万人をこえるという推計がなされている。つまり，10年ほどの間に患者数は1.5倍に増え，高齢者の5人に1人が認知症になる計算である。

認知症は年齢にかかわらず発症する疾患ではあるが，高齢になればなるほど発症率が高くなり，80歳以上になると約20％に発症する。認知症患者のうち，在宅患者は約60％を占めているが，対応する福祉サービスは十分でないうえに，家庭内の介護力が低下していることなどから，施設でのケアの需要は一層高まっている。

1 認知症

1 認知症の病態

認知症とは，いったん正常に発達した知能が，日常生活や社会生活を営めない程度にまで持続的かつ病的に衰退(すいたい)した状態をいう。たとえば，ある認知症者は毎朝同じ時刻に「では行ってくるよ」と，用もなく出かけようとして家族を困らせたり，台所で鍋を火にかけてそれ自体を忘れてしまい，家族をひやひやさせたりしている。こうした症状は，病的な知能障害からくるもので，加齢による精神機能の低下(健康な高齢者のもの忘れ)とは質が異なる(➲表7-1)。

近年，認知症の前段階という意味で，**軽度認知障害** mild cognitive impairment(**MCI**)という概念が知られるようになった(➲204ページ)。認知症は早期診断が重要であり，その前駆症状の特徴を明らかにする意味でもMCIが注目されている。

表 7-1　生理的老化によるもの忘れと認知症によるもの忘れの違い

	生理的老化によるもの忘れ	認知症高齢者のもの忘れ
もの忘れの仕方	自分におこるできごとの一部を忘れる。	自分におこるできごとのすべてを忘れる。
	再生障害（度忘れ）がある。	記銘力障害（覚え込めない）がある。
もの忘れの自覚（病識）	もの忘れの自覚がある。	もの忘れの自覚がない。
日常生活	あまり支障はない。	支障が著しく，介護を要する。
もの忘れの経過	頻度は増えるが，重症化はしない。	一部だったもの忘れが全部になるなど，進行する。
時間や場所の認識（見当識障害）	場所や日時がわからないということは，ほとんどない。	いま自分がいる場所や日時がわからないことがある。

2 認知症の診断と評価

アメリカの精神医学会は2013年にDSM-5という精神疾患の分類と診断のマニュアルを作成しており，ここでは認知症およびMCIの項目が設けられている。この2つの障害は，認知と機能の障害として，連続したつながりにそったものである。

診断● DSM-5では認知症は，意識鮮明でありながら，自立した日常生活が妨げられるほど，認知機能が障害された状態であるとされている。MCIは，認知機能の障害が軽度であり，日常生活の自立が阻害（そがい）されていない状態である。

認知症またはMCIと診断するためには，**表 7-2**に示す6認知領域のうち1つ以上において，主観的にも客観的にも明らかな機能の低下がみられる必要がある。主観的な判断は，本人，本人をよく知る人，臨床家のいずれかが行い，客観的な判断は標準化または定量化された検査や臨床評価によって行う。主観的な判断だけでは症状を見逃したり過度に不安をいだいたりするおそれがあり，客観的な判断だけでは以前の状態からの変化などが評価しにくいため，これらは互いに補足し合う必要がある。

CTやMRIなどによる画像診断では，アルツハイマー型認知症者には大脳の全体的な萎縮（いしゅく）がみられる。一方，血管性認知症の場合は多発的でさまざまな程度の脳梗塞（こうそく）がみとめられる。

評価● 認知症者と接する際には，その人がどの程度の認知症であるかを判断する必要がある。評価の対象となる領域は大きく分けて，①知的機能，②日常生活活動（ADL），③精神症状・行動障害の3つであり，わが国でそれぞれの評価におもに使用されている指標を**表 7-3**にまとめた。

評価にあたっては，いくつかの側面からその程度を評価し，本人が生活においてなにに困っているのかを見きわめていくことが大切である。評価の点数だけで判断してしまうのは危険なことであり，あらゆる情報を総合的に判

➲表 7-2　認知領域とその所見の例（DSM-5 に基づく）

認知領域	症状や所見の例
1. 複雑性注意	• テレビや他者の会話など複数の刺激があると，気が散って作業ができない。 • いま言われた住所や電話番号などが復唱できない。 • 仕事のなかで再確認することが増える。
2. 実行機能	• 複雑な計画をたてられない。 • 1つの作業に集中する必要がある。 • 作業を中断したとき，再開することがむずかしい。
3. 学習と記憶	• 同じ会話のなかで同じ内容を繰り返す。 • 買い物リストや1日の予定を思い出すことがむずかしい。
4. 言語	•「あれ」や「これ」などの指示語が多くなる。 • 文法的な誤りが増える。 • 親しい人の名前などが思い出せない。
5. 知覚-運動	• 自動車運転などのやり慣れていた活動が困難になる。 • 地図を見ても新しい場所にたどり着けない。 • 組み立てや縫い物などの空間的な作業がむずかしい。
6. 社会的認知	• 身だしなみや会話の内容が社会的基準を逸脱する。 • 相手の表情や態度の変化から気持ちを読みとりにくくなる。

➲表 7-3　認知機能などの評価指標

	名称	特徴
知的機能検査	改訂長谷川式簡易知能評価スケール（HDS-R）	認知症の有無およびその程度を簡便に判定する。「きょうは何月何日か」「知っている野菜の名前を言ってください」「100から7を引くと」など，9つの問題からなっている。難易度によって得点に重みがつけられており，合計して認知症を判定する。
	Mini-Mental State Examination（MMSE）	入院患者の認知機能（認知症，せん妄，統合失調症など）の評価を目的とした簡便な検査。HDS-Rと同様の質問のほか，命令指示や図形模写などの11項目で評価する。
ADL評価	N式老年者用日常生活動作能力評価尺度（N-ADL）	日常の動作から認知症の重症度を判定する。歩行・起座，生活圏，着脱衣・入浴，摂食，排泄の5項目を重症度分類にしたがって点数で評価する。
	Instrumental Activities of Daily Living Scale（IADL）	IADLは手段的ADLともいい，道具を使用したADLの評価である。生活の自立度を判定するため，電話の使い方，買い物，食事の準備，移動・外出，服薬，金銭の管理など，8項目について評価する。
行動観察尺度	Functional Assessment Staging（FAST）	家族や本人に日常生活に関する質問を行い，ADLを総合的に評価することでアルツハイマー型認知症の重症度を判定する。7段階に分類する。
	Clinical Dementia Rating（CDR）	認知症の重症度を評価する。本人や家族に，記憶，見当識，判断力と問題解決，社会適応，家族状況および趣味，介護状況の6項目について聴取し，5段階に判定する。

断することが求められる。

認知症初期集中支援チーム● 「認知症施策推進総合戦略」（新オレンジプラン）に基づき，現在，認知症初期集中支援チームの設置が進められている。これは，地域包括支援センター等の単位で配置される医療・介護の専門家によるチームであり，認知症が疑われる人を訪問し，認知症かどうか評価を行ったり，医療・介護が必要な場合は適切な支援につなげるといった役割をもつ。対象となるのは，40 歳以上の在宅で生活している人で，継続的な医療・介護などのサービスを受けていない，中断しているといった場合である。

2 認知症を引きおこす 4 つの原因別疾患

1 鑑別診断の必要性

認知症を引きおこす原因疾患は多彩で，脳の外科的疾患から内科的疾患にまで及ぶ。これらの疾患は認知機能障害に加え，さまざまな精神症状や行動障害がみられることから，うつ病や内科的疾患との鑑別が非常に重要となる。

たとえば，「最近もの忘れが激しくて，スケジュール管理もできない」と訴えてきた 60 歳代の男性が，問診と画像検査，心理テストを受けた結果「うつ病」と診断されたとしよう。うつ病に対しては脳の活性化をはかる抗うつ薬が処方されるが，これを「認知症」と誤診されてしまうと，認知症進行抑制薬が処方され，うつ病は治らないことになる。逆に，認知症であるのに「うつ病」と診断された場合は，脳の活性化をはかる抗うつ薬の服用となり，行動のコントロールがきかない精神症状が出現する危険性もある。

また，治る認知症を見つけるためにも鑑別診断は必要であり，さらに後述する 4 大原因別認知症疾患についても鑑別診断がなされると看護しやすくなる。とくに ➲ 表 7-4 で＊がついている疾患は，治療可能な認知症様症状が出現するため，鑑別診断の意義は大きいといえる。

➲ 表 7-4　認知症の症状を呈する疾患

疾患の種類	疾患名
変性疾患	アルツハイマー型認知症・前頭側頭型認知症・レビー小体型認知症・パーキンソン病関連疾患(大脳皮質基底核変性症・進行性核上性麻痺など)
中枢神経疾患	神経ベーチェット病・多発性硬化症など
脳血管障害	血管性認知症(脳梗塞・脳出血などによる)
感染症	脳炎・進行性麻痺・エイズ脳症・プリオン病など
腫瘍	脳腫瘍*
外傷	慢性硬膜下血腫*
髄液循環障害	正常圧水頭症*
内分泌障害	甲状腺機能低下症*
中毒・栄養障害	アルコール中毒*・ビタミン B_{12} 欠乏症*など

＊認知症様症状が治療可能である疾患

2 軽度認知障害（MCI）

軽度認知障害 mild cognitive impairment（**MCI**）は，認知症の前段階である。本人や家族による認知機能低下の訴えがあり，実際に認知機能の低下がみとめられるが，認知症ではなく日常生活には基本的に支障がない場合，MCIと診断される。認知症におけるもの忘れのような記憶障害は軽く，日常生活に困難をきたすほどではない。MCIの原因には，アルツハイマー型認知症をはじめとして，認知機能障害を引きおこすさまざまな疾患がある。

日常生活自立度Ⅱ以上の認知症高齢者は，2010（平成22）年時点では280万人であり，65歳以上高齢者人口に占める割合は9.5％であった。このときの予測では，2020年には人数が410万人，割合が11.3％となり，2025年には470万人，12.8％にまで達するとされている[1]。また，厚生労働省が2012（平成24）年に公表した資料によると，65歳以上の高齢者人口約3079万人のうち，認知症高齢者の総数は約462万人であり，MCIの状態にある者は約400万人と推計されている（➲図7-1）。

MCI状態にある人たちが認知症へと移行する確率の平均値は年間約10％と示されており[2]，その多くはアルツハイマー型認知症へと移行する。ここで重要なことは，MCIを早期に診断して早期発見することにより，予防と治療につなげることである。MCIの対策・治療は，早期であればあるほど効果が高いとされているため，高齢者本人だけでなく，家族，地域の人々が軽度認知障害について知識をもち，変化に敏感になることが重要である。

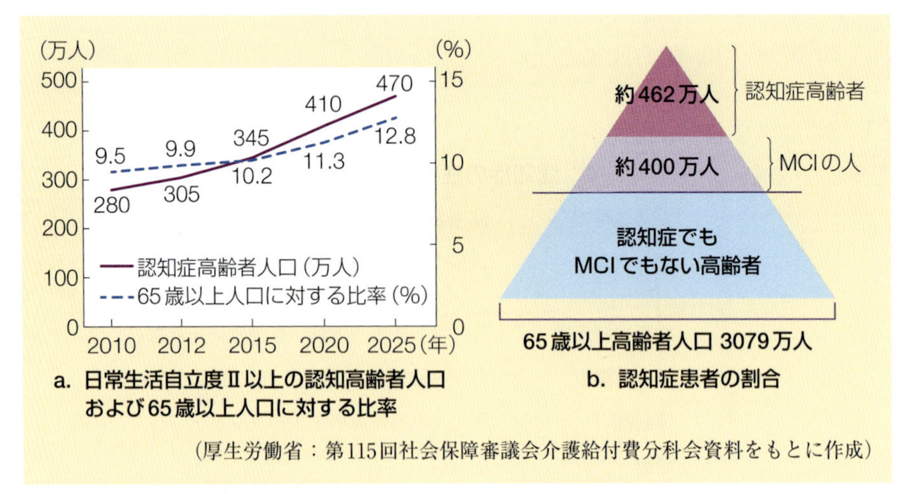

➲図7-1　認知症患者の割合

1）厚生労働省：今後の高齢者人口の見通しについて（https://www.mhlw.go.jp/seisakunitsuite/bunya/hukushi_kaigo/kaigo_koureisha/chiiki-houkatsu/dl/link1-1.pdf）（参照2021-07-15）

2）Frisoni,GB.，et al.：Mild cognitive impairment in the population and physical health. *The Jornals of Gerontology:Series A*, 55(6)：322-328, 2000

対策・治療● MCIの発症予防としては，生活習慣病対策や積極的な社会参加といった，健康的な社会生活を営むための取り組みが求められる。また，糖尿病や高血圧などの生活習慣病はいずれも認知症の危険因子であるため，血糖値や血圧の上昇を少しでも抑えながら生活をしていくことが，認知症の発症予防につながる重要な保健行動となる。

早期治療においては，薬物療法と非薬物療法を組み合わせて行うことが一般的である。薬物療法では症状の進行を遅らせることが目的とされ，非薬物療法では認知機能訓練や音楽療法，回想法などにより，いまある認知機能の維持が目的とされる。

3 4大認知症疾患

ここでは，認知症を4大原因別に説明する。脳の障害される部位が違うと症状も異なり，そこから家族が認知症者を介護することの困難さもはかり知ることができるであろう。

■アルツハイマー型認知症

原因と特徴● 神経細胞の線維化(神経原線維変化)とアミロイドβというタンパク質の蓄積が脳全体におこることにより，大脳や海馬が萎縮し，その結果，脳の機能が全般的に低下した状態である。アルツハイマー型認知症を引きおこす脳内の変化は，認知症の症状が出る10～20年以上前からおこりはじめ，時間をかけて徐々に症状が進行していく。

症状として，認知症でおこるほとんどの脳機能障害が出現していくという特徴がある。男性に比べ，女性に多く発症する。

治療法● わが国ではアルツハイマー型認知症治療薬として，コリンエステラーゼ阻害薬が3種類と，グルタミン酸NMDA(*N*-メチル-D-アスパラギン酸)受容体拮抗薬が販売されている。軽度から中度，重度まで各段階に合わせて使用されている。

■血管性認知症

原因と特徴● 脳梗塞や脳出血などの，脳の循環障害によっておこる認知症である。ある部分の血流が阻害され，その部分に関連した精神活動機能が障害される。障害の場所によって症状が異なったり，血流障害がない場所での精神活動は正常であったりする。「都合のよいもの忘れ」や「**まだら認知症**」なども特徴的な症状である。

症状の進行は，段階的に悪化する。わずかな刺激によって泣き出したり，笑い出したりするなどの**感情失禁**や，夜間せん妄(もう)という症状が多いことも特徴である。女性よりも男性に多い傾向にある。

治療法● 認知症の原因が脳血管障害であるため，その背景にある，高血圧症や脂質異常症，糖尿病などに対する薬物治療や生活習慣の改善により，再発を防ぐ。同時に，リハビリテーションや通所介護などを利用して，特徴的な精神状態の1つである自発性の低下や廃用性の変化を防ぐようにする。

■レビー小体型認知症

原因と特徴● αシヌクレインを主要構成成分とするタンパク質(**レビー小体**)が，脳の神経細胞内や自律神経領域に多発することで認知機能が低下した状態である。

特徴としては，日内での認知機能障害の大きな変化，パーキンソン症状(小きざみな歩き方や手足のふるえ，筋肉の硬直など)，「人がいる」など非常にリアルな幻視，などがある。進行は，アルツハイマー型認知症に比べて早い。自律神経の障害のため起立性低血圧をおこしやすく，転倒についてはとくに注意が必要となる。また，嚥下反射が低下するため，誤嚥にも注意を要する。

治療法● レビー小体型認知症は，パーキンソン症状と幻覚・妄想(もうそう)の両方を示すため，薬物療法ではアルツハイマー型認知症治療用の抗精神病薬が使われることがある。しかし一般に，抗精神病薬はパーキンソン症状を，パーキンソン病治療薬は幻覚や妄想を，それぞれ副作用として引きおこす危険性をもっており，薬理学的に相反する効果を同時に要求されることとなるため，治療はとてもむずかしいといわれている。また，睡眠導入薬や抗不安薬を処方されて，ますます症状が増悪してしまう例が少なくない。

■前頭側頭型認知症(ピック病など)

原因と特徴● 40～50歳代で多く発症する。前頭葉と側頭葉に限って脳細胞の萎縮がみとめられ，特徴的な症状が出現する。理性をつかさどる前頭連合野が損傷を受けると，以前と人がかわったように傍若無人(ぼうじゃくぶじん)になったり，行動の抑制がきかなくなるなどの症状があらわれる。本人には病気の認識がないため，異常な行動で警察に逮捕(たいほ)・拘留(こうりゅう)されてから病気がわかるといったこともある。

また，同じ時刻に同じ行動を行う，**常同行動**も特徴的である。一方，言語をつかさどる側頭連合野が損傷を受けると，失語があらわれ，簡単な言葉の意味がわからなくなるなど，言葉によるやりとりが困難となる。

治療法● 脳細胞のはたらきを障害する物質は解明されたが，根本的な治療法がまだみつかっていないため，おもに対処療法となる。

4 若年性認知症

若年性認知症とは医学的には65歳未満の認知症発症者をさす。若年性認知症の原因には，アルツハイマー型認知症，血管性認知症，前頭側頭型認知症などがあげられる。

2017～2019年度に日本医療研究開発機構(AMED)認知症研究開発事業が

実施した認知症の調査によると，わが国の若年性認知症有病率は，18 歳～64 歳人口 10 万人あたり 50.9 人であり，患者の総数は 3.57 万人と推計されている[1)]。

特徴● 若年性認知症の患者はまだ就業中の世代であるため，疾患により仕事に困難をきたすことや，仕事を失うことがある。そのため，65 歳以上で罹患する認知症高齢者と比較すると，経済的な問題が生じやすいという特徴がある。

若年性認知症患者の支援については，厚生労働省が「若年性認知症ハンドブック[2)]」を発行しており，「若年性認知症の知識」「本人と家族の思い」「日常生活の工夫」「医療機関の選び方」「治療薬」「社会制度，サービス，相談窓口」などについて，事例を取り入れながら解説している。

3 認知機能障害のアセスメントと対応

認知症の症状は，**認知機能障害**(中核症状)と**行動・心理症状**(**BPSD**[3)])に分けられる。たとえば，がんの主症状として「痛み」があるように，認知症にも主症状と随伴(ずいはん)症状がある。がんの痛みは心をも痛め，また身体の痛みは「体力の低下」「筋力の低下」「免疫機能の低下」などの随伴症状を出現させる。認知症の場合，主症状が認知機能障害，随伴症状が行動・心理症状にあたる。

がん看護を行う際には，症状の中心となる「痛み」のアセスメントと，その緩和が行われる。そうとらえると，認知症の場合も同様に，看護を行う際には認知機能障害のアセスメントを十分に行い，根拠をもって，以下のような症状に適した対応をしていく必要がある。

■記憶障害(もの忘れ)

症状として，自覚のないもの忘れがあらわれる。新しいできごとの記憶と知識が障害されるので，さっき食べたものや約束ごとなどは忘れてしまう。いわゆる**エピソード記憶**の障害である。5 分前に対応したできごとや会話も忘れてしまうことがあるが，看護師はそのたびに「あいさつ」「自己紹介」「なにをしようとしているのか」を面倒がらずに伝え，対応をする。

一方，**手続き記憶**といわれる「わざ」の記憶は，認知症症状がかなり進行するまで残る。そのため，いきいきと昔話をしたり，雑巾(ぞうきん)を縫(ぬ)ったり，台所で野菜を切ったり，漬物をつけたりできる場合が多い。昔話やその人の故郷

1）東京都健康長寿医療センター・東京都健康長寿医療センター研究所：若年性認知症の有病率・生活実態把握と多元的データ共有システム(https://www.tmghig.jp/research/cms_upload/20170401_20200331.pdf)(参照 2021-07-16)
2）若年性認知症ハンドブック(https://www.mhlw.go.jp/content/000521132.pdf)(参照 2021-07-16)
3）BPSD：behavioral and psychological symptoms of dementia の略。

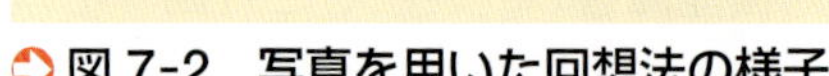

➲ 図 7-2　写真を用いた回想法の様子

➲ 図 7-3　場所の示し方の工夫

の話題などを導入しながら，看護行為を提供することも忘れないようにしたい(➲ 図 7-2)。

■見当識障害

見当識障害は，時，場所，人などが判断できなくなっていく症状である。看護師がいまを伝える言葉かけ(**リアリティオリエンテーション**)を少しでも多くしていくことが必要である。時計やカレンダーなどを見やすい場所に掲示することで，現在の状況をわかってもらえることもある。

設備面では，場所がわからなくなるので，目的とする場所をわかりやすく提示することが必要となる。トイレもはり紙をするだけではなく，「お便所」「ご不浄」などと大きく書き，立体的に表示するといった工夫を行う(➲ 図 7-3)。

徘徊が予想される場合は，衣類の内側に住所や氏名など記載したものを縫いつけたり，ポケットに入れたりするのも1つの方法である。徘徊(はいかい)センサーを装着し，どこにいるかの確認をするシステムを使うこともできる。

■言葉の障害(失語)

言葉の障害(**失語**)は，本人と家族，本人と看護師の意思を通じ合わせるうえで，大きな支障をきたす障害の1つである。認知症が進行して重度になると，これ，あれ，それといった指示語が多くなったり，言葉の意味や言葉自体が出ない，簡単な言葉の理解ができないなどの症状が出てくる。

指示を言葉で伝えられないときは，隣で同じような動作をしてみると，まねをしてできることもある。また，「はい！　立ちましょう‼」などと元気にやさしく号令をかけたり，わかりやすい単語を活用したりするとうまくいくこともある。

■失認と失行

失認は，感覚機能に異常がないのに，目の前にあるものや聞いたものがなんであるかがわからなくなる状態をさす。**失行**は，手足に麻痺(まひ)やふるえなどがない，つまり運動機能がそこなわれていないにもかかわらず，目的をもった行動がとれない状態をさす。

たとえば，食事のとき，箸(はし)を理解できない(失認)ため，摂食方法に混乱をきたし，食事をごちゃまぜにするなどの行為は，「失認・失行からくる食の混乱」とアセスメントできる。その場合のケアは，①食事前の心の準備状況を整えるためのリアリティオリエンテーション，②静かで食事に集中できるような環境調整，③集中して食事をするための安楽な摂食姿勢の確保，④食器の工夫(使い慣れた食器を使う，2個程度まで数を減らす，失認の混乱を少なくするため内側に模様がない食器にする)などが考えられる。

このように落ち着く環境を整えてから，きっかけづくりやモデル提示などを行い，いまもっている力を引き出していく。

■実行機能障害

目的に合わせて計画をたてたり，手順・段取りをつけたりする機能を**実行機能**という。たとえば，シチューをつくるには野菜を切り，いためて，そのあと煮込み，味つけをするという手順になる。実行機能が障害されると，料理の技術は保たれているが，手順を頭のなかで組みたてられない，つまりいくつもの複雑な作業(段取り)を一連の調理の流れにのせられなくなる。

これらの一連の流れに対しては，動作分割のケアを提供する。たとえば，「ジャガイモを洗ってください」「皮をむいてください」と手続き記憶を活用しながら声をかけることで，調理が行えることが多い。また，このように動作を分割しながら具体的な内容を伝え，動作を手伝うことで，本人も成功感を得ることができる。

4 行動・心理症状のアセスメントと対応

認知症の行動・心理症状(BPSD)は周辺症状ともよばれ，認知症に必ずしもみられるわけではないが，本人の性格や周囲の環境によって出現することのある症状である。環境の変化，身体の変化，看護・介護時の対応などが要因と考えられている。具体的には，睡眠障害や妄想，暴言・暴力行為など，いわゆる看護師が対応に困る症状や行動が多く含まれる。

看護の場面では，これをよく「問題行動」「問題となる行動」「迷惑行為」という用語で表現している。しかし，「問題行動」とは誰にとって問題なのだろう。「迷惑行為」は誰にとって迷惑なのだろうか。そういったことをふまえ，とくに認知症者本人にとって困るできごとに配慮してケアを行いたい。

ここでは，代表的な認知症の行動・心理症状を取り上げ，その原因と対応を述べていく。これらの症状は，複数の認知機能障害が互いに関連していることも多い。したがって，認知機能障害の正確なアセスメントが必要となる。

■ケアに対する抵抗

ケアの提供をいやがることである。人それぞれ，避ける内容や断る理由にもさまざまなものがある。ここでは，1つの事例を取り上げて説明する。

■事例　入浴をしたがらない高齢者

Mさん(82歳，女性)はデイサービスに通っている。看護師がお風呂に誘っても，毎回「入りません！」と断る。今日こそ，と看護師がしつこく誘えば誘うほど，かたくなに拒否をされてしまう。

原因についてのアセスメント● 認知機能障害がいくつか混在し，そして以下のような観念・生活習慣などが関連して，入浴に抵抗感をもっていると考えられる。

(1) よく知らない人からお風呂に誘われること
(2) 知らない場所でお風呂に入ること
(3) お風呂に入る理由がわからないこと
(4) 人前で裸になること
(5) 失認・失行からくる脱衣の混乱
(6) 実行機能障害

これらのプライドや観念，生活習慣などを背景に，記憶障害・見当識障害・失認・失行・実行機能障害が加わることで，「お風呂に入らない」という行動が出現している。ここまでアセスメントができれば，よりよいケアが引き出されていくだろう。

ケアの手順●
(1) まず，最初に自己紹介を行い，関係性を築く。
(2) なじみの入浴環境となるように，ポンプ式ボトルやスポンジなどではなく，湯おけ・固形石けん・手ぬぐいなどを用意するとよい。
(3) 誘うときには，なるべく同じ2,3名のスタッフが誘うように配慮する。
(4) 施設の場合は，各自の引き出しなどから手ぬぐいや湯おけなどを準備してもらい，「お風呂」のことを伝えることで誘う。
(5) どうしても入ってもらえない場合は，まず手洗いからすすめる。無理やり入浴させても，看護師には罪悪感が残る。徐々に，気長にすすめていくことも必要である。また，手だけでなく足浴なども取り入れたい。

いきなりケアをするのではなく，名のって，会話を楽しんで，それからケアをする，と段階をふむと，少し協力してもらえるようになるかもしれない。そして，段取りを区切って説明をすることも忘れずに心がける。

ケアへの抵抗に対して「これだ」という対応策は提示できないが，病気の症状であることを理解したうえでアセスメントを行い，関係性を築き，プライドや観念，生活習慣を大事にして，やさしくあたたかく対応していきたい。

■暴言・暴力行為(攻撃的行為)

アセスメントとケアの手順● 感情をコントロールできないことにより出現する症状である。暴力を受けそうになると，どうしても看護師はからだをすくめたり，手を押さえたりという，とっさの行動をとりがちである。しかし，それが余計に興奮させる原因となっていると考えられる。手を押さえるのではなく，そっと手や腕を包み込んだり，目を見つめたりすることが，興奮をおさめることにつながる。

■食べ物の誤認

アセスメントとケアの手順● これは認知障害による摂食障害である。認知症者は，食べられる物か否かの認知・判断ができなくなるため，食べ物ではないものがおいしそうに見え，食べてしまう(これを**異食**という)。ふだん部屋にあるものでも，口に入れると危険な物，不潔な物は多い。危険な物を優先的に，高い場所や気づかれないところに移動し，患者の目にふれさせないような対応が必要である。

■物とられ妄想

アセスメント● 現実にはないできごと・ことがらを，間違った判断で思い込んでしまうことを**妄想**とよび，認知症による症状の1つにあげられる。妄想にはさまざまなものがあるが，そもそも持ってきていない物までなくなったと思い込む，物とられ妄想がみられることが少なくない。とられたと妄想している物のなかには，個人にとっては大きな意味がある物もあり，こだわりも強い。さらに，ときには「物」は「人」であることもある。

ケアの手順● まずは一緒にさがす。見つけたら，その場所へ誘導するような言葉かけをしていくとよい。そもそも持ち込んでいない現金がなくなったなどという場合は，持ってきていないと説得することが本人を不安に導くこともあるため，「それは家族が先日持って帰りました」「家族に渡しました」と所在を明確にすることで安心する場合も多い。しかし，妄想から興奮状態が継続したり，攻撃的行為に出るようなときは，薬物療法が必要となることもある。

5 認知症者への援助

1 摂食障害に対する援助

認知症によって，さまざまな摂食障害が出現する。摂食障害に対しては，

表 7-5 認知症者の摂食障害に対する援助

	症状・状態の例	ケアの内容
認知と行動の異常	•摂食を拒否する。 •食事中に眠る。 •切迫的摂食(早食い)がある。 •空になっても食べる動作をする。 •食物の大きさがわからない。 •食物を認知できない。 •食物をまぜてしまう。	•リアリティオリエンテーションを行う。 •あいさつや摂食にいたるまでの行為の確認を行う。 •食事の回数や食べる速度を工夫する。 •食物の大きさや形，食器などを工夫する。 •おしぼりやアルミ箔(はく)などを口に入れてしまう場合は，配膳前に取り除く。 •首や肩を刺激する体操を行う。 •麻痺がある場合などは，姿勢を安定させる。
観念失行	•食器の使用に障害がある。 •手で食べる。 •皿をなめる。 •他人の食物を食べてしまう。	•清潔な環境の調整をする。 •食事姿勢の確認をする。 •食器の工夫をする。 •食事の席の配置を考慮する。 •ゆとりをもった対応をする。
注意障害	•食べながら話して，むせる。 •食事に集中できない。 •摂食動作がとまる。 •食事中に立ったり，別の行動を始める。	•静かで集中できる環境をつくる。 •視野の範囲に食事を妨げるものがないようにする。 •摂食動作がとまったら，声をかけ，ゆっくりと再開させる。 •立ち上がったり，歩き始めたら，一緒に歩いて誘導する。
半側空間無視・視空間認知障害	•視野のいずれか半分にあるものに気づきにくい。 •食前のうち，一部を残す。 •ほかの食器に気づいていない様子がみられる。 •食物の形や位置関係がわからない(**構成障害**)。	•最初に献立の紹介をする。 •食べるペースに合わせて，食器の位置を見える側に移動する。 •おにぎりにして，まとめて食べられるようにするなどの工夫をする。
情動制限障害	•楽しくないのに顔が笑ってしまう(**強制笑い**)。 •感情がたかぶると押さえられない(**感情失禁**)。 •食事などに対し，拒絶する態度をとる。 •口に食物を入れても，ひとり言を言い続ける。	•静かな食環境をつくる。 •冷静な対応を心がけ，感情をあおるようなことをしない。 •感情が落ち着くまで食事を控える。 •摂食のペースを工夫する。
口腔過敏	•口を開けない。 •飲み物を飲むことができない。 •粒状の物を吐き出す。 •食物を口に入れると，舌を出してしまう。	•口腔ケアを行う。 •過敏になっている原因の除去を行う。
援助者との関係	•介助のペースが合わない。 •1人ではうまく食べられないが，介助を拒否する。 •毒を入れられているなど，介助者を疑う。 •配膳されたものを他人にあげてしまう。 •特定の人のすすめたものしか食べない。	•飲み込みの速度などを観察したり，箸やスプーンの工夫をする。 •献立の説明を行い，新鮮さや安全性などについて話す。 •高齢者の希望する順番に介助をしていく。 •疑いをもつ場合は，安心させるような対応を行う。 •コミュニケーションがとれているスタッフが配膳する。

リアリティオリエンテーションや食事環境の整備，摂食姿勢への配慮などを行う。これらの配慮は，認知症に先行する障害に対しての援助においても同様に行う必要がある。症状・状態とケアの内容を ➲ **表 7-5** にまとめた。

2 排泄の援助

認知症者の場合は，排泄(はいせつ)に関連する症状が少なくない。たとえば，トイレの場所がわからずトイレではないところで排泄したり，排便後気持ちがわるく，おむつを1人で外してしまったり，またトイレの水で歯をみがいたりなど，さまざまである。看護師はこのような事態を避けるため，次のことを観察しなければならない。

観察項目
(1) 排泄状況：便秘・失禁，便の量・性状
(2) 下腹部の状態：腹痛・腹部膨満（ぼうまん）
(3) 不穏状態：徘徊など
(4) 衣類：下着やおむつの状態，衣服の汚染状態
(5) 全身状態：発熱，食欲不振，吐きけ・嘔吐（おうと）
(6) トイレの使用状況

これらの観察をもとに排泄援助を行っていくが，「さあ，おむつをかえましょう」などと声をかけるのではなく，その人のプライドを尊重しながら，排泄援助にスムーズに参加する気持ちになってもらえるような，環境づくりをしていくことが大切である。

3 睡眠の援助

認知症特有の症状から，不眠や昼夜逆転などを引きおこすという例は多くみられる。また，そのことが認知症の症状をさらに悪化させていくという場合もある。休息と運動のバランスを考慮しながら，生活リズムを整えていくことが大切となる。そのためには，その人の生活リズムと認知症の症状を把握し，おだやかに対応していくことが重要である。

睡眠薬と副作用

抑うつ状態や夜間せん妄がある場合は，抗うつ薬・睡眠薬が効果的な場合もあるが，高齢者の場合は副作用が強く生じることもある。夜間に寝るが日中もまどろんでいる，食欲不振がある，食事中のむせが増えたなどがないか，薬の服用時からの観察を行うことが必要となる。

一様に睡眠薬を用いてはいけないと考えるのではなく，睡眠薬の必要性や副作用の影響などを把握し，状況に応じて安心して眠れる環境をつくることが求められる。

Column

認知症高齢者とのコミュニケーションスキル

近年，認知症の人のケアを行う際に用いる，さまざまな技法が研究されている。

バリデーション療法は，認知症の人の経験や感情を認め，共感し，力づけることを目ざすものである。バリデーションは「確認する」「強くする」という意味をもつ。

ユマニチュードは「人間らしくある」状況から名づけられたものであり，「人とはなにか」という哲学に基づく，認知症ケアの技法である。見る・話す・触れる・立つを4つの柱として，150をこえる技術から構成されている。

タクティール®には「触れる」という意味がある。手を使って10分間程度，相手の背中や手足をやわらかく包み込むように触れるのがタクティール®ケアである。

これらのコミュニケーション技術は，私たちが学ぶ看護の基本に通じており，相手の立場にたち，相手を受容するためのスキルと考えるとよい。

6 認知症の疾患別のケア

1 アルツハイマー型認知症の高齢者のケア

アルツハイマー型認知症の患者に対しては，以下の点に注意しながらケアを行う。

①**エピソード記憶障害への対応**　「記憶障害」の項(➲207ページ)で述べたように，看護師が「自己紹介」「あいさつ」「なにをしようとしているのか」を面倒がらずに伝えていくことが，患者との信頼を深めていくことにつながる。同じ対応を繰り返し行うことで，なじみの関係となっていく。

②**視空間認知障害に対する安全やアクティビティケアへの配慮**　構成障害がある場合は，空間のゆがみや視覚に欠落などがおきる。そのため，書字や絵画，塗り絵などの**アクティビティケア**(活動を通じたケア)は混乱や苦痛をもたらしてしまう。本人が楽しめるようなプログラムをすすめていく。また，手すりなどのつかみそこねから転倒することもあるので，その予防に努める。

③**日中の生活リズムの調整**　24時間を1日として暮らしている私たちは，25時間周期の体内時計を毎日リセットする必要がある。朝早めに起きて太陽を全身で浴びることや，立ったり，運動したり，休息をしたりというメリハリが，生活リズムを整えていくことにつながる。

④**現存能力の活用(手続き記憶や長期記憶，感情の活用)**　昔話に花を咲かせたり，料理を手伝ってもらったりと，認知症があっても保たれる能力を活用していく。とくに，認知症があっても感情は豊かでユーモアは保たれているといわれるため，ユーモアのあるケアを心がける。

⑤**会話の配慮**　記憶や言葉の障害により，会話につじつま合わせやとりつくろいがみられる場合は，そのことをつきつめたりしない。その場は聞き流したり，ずっと昔のこと，いまのこと，将来のことを話したりするとよい。

2 血管性認知症の高齢者のケア

血管性認知症患者のケアにあたっては，以下の点を意識して行う。

①**血管障害を引きおこすリスクの管理と再発作予防**　抗血小板薬・脳循環代謝改善薬の服用と，動脈硬化症のリスク因子の管理をする。そして体重に見合った水分量を確保し，脱水の予防をしていく。

②**嚥下障害による誤嚥性肺炎の予防**　肩や首の刺激，口唇や頰・軟口蓋の刺激，発音訓練，アイスマッサージ(➲76ページ，図4-5)などを取り入れる(➲図7-4)。認知症者が継続できる工夫も必要となる。

③**ADL能力の維持**　廃用症候群を防ぐリハビリテーションを実施する。からだが動きやすく，気持ちもゆったりとする午後に行うとよい。

④**転倒の予防**　脳の障害による麻痺や半側空間無視のほか，下肢の浮腫な

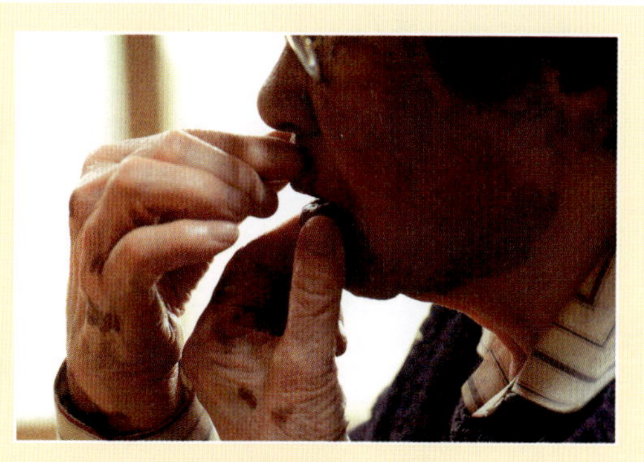

b. 口唇や頬への刺激

口や頬，頸部への刺激などの食前に行う嚥下訓練は，繰り返し行うことで効果が出てくる。食事のたびに継続して行えることが重要なので，楽しく，簡単であることが望ましい。

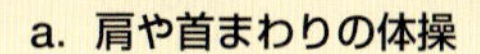

a. 肩や首まわりの体操

図 7-4 誤嚥予防のためのケア

どもあるため，安全な環境を調整し，身体の観察をしながら，転倒を予防する。

⑤生活リズムの調整と活性化　「アルツハイマー型認知症のケア」-③(➲ 214 ページ)を参照のこと。

⑥本人のペースに合わせたコミュニケーション　刺激を与えながら，ゆっくりとものごとを想起できるような会話をするとよい。

⑦規則正しい昼夜の生活リズムや身体のアセスメント　夜間せん妄では，身体のアセスメントを行い，原因となる疾患があればその治療を優先させる。また，せん妄により心身の機能レベル低下，自傷行為，他者への危害などがみられた場合には，薬物療法も行う。予防的なケアとしては，リアリティオリエンテーション，体内時計のリセット，個人の昔の話(個人回想)をするといった方法が効果的である。

3 レビー小体型認知症の高齢者のケア

レビー小体型認知症の患者に対しては，以下の点に注意してケアを行う。

①幻視・興奮時のコミュニケーション　患者は，生々しい幻視から逃れようと，いきなり走りだしたり，大声を出したり，暴力行為に出たりすることがある。幻視は，大きな不安や恐怖から引き出される症状であるため，無理に肯定する必要はないが，共感的な言葉をかけ，かたわらに寄り添うことが大切である。

②誤嚥や転倒への注意　日内変動からくる注意障害や軽い意識障害時には，無理に覚醒させたり，注意を向けたりせず，休息を確保するよう心がける。

また，すり足歩行や筋固縮もみられるので，安全な環境を整え，言葉かけを行う。

③ ADL能力の維持と活性化 認知機能の変動に合わせたリハビリテーションを行う。状態のよいときに食事や入浴，トレーニングなどを重点的に行うようにする。

④嚥下障害による誤嚥性肺炎の予防 「血管性認知症のケア」-②(➡214ページ)を参照のこと。

4 前頭側頭型認知症の高齢者のケア

前頭側頭型認知症の患者に対しては，以下の点に注意してケアを行う。

①現存能力を生かしたケア 手続き記憶・エピソード記憶を活用し，手段的ADL能力を維持するようなケアの工夫が必要である。「実行機能障害」の項(➡209ページ)で紹介したように，動作を分割しながら言葉にかえて，モデルを提示していくとよい。

②精神症状(常同行動)を把握したケア 常同行動を活用したアクティビティケアを考慮する。常同行動が本人のよりどころとなっている場合は多く，無理にやめさせられることに対して，感情のコントロールがきかず，暴言・暴力行為へとつながっていくこともある。

たとえば，15時に必ず電車を見に散歩へ行く常同行動をもつ患者の場合，まず15時という時間を尊重する。入院中など，電車を見に行くことができない場合は，電車または歩く行為を尊重し，15時に電車の写真や本を提供する，15時に同じルートで病棟散歩を取り入れるなど，常同行動をケアに転換するように心がける。

③居心地のよい空間づくり 好きな歌手の歌を聞くと落ち着く，甘い物を食べると笑顔が出るなど，患者本人がもともと興味がある(こだわる)ことがらに関係する材料や，道具を準備しておくことで，病室が居心地のよい場所

➡ 図7-5 散歩や歌を取り入れたケア

となる。

④活動は本人が好きで単純なケアから 前頭側頭型認知症は，とくに言葉の障害をもつため，複雑な説明はなるべく避け，なじみのある活動で盛り上げていく。認知症初期には道に迷うことがないので，散歩や歌を取り入れると気分転換にもなる(➡図7-5)。

7 認知症者と家族

時代とともに変化する今日の家族は，高齢者の介護を担うだけの力を失い，高齢者の暮らしの障害に，適切に対応できないことが多いのが実態である。その変化のなかで，認知症者をかかえる家族は，介護を担いきれない局面にぶつかることもある。そして，家族のなかではさまざまな葛藤(かっとう)がおきている。

ここでは，家族が認知症であることを受け入れる過程を紹介する。ある老夫婦におきたできごとを，受容段階に照らし合わせ，解説をしていく。

■事例 亭主関白だった夫の認知症

Kさん(83歳，男性)とYさん(80歳，女性)は，夫婦2人で暮らしている。Kさんは定年退職後，老後の悠々自適な暮らしを楽しんでおり，趣味をたくさんもち，友人を増やし，妻には亭主関白ぶりを発揮していた。家事などは一切しなかった。

①否定的な段階

3年前の夏，Kさんは軽い脳梗塞をおこし，前立腺肥大も悪化した時期があった。ワープロの開き方がわからなくなり，何度も同じことを言ったりしていた。そのときは気づかなかったけれど，あとから考えれば，このころに認知症症状が始まったのだろうとYさんは言う。Kさんがとる行動の意味をよく理解できずに，Yさんはむやみに否定をしたり，いやけを感じたりしていた。「もともとこんな人だったのかしら」と疑う気持ちもあり，いつもの暮らしのなかでおきるできごとを「認知症」の発症とは気づきもしなかった。

②認知症と知る段階(ショックの段階)

1年ほど前，Kさんは血管性認知症と診断された。Yさんはショックな様子で，「情けない。これまであんなに自分勝手に生きてきて」「ぼけるとこんなになるか」と嘆(なげ)いた。そしてたいていのKさんの言うことには取り合わなくなっていった。認知症という病気だと頭ではわかっても，Kさんとのこれまでを思いおこしては，悲しくなることが多いようだった。

③期待する段階

認知症と診断されてから半年が過ぎたが，相かわらずKさんはもの忘れが多い。YさんはKさんに期待をつなぎ，毛筆で字を書いてもらったり，好きだった歌を歌わせたりしていた。認知症とはわかっていても，どうにかもとに戻ってほしい，これまでのKさんでいてほしいという期待が，注意をしたり，「しっかりして」と励ましたりすることにつながっていた。

④あきらめの段階

徐々に認知症の症状が進み，Kさんは待っていることがだんだんとできなくなってきた。数秒おきにYさんを呼び，それを無視していると，さらに状況がわるくなった。Yさんは投げやりな気持ちと，もうKさんはもとには戻らないという，失望の気持ちで対応する場面も多くなっていた。

⑤受容の段階

最近になって，あるときYさんは「さっき食べたばっかりでしょ」とKさんを叱った。そのあと，「こんなふうに言っちゃいけないのはわかっているけどね」ともらした。ここで，ようやく家族が認知症であることを受け入れる段階へと進むことができたのである。

Yさんが K さんの認知症を知ってから受け入れるまでに，約1年の期間がかかったが，実は途中で②～④の段階を行ったり来たりしていた。認知症者を家族が受けとめていくのは，たいへんなことである。この1年間は，Yさんにとっても K さんにとっても，壮絶な苦しみがあったであろう。

➡図7-6に，家族が認知症者を受け入れる段階をまとめた。段階は必ずしもこのとおりに進むわけではなく，Yさんのように段階を行ったり来たりしながら認知症者を受けとめ，最終的には認知症者が安心して過ごせるような環境をかたわらでつくることができるまでにいたる。

思い出がたくさんある家族ほど，受容への道のりは長く，家族にとっては過酷(かこく)なことかもしれない。それでも家族はがんばり，がんばるからこそ，怒ることもあり，嘆(なげ)くこともあり，ほうっておくこともある。看護師に大切なことは，いま家族はどの段階でなにに揺(ゆ)れているのか，罪悪感をもってはいないか，などをアセスメントしていくことである。

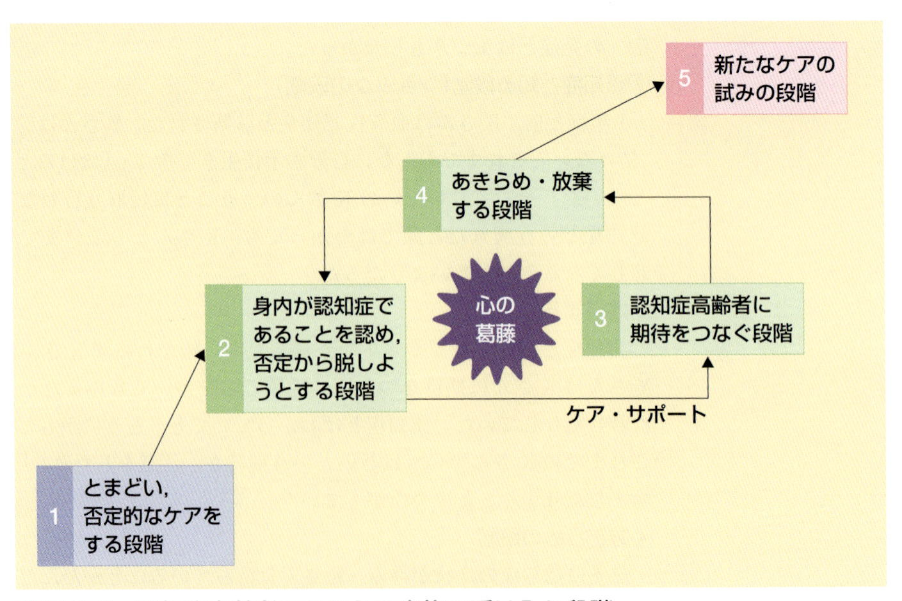

➡図7-6 認知症高齢者をかかえる家族の受け入れ段階

高齢者のリハビリテーション

1 高齢者におけるリハビリテーションの現状

1 リハビリテーションの定義

リハビリテーションは，単なる機能回復訓練ではなく，心身に障害をもつ人々の全人的復権を理念として，潜在する能力を最大限に発揮させ，日常生活の活動を高め，家庭や社会への参加を可能にし，その自立を促すものである。高齢者が最後まで元気で，健康な生涯を送ることのできる社会の構築が切実に望まれている。可能な限り要介護状態にならないようにする**介護予防**や，要介護になっても自立を促すリハビリテーションの充実は，わが国の高齢者の医療と介護において最重要の課題である。

2 高齢者リハビリテーションの歴史

高齢者におけるリハビリテーションの歴史は比較的新しく，1960 年代初頭に一部の医療機関で脳卒中患者に対して実施され，その取り組みはリハビリテーション関係学会・協会や医師会などを通じて，しだいに全国に広がっていった。その後，1983(昭和 58)年に老人保健法が施行され，機能訓練事業および訪問指導などが各地方自治体の責任のもとに位置づけられたことが各地域の在宅支援体制に画期的な影響を与えた。老人保健法が現在の地域リハビリテーション活動の出発点となったといえる(➲ 表 7-6)。

1990 年代には長期ケア施設入所者に寝たきり状態の高齢者が多く，過度の安静により生じたものであるという指摘をふまえて，「高齢者保健福祉推進 10 か年戦略」(ゴールドプラン)が策定された。「寝たきり老人ゼロ作戦」というスローガンのもとに保健医療サービス提供者の意識改革がはかられた。2000(平成 12)年からは介護保険制度が施行され，これまで高齢者に提供さ

➲ **表 7-6　地域リハビリテーションの概念**

- 障害をもつ人々や高齢者とその家族が，住み慣れたところでそこに住む人々とともに一生安全に生き生きとした生活が送れるように，医療や保健，福祉および生活かかわるあらゆる人々や機関・組織が，リハビリテーションの立場から行う活動のすべてをいう。
- その活動は障害者や高齢者のニーズに対し，身近ですばやく，包括的／継続的そして体系的に対応しうるものでなければならない。
- また活動が実効あるものになるためには，個々の活動母体を組織化する作業がなければならない。
- そしてなにより住民活動にかかわる人々が，障害をもつことや年をとることを自分自身の問題としてとらえることが必要である。

(日本リハビリテーション病院・施設協会による)

れてきたリハビリテーションやその関連サービスのほとんどは，そのままのかたちで介護保険に継承された。

3 高齢者リハビリテーションの基本理念

高齢者は老化による身体機能の衰えに加え，脳血管障害や循環器疾患など，さまざまな疾患よる身体機能障害が生じやすく，日常生活になんらかの介助を必要とする人が多い。高齢者リハビリテーションでは，単に疾患の障害に対応するだけでなく，高齢者の特性を理解してリハビリテーションを行う必要がある。

■高齢者の残存機能を引き出し，自立した生活を目標とする

運動機能がそこなわれ，日常生活行動の多くを他者の手にゆだねなければならない高齢者は，自分の可能性に目を向けることをしないまま依存的になる人もいる。しかし「自分でトイレでの排泄ができた」「自分でボタンがとめられた」といった行動の改善が，「まだ自分もやればできる」という生きる意欲の改善につながる。

■予防医学としての役割を重視する

高齢者が障害に悩まされることなく，老後活力のある生活を送れるようにするためには，とくに75歳以上の高齢者に発症しやすい疾患や障害の発症をいかに予防していくかが重要な課題となる。そのため，健康なときから，予防医学としてのリハビリテーションに取り組むことが推進されている。

■高齢者の特性をふまえて実施する

高齢者の疾患は，多臓器にわたることがあり，症状が非定型的である。比較的慢性化しやすく，それが機能障害につながったり，合併症を引きおこしたりする。また高齢者は，社会的要因や環境の変化により症状が変動しやすいのも特徴である。疾病を根治するのではなく，慢性疾患をもちながらも，自立した生活を維持できるように，リハビリテーションに取り組むことが大切である。

■特定の疾患からの回復に取り組む

高齢者におこりやすい疾病，具体的には，脳血管障害・認知症・パーキンソン症候群を中心とした中枢神経障害，骨折・変形性関節症・骨粗鬆症などの整形外科疾患，肺炎や慢性呼吸不全などの呼吸器疾患などについては，それぞれに応じたリハビリテーションがある。そのほか，胸腹部の手術後や，糖尿病による神経障害などもリハビリテーション対象疾患である。

4 リハビリテーションのプロセスの特徴

リハビリテーションは，傷病の治療や機能回復の段階に応じて分けることができ，費用を負担する社会保険も異なる(➲図7-7)。高齢者には，とくに疾病がなくても要介護状態を予防するリハビリテーションの実施が求められ

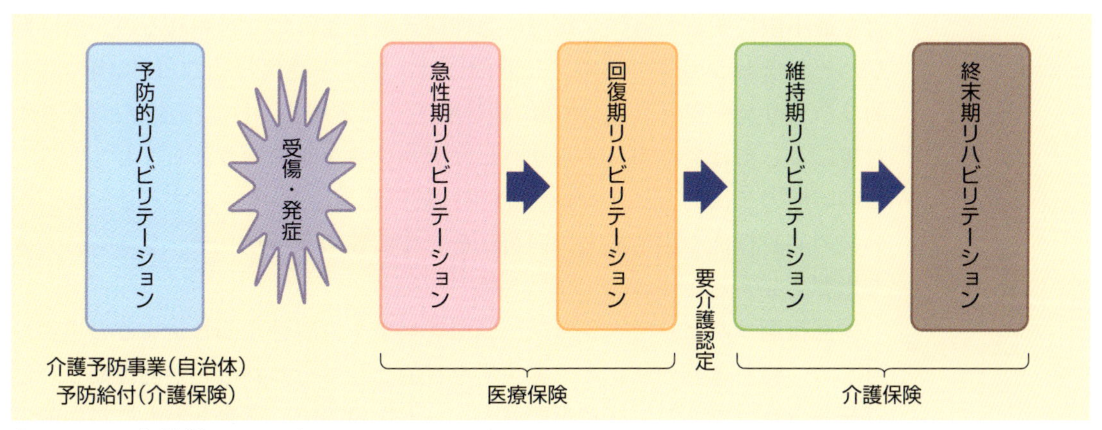

図 7-7　高齢者のリハビリテーションのプロセス

（写真提供：茨城県ひたちなか市）

図 7-8　地域での介護予防事業の様子

る。ここではさらに，治療や機能維持を前提とした各期のリハビリテーションの特徴についても述べる。

①**予防的リハビリテーション**　高齢者は，日常生活のなかでからだを動かす機会が減ると，すぐに心身の機能が衰え，要介護状態になってしまうことが多い。高齢者ができるだけ長く自立した生活を送るためのリハビリテーションが，**予防的リハビリテーション**である。障害が発生する前から，適切なリハビリテーションを行うことによって，障害そのものの発生を予防し，障害が発生した場合にもとその程度を最小限にとどめることができる。

おもな予防的リハビリテーションには，**介護予防・生活支援事業**（**総合事業**）と**予防給付**がある。総合事業は，要介護認定を受けていない，もしくは非該当となった高齢者を対象に市町村が実施する（図 7-8）。予防給付は，要支援の認定を受けた高齢者を対象とする介護保険である。

②**急性期リハビリテーション**　救命を前提として，近い将来問題となる障

害を最小限にするために，疾患の急性期治療と並行して行われるのが**急性期リハビリテーション**である。一般的には，発症・受傷後約30日以内の医学的リハビリテーション（急性期の理学療法，作業療法，言語療法など）をさす。対象によっては発症当日からリハビリテーションが開始されることもある。この時期の二次的合併症（褥瘡，関節拘縮，肺炎など）を予防することが，その後の心身機能や生活能力の回復，そして広義のリハビリテーションに大きな影響を与える。

③**回復期リハビリテーション** 脳血管疾患や大腿骨頸部骨折などの患者に対して，寝たきりの防止と家庭復帰を目的として行われるのが**回復期リハビリテーション**である。医療専門職がチームを組んで，患者とともに集中的に取り組む。回復期リハビリテーション病棟は，発症してから入院するまでの期間が疾病別に定められており，1か月または2か月以内である。入院できる期間も定められており，脳血管疾患では最大150日となっている。

回復期リハビリテーション病棟の目的は，ADL能力の向上による廃用症候群の予防と家庭復帰の促進である。この目的達成のために，退院後の活動，すなわち「するADL」を見すえてチームで計画をたて，ADL能力の向上に向けたリハビリテーションを集中的に行う。理学療法士や作業療法士がリハビリテーション室で活動向上訓練を行って「できるADL」をのばし，看護師などが病棟という生活の場で「しているADL」として定着させるという協業体制で行っていく。また同時に，退院に向けて試験外泊や家屋環境の整備なども進められる。

④**維持期リハビリテーション** 障害の状態が安定し，個人の残された機能や能力を維持あるいは改善するために行うのが**維持期リハビリテーション**である。最近では，おもに通所リハビリテーション，介護老人保健施設，療養型病床で行われるが，一般病院の外来リハビリテーションでも行われている。要介護などの状態となった場合でも，能力回復・改善の可能性は残されており，努力を怠ると心身機能や生活能力の低下につながるおそれがある。そのため，積極的なリハビリテーションが欠かせない。

⑤**終末期リハビリテーション** 終末期になると，大半の人はADLが著しく低下する。それでもできる範囲の自立した生活が送れるようにリハビリテーションを行うことは，尊厳ある死が迎えられるようにする意味でも大切なものである。高齢者の身体的負担にならない程度での関節拘縮予防のための関節可動域訓練や，安全な経口摂取への支援などが行われる。

5 高齢者リハビリテーションのチームアプローチ

リハビリテーション医療では，チーム医療が重要な位置を占めている。リハビリテーションの過程において，患者には多くの心理・社会・経済的問題も生じやすい。さまざまな専門技術・知識をもった医療・介護スタッフが

表 7-7　リハビリテーションにかかわる医療・介護専門職

職種	内容
医師（リハビリテーション科専門医）	運動障害・認知障害を横断的・総合的にみる専門家として，医療において重要な役割を果たす。その業務は，疾病や障害の診断・評価・治療，リハビリテーションゴールの設定，理学療法，作業療法，言語聴覚療法，義肢・装具等の処方，運動に伴うリスクの管理，リハビリテーションチームの統括，関連診療科との連携など，多岐にわたる。
理学療法士（PT）	基本的動作能力（起き上がる，立つ，座る，歩くなどの動作）の回復をはかるために，評価，訓練，指導を行う。また，電気刺激やマッサージ，温熱，その他の物理的手段を用いて，痛みの軽減，関節拘縮の改善などを行う。
作業療法士（OT）	作業を通して，応用的動作能力または社会的適応能力の回復をはかる。精神・認知機能，上肢動作，日常生活動作，家事動作などの評価・訓練，家屋改造や福祉機器選定の助言も行う。
言語聴覚士（ST）	音声・言語機能または聴覚に障害のある患者に対して，その機能向上をはかるため，必要な検査，言語訓練，助言，指導を行う。さらに，嚥下訓練，人工内耳の調整も行う。
義肢装具士	義肢および装具の採型・製作，身体への適合を行う。
臨床心理士	心理・精神的問題の評価，カウンセリング，ほかのチームメンバーへのアドバイスを行う。また，高次脳機能障害に対して，神経心理学的評価を行うとともに，認知リハビリテーションプログラムの立案・実行にあたる。
社会福祉士，医療ソーシャルワーカー（MSW）	疾病によってもたらされる介護，経済などの個人・社会的な問題を，患者やその家族が解決するための援助を行う。
介護福祉士	施設・在宅で介護の必要な人が安全かつ快適に日常生活を送れるように介護を提供するとともに，介護者を支援する。
介護支援専門員（ケアマネジャー）	介護保険制度にて，要支援・要介護状態にある人の状況を把握・分析し，ほかの職種との連携のもとに，ケアプランを作成し，介護サービスの調整を行う。

チームを組んで，患者・家族と一緒にADL向上や家庭復帰に取り組むことが必要である（➡表7-7）。

2 リハビリテーションにおける看護の役割

ここでは病院における医学的リハビリテーションにおいて，とくに回復期リハビリテーションで看護師が果たす役割について述べる。

■患者の心身をよりよい状態に保つ

リハビリテーションを苦痛なく実施し，前向きに継続して取り組めるようにするため，患者の心身をよりよい状態に保つことは看護師の重要な責務である。患者状態の観察を通じて，機能障害の悪化を防ぎ，残存機能の維持や二次的合併症の発症の予防につなげることができる。

たとえば，リハビリテーション期間中に仙骨部や坐骨結節部の褥瘡（じょくそう）が発症すると，座位訓練が十分にできなくなる。すると，患者や家族に与える精神的不安は増大し，入院期間の延長や経済的負担の増大などの損失も非常に大きなものとなる。

二次的合併症としては，尿道留置カテーテルが長期間挿入されたままになっていないか，関節可動域は保持されているか，健側の筋力は維持・強化されているか，体力低下は最低限度に抑えられているか，精神的には可能な限り安寧(あんねい)な状態が保たれているか，という視点をもち，心身の状態を整える支援を行う。

■患者の状態の把握とチーム間のスケジュール調整

看護師はリハビリテーションチームのなかで最も患者の生活に密着した存在として患者の心身の変化を24時間観察できる立場にある。そのため，患者の心身におきた微妙な変化を的確にとらえ，チームへ伝達することができる。朝の一般状態・精神状態の判断がその日のリハビリテーションプログラムの変更にかかわることもある。

■24時間の生活場面に訓練がいかされるようにする

回復期リハビリテーションでは，リハビリテーション室での訓練と病棟での生活における生活再構築を連関させて行っていく。リハビリテーション室で獲得した「できるADL」を病棟の生活のなかでも実施し定着させ，「しているADL」となるように援助する。「できるADL」と「しているADL」の差が生じないように，理学療法士や作業療法士と連携し，病棟でも同様の訓練に取り組めるように計画する。

■患者が主体的に取り組めるようにする

障害を負うまで自立した生活を送ってきた高齢者は，リハビリテーションを開始することによって自立の欲求が高まる様子がみられたかと思うと，気力が低下した状態になって依存的になったり，将来の生活について意思決定することがむずかしい様子がみられることがある。看護師はこのような患者の支援に際し，高齢者は主体性をもつことが可能であるという認識をもって支援することが必要である。

主体性をもつのは，生活のなかのささやかなことでもかまわない。入浴の時間や着るものの選択，食事をする場所などについて意思表示をしてもらうことで，主体性をもつことができるようになる。

■患者や家族に対する教育的かかわり

入院後，患者の家族は，必要以上に過保護になったり，反対に医療者に任せて放任になったり，その中間となる場合もある。家族に対しては，チームメンバーとして活動に参加し，回復の手だすけができるようにする役割があることを，機会をとらえて話していく必要がある。いま行われている訓練の方法，その目的およびリハビリテーションゴールを家族がよく理解し，患者を励ましつづけてくれるように支援する。

C 高齢者のセクシュアリティ

わが国の社会的風土では，高齢者の性問題は長いことタブー視されてきた面がある。たとえば，「高齢者になると性欲はなくなる」といった固定観念のもとに，高齢者の性生活はいやらしいもの，恥ずかしいものという考え方が主流を占めてきた。反面，高齢社会の到来とともに，「高齢者の恋愛」を理解する人々も増えてきている。しかしそれでも，いざ配偶者を亡くした自分の親が恋愛し，あるいは再婚するという立場におかれると，子どもは反対の立場をとることも多い。それは財産問題などもさることながら，やはり世間体を気にするからである。

食欲・性欲・睡眠欲は，人間の三大本能といわれる。本能は高齢になったからといって消えることはない。むしろ，年をとるごとにこれらの欲求は，残された限りある生命を生き抜くための必要十分条件となってくる。その意味から，「異性に対する関心とそれに伴うすべての行動」と定義されるセクシュアリティの問題を，高齢者の立場から考え直していかなければならない。

1 異性への関心

65 歳以上の高齢者男女 428 人を対象にした調査によると，男性は約 95％，女性は約 70％ が異性との恋愛や性的関係を望んでいた。これはほとんどの男性・女性が死ぬまで異性に対する関心が続くことを物語っている。高齢になっても，異性との交際は胸をときめかすものがあり，生きるエネルギーのみなもとの 1 つになるのである。

これを裏づけるように，病院や施設でも高齢者のセクシュアリティの話題はよくもち上がる。たとえば，男性高齢者の援助のためベッドサイドへ女性看護師が行くと，からだを触られたり，「いっしょに寝よう」と言われたりする。逆に女性高齢者の場合は，男性の理学療法士に思いを寄せたり，わざと衣服をはだけてからだの一部を見せたりする。また，高齢者どうしの恋愛もみられ，2 人でベッドで横になっているようなこともある。

もちろん，このように直接的なものばかりではなく，ほのぼのするような場面もある。リハビリテーション担当の理学療法士がくるとき，口紅をさしたり，身だしなみをきちんとしたりして，恋人にでも会うかのように準備を整える女性高齢者もいる。また，よくもてる男性高齢者をドアの陰からそっとのぞき見して，ひそかな思いを寄せている人もいる。

性的問題への対処方法

こうしたさまざまな事例はナースステーションでもよく取り上げられるが，看護・介護計画には対処方法が述べられておらず，どう対応するかは個々の看護師にゆだねられる場合が多い。とくに，若い看護師は高齢者の性的問題に嫌悪（けんお）感をいだくことが多く，頭を悩ませる。熟練の看護師のように，さらりと受け流したり，それとなく注意を促して相手に不愉快な思いをさせないケアができるようになるためには，数多くの人生経験も必要だろう。

ここでは，性的関心の強い男性高齢患者のケアの事例を取り上げる。

■事例 性的関心の強い男性高齢患者

ある男性患者は，何回注意を促しても女性看護師のからだを触るなどをしていた。そこで，患者の妻に「たまには手を握ったり，からだを抱きしめてあげてください」と要請した。しかし，妻は「夫は若いころから女遊びが好きで，何度も泣かされてきた。この年になって，まだその癖が直らないのかと思うと情けない。手を握るのもいやです」と言い，要請は断られた。

ある日，この患者がマスターベーションを行った。その手を洗わないうちに目をこすったため，両眼とも感染症をおこした。これまでもときどきベッドの中で同じようなことをしていたという報告もあり，その防止と眼の治療を兼ねて，つなぎの寝衣を着用するようにした。ところが，患者はしだいに食欲が低下し，やがて手を使わなくなったため腕の拘縮が始まり，ついには点滴治療となって寝たきり状態になった。

眼の治療が終わり，つなぎの寝衣をやめたところ，患者は元気を取り戻し，食欲も出てきた。この患者にとって看護師のからだを触ったり，言葉でひやかしたりするのは習慣的な性行動だったのである。そのことが脳のはたらきを促進させ，いわば女性からパワーを得ていたのである。その後，患者は腕のリハビリテーションだと言って，機会を見つけてはまた女性看護師のからだを触ろうとするようになった。

このような事例への対応は，看護計画としては作成されないし，個々に対応するしかないが，だからといってからだを触らせればすむという問題でもない。どのようにすれば十分な援助が提供できるか，熟慮する必要がある。

欧米では，高齢者の恋愛や同性愛の人々にも積極的な看護計画がたてられ，それに基づき，それぞれの対象者に時間と空間が与えられている。わが国ではまだ「性」は隠すもので，あくまでもプライベートなものという考え方が根強い。施設によっては，援助者全員が看護計画として性に取り組み，さまざまな実験をしながら高齢者のセクシュアリティと向き合っているところもあるが，全体的にみれば，セクシュアリティに関する理解はまだ乏しく，高齢者の性に対する取り組みもまだ始まったばかりといえる。

2 認知症高齢者の性

性的関心は，認知症高齢者にも同じようなかたちであらわれる。

たとえば，施設で隣の部屋にいる男性を自分の夫と思い込んでいる女性は，男性が部屋を出ると，妻としての役割を果たそうと一緒について行く。また，男性医師に思いを寄せている女性は，医師に同行する若い女性看護師に嫉妬(しっと)し，自分がより女らしいというようなしぐさを見せて，はり合おうとする。さらに，別の男性患者に対しても自分の部屋にまねき入れて，性的関心を引こうとする。ほかにも，ある男性は，女性看護師に援助されると喜んで，「君のために100万ドル用意しよう」と，手にキスをしたりする。

こうした行動は，一般の高齢者とまったくかわりはない。認知症高齢者の場合，援助をするときにもコミュニケーションはなりたちにくいものだが，異性関係における自己表現は，本能的なものを含んでいるようにもみえる。

人間は他者とのかかわりなしには生きられないという社会的存在であるが，それは認知症高齢者も同じことである。言葉や行動による自己表現は，生身の人間の心の叫びとしてとらえる必要がある。この人は少し認知症の症状があるから，言葉や行動はふつうではないといった先入観を捨てることが大切である。

認知症高齢者に限らず，セクシュアリティの自己表現は，異性とのかかわりのなかで自分自身の存在を確認し，それを生きるエネルギーにしていく行為である。たとえば高齢者の場合，孫と遊んだり，抱いたりすることで元気が出るのと同じように，異性との交遊，若い人との出会いなどからパワーを得ることが多い。そのなかで自分の「男らしさ」や「女らしさ」を再確認し，交流することで互いの違いを補いながら生きていくということを，セクシュアリティの基本的な考え方としてとらえるべきであろう。

D アクティビティケア

1 あたり前の生活の大切さがわかること

人は歴史をきざみ，長年の習慣に彩られながら，その人なりの「あたり前の生活」を営んでいる。一般にいうあたり前の生活とは，ふつうにお茶やコーヒーを飲んだり，仕事をしたり，気持ちよく風呂に入ったり，たまには映画やショッピングをしたりということと定義しておくが，同じ時間を与えられても，人それぞれ過ごし方はまちまちである。

看護師は，その人のあたり前の生活の存在を大切にし，あたり前の日常生活に少しでも近づけるための援助行為すべてを，知恵と愛情で具体的な結晶にしていかなければならない。その援助行為を**アクティビティケア**と解釈し，以下，具体的に説明を加えていくことにする。

1 アクティビティケアの実践

アクティビティケアとは，障害をもった人々の生活を，ふだんのあたり前の日常生活に少しでも近づけるための援助行為ととらえることができる。そこで次に，ある病院でのアクティビティケアのひとこまを紹介する。

■事例　アクティビティの視点をもったフットケア

ラジカセとフットケア（足浴）グッズが入った，すてきなバスケットを乗せたワゴンが看護師にゆっくりと押されてきて，寝たきりのＡさんのベッドのそばにとまった。

ラジカセのスイッチを入れると，Aさんの好きな歌手の甘い歌声がやさしく，そして静かに流れだし，足浴の準備を始めると，湯気ともみえないやわらかい空気の動きとともに，ほのかなかおりが周囲に漂ってきた。

看護師は足をあたためながら，Aさんの家族のこと，故郷のこと，趣味のことなどの会話を進め，ゆっくりと爪がやわらかくなるのを待っていた。そして，からだ全体があたたまったら爪(つめ)切りを始めた。足に保湿クリームをたっぷり塗って，夕日を浴びながらパチンパチンと爪を切る豊かな時間が流れた。しだいにAさんの表情がおだやかにかわっていくのがわかり，ケアしている看護師も，ともに豊かな時間を共有しているようだった。

このようにアクティビティケアの視点をもった援助は，高齢者とともに看護師も時間を共有して，高齢者の新たな情報を収集できる場ともなる。アクティビティケアは高齢者と看護師双方にとって効果をもたらすものである。

2 アクティビティケアの視点

障害をもつ高齢者の日常生活を，ふつうの生活に近づけることがアクティビティケアの目的である。たとえ終末期といわれても，大切な人生の一時期を人間らしく生きていけるよう，次のような視点を盛り込んだケアのあり方が求められる。

(1) 障害をもった高齢者といえども，生に対する強い欲求をもつ，ふつうの人間である。
(2) 高齢者のケアに際しては，ケアをされる側の人間が「こうありたい」「こうしてほしい」と思うような内容のケアを提供する。
(3) 障害をもつ生活は，以前と同じようにはできず，多くの制約があることをその人と家族に理解してもらう。
(4) 社会資源を最大限活用しながら，できるだけその人がこれまで行ってきたことと同じこと，日常生活に近づけるようなケアを提供する。

これらのことを，看護という行為とその実践に即して考えた場合，基本として必要とされることは，いままで学んできた看護・介護の視点と，それをふまえた行動である。このように考えてみると，アクティビティケアの考え方は，看護・介護の考え方となんらかわらない。

2 活性化の方法としてのアクティビティケア

前述のとおり，アクティビティケアにおいては，高齢者が家でずっとあたり前に行ってきた生活ができるように配慮して，援助をしていくことが重要である。特別になにかをしたり，決まったケアのかたちがあるわけではないが，その人が好きだった俳句を一緒に詠(よ)む時間があったり，漬物(つけもの)とお茶で世

➲ 図 7-9　日常生活のなかからのアクティビティケア

➲ 図 7-10　道具を用いたリアリティオリエンテーション

間話をしたり，事例にあったようなフットケアをしたりすること，あるいは，世話になった人に手紙を書くことを手伝うこと，また季節の物をみつけて昔話をすることも活性化だと考えられる。このようなあたり前の生活を実現するための，アクティビティケアのあり方を考えていきたいものである（➲ 図 7-9）。

➲ 表 7-8 にアクティビティケアの種類を列記した。また次の項では，誰にでも可能な，高齢者と豊かな時間を過ごせる方法を紹介する。

3 活性化への援助の実際――リアリティオリエンテーション

ここでは，日常生活援助として導入しやすい，リアリティオリエンテーションを紹介する。とくに障害をもった高齢者は，日時・季節に関心をもたなくなることも多いため，リアリティオリエンテーションは，活性化をはかるために効果的である。

目的● 会話や五感を刺激する道具・素材などを通して，現実を感じる感覚にはたらきかけ，それにより高齢者の活性化をはかる。

必要物品● 会話を盛り上げるような季節の食材や草花，日記・カレンダー・時計などをそのときに応じて用意する（➲ 図 7-10）。とくにこれでなければならないというものはない。

注意事項● (1) 会話での間違いを指摘するなど，失敗の感覚をいだかせるような対応は避ける。

(2) 対象者主体で会話を進め，むやみに話の軌道修正をしない。

(3) 対象者のレベルに応じて，はたらきかける質問・内容を調整する。

➲ 表7-8 アクティビティケアの種類

大グループケア	小グループケア	個人ケア
伝統行事 誕生日会 運動会 家族との交流会 遠足	季節に合わせたお楽しみ会 （カルタとり，スイカ割りなど） 回想法 茶話会 工芸・工作 体操・ストレッチ 書道・俳句 ゲーム 園芸 朗読 ビデオ鑑賞	リアリティオリエンテーション 個人回想 朗読 工芸・工作 書道・俳句 ネイルケア フットケア 化粧 料理・掃除・洗濯

➲ 表7-9 リアリティオリエンテーションの手順

方法	留意点
1. あいさつと自己紹介をする	言葉は，明るくはっきりと，簡潔に話す。名札があればそれを示し，視覚に訴える。
2. 会話をすることの了承を得る	対象者の体調や健康状態を確認する。無理に誘導したり，会話を進めない。また，会話をしやすい状況を整え，視線を合わせやすい位置に座る。
3. 日付の確認，天気・季節などの話をする（カレンダーや時計を活用する）	対象者のレベルに応じた質問をする。テストや詰問ではないので，間違いなどを指摘するのではなく，あたたかい対応を心がける。季節の話題などでは，外の景色が見えるような工夫をする。
4. 道具や素材をもとに話をする	五感を刺激するような道具が好ましい。食材やよく使っていた道具は，対象者の生活体験をよみがえらせることも多い。
5. 高齢者の疲労感や身体状況をみながら，会話の終了を告げる	「お食事ですよ」「少しお休みになりますか」など，対象者の次の行動を提示し，会話の終了を告げる。また，会話ができたことの感謝を述べる。
6. 会話の記録をする	会話の内容を詳細に書くのではなく，対象者が熱心に話した内容や表情・動作の変化などを記録する。

(4) リラックスできる時間と場所に配慮する。ただし，特別な時間や場所は用意しなくても実施できることを頭に入れておく。

(5) 会話や話題が幼稚(ようち)にならないように配慮する。

手順● ➲ 表7-9に，リアリティオリエンテーションの手順を紹介する。あくまでも手順なので，看護師の人生経験や知恵を加え，ユーモアのある援助を工夫する必要がある。

4 認知症者へのアクティビティケア

誰にでもできるアプローチ● 前述したリアリティオリエンテーションも，認知症に適したアクティビティケアであるが，現在ではそのほかにもさまざまなアプローチの仕方が考案されている。

音楽療法・園芸療法・回想療法（回想法）などもそうであるが，いずれも

「療法」という名がついているため，どうしても専門的ととらえられ，特別なレクリエーションと考えられがちである。しかし，かかわる姿勢や態度が同じであれば，その人の活性化ははかれると考えられる。私たちがもっている看護力と見合った方法でケアを行うことが，あたり前の生活の援助を継続することにつながっていく。

アクティビティの注意点

認知症に関しては，刺激をうまく与えることで，症状の進行を遅らせることができるといわれている。少しでも認知症の進行をくいとめ，豊かな時間を過ごせるように援助をしていくことが大切となる。しかし，なかには勘違いをして，過度に幼稚なゲームや歌を用いて，アクティビティケアを提供している例も見受けられる。

一概には言えないが，基本的にはその人の生活史を把握し，間違えた尊重をしないようにかかわることが大切になる。たとえば，ゲームの進行でそれぞれの高齢者が興奮して，相手を罵倒(ばとう)したり，せめたりして，不穏な状況をまねいた例もある。また，内容によっては，家族にいやがられるということも見受けられる。

アクティビティを，すべての参加者が十分に楽しめるように実施することはとてもむずかしい。しかし，グループでケアを進める際には，そのグループが1つの生命体となるような活性化の仕方を考慮しなければならない。また，グループでケアを進める場合も，あくまでも個別のケアが基本であるため，1人ひとりへの対応には十分な配慮が必要である。

E 別れを迎えるとき――エンドオブライフケア

誰もが安心して人生の終焉(しゅうえん)を迎えるためには，医療機関のほか，自宅や介護老人福祉施設での看取りなど，地域における患者とその家族の生活に合わせた看取りを確立する必要がある。このような社会的課題に対応すべく，**エンドオブライフケア**という考え方が重要となっている。これは「エンド＝終わり，最期」「ライフ＝人生」と，文字どおり，人生の終焉を迎える人に対する「ケア」であり，最期までQOLを保つことができるよう，身体的・精神的・霊的(スピリチュアル)・社会的な痛みを取り除くアプローチがなされている。

1 人生の最終段階と看護

高齢者の場合，生・死のとらえ方によっては，その時期そのものが人生のラストステージだともいえる。しかし，意思決定が十分にできない高齢者も少なくない。「どう生きたいのか」「どう逝(い)きたいのか」を伝えることができないことに加え，外からはわからない苦痛も多くあると考えられる。人それ

➲表 7-10　ターミナル期におけるケアの目標と進め方

ターミナル期	余命	ケアの目標	ケアの進め方
1. 準備期	6か月〜数か月	環境の整備 信頼関係の確立 本人・家族の意向重視 ケア方針の決定	健康領域を重視させたアセスメントとケアプラン作成 安心できる空間の確保 社会資源の導入 支える地域のチームの会議
2. 開始期	数週間	本人・家族の死を迎える不安の軽減 日常生活維持の支援	コミュニケーションを多くとる ケア技術の確認 チームどうしの連絡方法の確認 地域の資源の活用
3. 危機症状期	数日	おだやかな終末期への移行 友人・なじみの人・家族との団らん	苦痛の緩和，安楽な体位の保持 死の準備教育 終末期ケア継続の可能性の再点検 バックアップ病院の確保 急変時の準備，連絡網作成
4. 末期	数時間	死の受容 臨終の立ち会い 家族への遺言	身体状況の的確な把握 家族および医師への連絡・報告 なじみの人・会いたい人と会う時間の確保 苦痛の緩和 そばに付き添う 家族への看取りのケア指導
5. 臨死期	その瞬間	家族の看取り援助	頻繁な訪問 死の徴候の把握 医師への連絡・報告 家族への報告とコミュニケーション
6. 死後		別れ 遺族への慰労	死後のケア 死亡診断書の作成 葬祭業者への引き継ぎ 通夜・告別式への参加

それの哲学や価値観，障害の程度などによってどう舞台を演じるかは違うが，本人が本人らしく最期まで過ごせるように，舞台の幕引きの手伝いをしたい。

人生の最終段階(ターミナル期)は6段階に分けられ，それぞれケアの目標と進め方が異なる(➲表 7-10)。ここからは，各時期におけるケアについて述べる。

1 準備期のケア

➲表 7-10では余命6か月〜数か月としたが，高齢者の場合は，加齢に伴う身体的変化などの影響から典型的な症状を示さないことや，急激な健康障害をおこす危険性もあるため，一概にこの期間とは言いきれない。認知症者はとくに，苦痛を正確に訴えられないという状態にもあり，なんらかの認知症と診断された段階で準備期だといっても過言ではない。

ケアの目標● ケアの目標としては，①環境の整備，②信頼関係の確立，③本人・家族の意向重視，④ケア方針の決定があげられる。生命の危機をもたらす疾患や身体面などの健康領域に関しては，この時期に正確なアセスメントをしておく必要がある。それに加えて，多くの社会資源を活用できるようなエンドオブライフケアの方針を決定していく。

意向の聴取● ターミナル準備期と判断された本人とそれを取り巻く人たちの会議(ミーティング)を開催し，目標の確認や今後の支援についての話し合いをもつことも必要となる。その際に家族や本人の今後の意向も聴取しておく。いつもの病室や居間ではなく，環境をかえて応接室などのかしこまった場所で話を聞くことも，気持ちをゆっくりと聞くためには有効である。

2 開始期のケア

余命数週間という期間が開始期にあたる。医師と連携をはかり，現在どの段階にいるかを判断する。ケアの目標は，①本人と家族の死を迎える不安の軽減，②日常生活維持の支援である。

不安の軽減● 不安をかかえる人に対してケアを行う際には，本人の立場で「もし私がこの時期にあったら，不安で仕方がないだろう」と考えるようにする。また，それは愛する人を失う家族の立場でも同様である。

不安の軽減の手だすけとなるのは，傾聴の姿勢やコミュニケーションである。機会をみつけては，本人や家族，親しい友人などとコミュニケーションをはかっていく。

本人とのコミュニケーションといっても，言語的な会話だけがコミュニケーションではない。触れる，見つめる，寄り添うことも非言語的なコミュニケーションである。

日常生活の維持● また，この時期には身体的苦痛も多くなってくることが予測され，そのためにいままでできていた日常生活の動作が徐々にできなくなることも考えられる。したがって，多くの苦痛を緩和しながら，現存能力を少しでも支援できるようなケアが求められる。安楽な体位を基本として，姿勢を保持しながらの移動・移行動作，排泄動作，清潔動作が少しでも自分自身で行えるように，看護師間でケアを確認していくことが大切となる。

チーム連携については，準備期同様に連絡を取り合っていく。また，ボランティア団体や民生委員にかかわってもらえるようなよびかけも必要である。

3 危機症状期のケア

危機症状は疾患の種類によって異なり，血圧や呼吸状態が不安定になったり，苦痛から表情がけわしくなったり，混乱したりとさまざまである。また高齢者は急に症状が悪化しやすい状態であるため，「急変」という状況にも陥りやすい。この時期の目標は，①おだやかな末期への移行，②親しい人たちとの団らんの確保となる。

末期への移行● 身体はかなり衰弱し，ベッド上で過ごすことが多くなるので，クッションや介護用品を活用し，できるだけ安楽な体位の保持に配慮していく。そして医師と連携をはかりながら，予測される身体的苦痛(痛み，呼吸苦，かゆみなど)を緩和できるようにかかわる。

この時期になると，本人だけではなく付き添っている家族や看護師も，精神的・身体的に疲れてくる。家族は，看護師からの気づかいのある言葉かけやなにげない会話に支えられる。また家族は，死の直前になると混乱し，延命措置を施すように依頼をしてくることもある。家族と関係性を構築しながら，積極的な延命措置の実施について，明確にしておくことも必要である。

団らんの確保● 本人と家族の団らんの時間を大事にしていき，また本人が会いたがっている(た)友人，なじみの人との面会なども実現していく。本人の体調はもちろん，家族の様子もうかがいながら進めていく。

そして，危機症状がどのように出現してくるかについて，医師から情報を得る。また，その症状をこの施設または在宅で支えられるのか，エンドオブライフケアをやりとげられるのか，緊急対応のためのほかの病院は確保できているか，連絡網は大丈夫か，などをチームで話し合うことも重要である。

4 末期のケア

この時期は意識が低下して，呼吸が浅くなり，下顎・鼻翼呼吸や血圧降下，徐脈，皮膚の色の変化，目のくぼみなど，さまざまな変化がみられる。ときには便や尿の失禁もある。また，気道の分泌物がゼロゼロという音を出す**死前喘鳴**(しぜんぜんめい)という症状もあり，家族にとっては耐えがたい状況となっていく。そのような状況の中で，看護師には正確な観察が求められる。ケアの目標は，①死の受容，②臨終の立ち会い，③家族への遺言である。

死の受容と臨終の立ち会い● なるべく安楽な体位を確保しながら，苦痛を緩和させるようにして，手際よくケアをしていく。体位変換や唇を湿らせることなどは，家族とともに行うなどの配慮をする。症状の把握を行いしだい，医師への連絡・報告をしていく。➲表7-11に，末期患者の症状とそれへの対応をまとめた。

患者は意識が低下しているため，会話的なコミュニケーションは行えないが，こちらから言葉をかけることはできる。1つひとつのケアの前には必ず名前を呼ぶ，これからすることの説明をするなどを心がける。家族に対しても，声をかけたり，手をにぎったりできるように配慮していく。家族やなじみの人がかたわらにいること，その雰囲気を感じることは，「旅立つ」人にとっても勇気がわくことである。

5 臨死期のケア

この時期は家族の看取りの援助をしていく。死亡の判定は，①心拍停止，②呼吸停止，③瞳孔散大・対光反射の消失の3つの徴候をもって，医師が行う。グループホームや在宅の場合，医師が到着してからの判定となるため，

➡ 表 7-11　末期患者の症状と症状への対応

項目	症状	対応の仕方
意識	意識レベルが低下したり，昏睡状態やまどろんだ状態になる。	この状態でも聴覚は保たれているといわれる。不安が強い時期なので，適切に声をかける。本人に死を予測させるような不用意な会話はつつしむ。
表情	無表情になったり，その人らしい表情を失った独特な顔つきとなる場合がある。	無理に表情を引きだそうとせずに，手をにぎることなどによって患者の不安や孤独感をやわらげるようにする。
呼吸	呼吸困難，回数が少なく深い呼吸，浅い呼吸，無呼吸を繰り返す。	苦痛がなければファウラー位にしたり，掛け物は軽めのものにかえる。
循環	血圧低下，脈拍の異常，手や足の先が冷たくなる，チアノーゼにより指や唇が紫色になる。	室内の温度調節や掛け物の調節，保温などを行う。
排泄	反射機能が低下し，肛門括約筋などが弱まるため失禁をおこす。	失禁状態であれば，おむつを使用する。苦痛がないような排泄介助を行う。
皮膚	乾燥気味となり，とくに口唇や舌が乾燥する。	適度に湿らせるように，湿ったガーゼなどでふいたり，クリームを塗る。全身の清潔・保湿にも配慮する。
痛み	がん末期などでは，痛みが強い。	医師と連絡をとりながら，痛みのコントロールを正確に行う。与薬後の効果や副作用などを観察し，医療スタッフと連携をとる。

実際の死亡時刻と判定の時刻が異なることもある。

お別れを言いたい家族，感謝の言葉を言いたい家族，泣いているだけの家族，名前を呼び続ける家族，それぞれの家族の別れの瞬間である。看護師がかたわらにいることも，後ろから見まもることも含めて援助である。

6 死後のケア（エンゼルケア）

旅立たれた方は，これまで精一杯生きてきて，私たちの過ごしやすい社会を築いて来てくれた人である。当然のことだが，敬意をもって，死後のケア（**エンゼルケア**）を行っていく。

エンゼルケア●

まず，死に臨（のぞ）んで使用した器材や装置，物品などをかたづけ，チューブ・カテーテル類は抜き取る。開眼している場合はまぶたを閉じさせる。また口も開かないよう，タオルなどを顎の下に置き，目だたないように掛け物などでおおう。それから，死亡時刻や死亡前に行ったケアなどを記録しておく。

そして，家族や親族の別れを待ち，死後硬直が始まる前に処置にかかる。死後硬直は死後 2～3 時間で始まる。

死後の処置は，おもに死によりおこる身体の外観の変化を整えることである。生前の本人や家族の意思や宗教などを確認し，その意向にそったかたちで実施することが基本となる。在宅の場合，現在では遺族や医療者にかわり葬儀業者がほとんどのことを行うことが多い。遺族が対応を望む場合は，できることについては看護師が援助を行う。施設での対処の仕方については ➡ 表 7-12 にまとめた。

家族によっては，着物ではなくタキシードを着せてくださいということも

表7-12 施設でのエンゼルケア

1. 必要物品の準備	①家族から受け取った遺体の装身用の衣類，②ヘアブラシ，③シェービング用具，④脱脂綿・青梅綿，⑤割り箸，⑥紙おむつ，⑦化粧道具，⑧便器，膿盆（のうぼん），⑨シーツ，洗濯かご，⑩必要に応じて，包帯や絆創膏，綿棒，リップクリーム，タオル，冷却用の氷などを準備する。
2. 身体の清潔	(1) 衣類を外して，胃・腸・膀胱内を空にする。便器もしくはおむつをあて，下腹部を圧迫する。顔を横に向け，膿盆をあてて，胃部を圧迫し内容物を出す。ただし，家族がいやがる場合もあるので，漏液の心配が少ない場合は，きちんと冷却をすることで腹圧が上がるのを防ぐ。 (2) すみやかに全身を温湯でふき，傷や褥瘡がある場合は包帯や絆創膏などをあてる。 (3) 鼻・耳・口・肛門(・膣)に割り箸で青梅綿を詰める。その場合，適度な量を用いながら，顔は外観に変化が出ないように行う。なお，最近は綿詰めをしない場合もある。
3. 更衣と整体	(1) 家族から受け取った着物を左前に合わせて，帯紐は縦結びとする(宗教により異なる)。 (2) 手を胸の上で合掌させる。手が離れてしまう場合は，硬直するまで包帯などで固定する。 (3) 開口してしまう場合は，硬直するまで顎下をタオルで固定する。
4. 整容	(1) 男性の場合，ひげをそったり，きれいに整える。女性の場合，薄く化粧をする。 (2) 仕上げとして，髪を整えることを忘れないようにする。
5. 見送り	(1) 顔に白い布を掛け，全身をシーツでおおう。 (2) 病院・施設であれば霊安室に輸送する。 (3) 家族・遺体にていねいにあいさつをし，別れの言葉をかける。
6. あとかたづけ	(1) 必要物品のかたづけと補充をする。 (2) 記録類の整理をする。

表7-13 悲嘆のプロセスの12段階

①精神的打撃と麻痺状態	⑦空想形成，幻想
②否認	⑧孤独感と抑うつ
③パニック	⑨精神的混乱とアパシー(無関心)
④怒りと不当感	⑩あきらめ——受容
⑤敵意とルサンチマン(うらみ)	⑪新しい希望——ユーモアと笑いの再発見
⑥罪意識	⑫立ち直りの段階——新しいアイデンティティの誕生

(アルフォンス デーケン・飯塚眞之編：日本のホスピスと終末期医療．pp.165-168，春秋社，1991をもとに作成)

あったり，手は合掌（がっしょう）させないでくださいということもあったりする。家族が慣習として取り入れている儀式があれば，それに従う。グループホームや在宅の場合は，出棺（しゅっかん）できる場所を決めておくとよい。

2 遺族へのケア

大切な家族を失った遺族は，大きな悲しみ，喪失という体験をする。そこで私たちは遺族の心の回復に，どのようにかかわればよいのだろうか。

死生学者であるデーケン A. Deeken は，遺族の喪失体験を，悲嘆（ひたん）のプロセスとして12段階に分けて紹介している(➲表7-13)。

残された人は長い期間を経ながら，少しずつこれらの段階に対応していくが，遺族の苦痛を少しでも軽減することが私たちの役割である。しかし，医療者が，患者が旅立ってからは家族とまったく連絡を取り合わないケースも少なくない状況にあり，遺族ケアの確立が遅れているのも事実である。

遺族ケアのポイント

遺族ケアで重要なことは，関係性を途絶(とだ)えさせないということである。①葬儀(そうぎ)後に手紙・電話などで連絡をする，②話を聞き，喪失感や悲嘆は誰でもが経験することであることを伝える，③死後1年間は3か月おきに計画的に連絡を入れ，一周忌(き)には手紙を送る，④遺族のネットワークや自助グループなどを紹介する，などの対応が考えられる。

関係性を継続させ，立ち直りの段階にまで回復した遺族は，新たな遺族，これから遺族になる可能性の高い，ほかの家族とのコミュニケーションをはかることもでき，また施設内で遺族ネットワークを形成することもできる。

まとめ

- 認知症の前段階に軽度認知障害(MCI)がある。MCIは認知症へと移行するため，早期に診断を行い，認知症の予防と治療につなげることが重要である。
- 認知症の症状は認知機能障害と行動・心理症状に分けられる。認知機能障害は必ず生じる症状であるが，行動・心理症状は環境要因・身体的要因・ケアに関する要因などから生じ，援助困難な症状といわれる。これらの要因を正確に把握することが，よりよい援助につながる。
- 現在の認知レベルを維持できるように，精神・身体・社会面の情報だけでなく，これまでのその人の生活歴，習慣，好みを把握し援助に役だてることが必要である。
- 近年の高齢者のリハビリテーションにおいては，在宅重視と自立支援の観点から，要介護状態になることや要介護状態の悪化予防とともに，可能な限り自立した在宅生活を継続できるようにという視点で施策がなされてきた。
- セクシュアリティの自己表現は，異性とのかかわりのなかで自分自身の存在を確認し，それを生きるエネルギーにしていくという行為である。高齢者の「男らしさ」「女らしさ」を再確認し，実際の援助にいかしていくことが必要である。
- アクティビティケアとは，障害をもった人々の生活を，ふだんのあたり前の日常生活に少しでも近づけるための援助行為のことである。これまでの生活習慣・環境を把握し，その人の生括が継続できるような配慮が必要である。
- エンドオブライフケアにおいては，本人や家族と医師および看護師の協力体制が大切である。看護の役割としては，満足した死を迎えるための要素が満たされるように，本人と家族を支えることが求められる。

復習問題

1 認知症について最も関連の強い事項を正しく組み合わせなさい。

①ピック病　・　・Ⓐまだら認知症
②レビー小体　・　・Ⓑ安静時振戦
③血管性認知症　・　・Ⓒ経済的問題
④アルツハイマー型認知症　・　・Ⓓ海馬の萎縮
⑤若年性認知症　・　・Ⓔ常同行動

2 認知機能障害について，空欄を埋めなさい。

▶目の前にあるものがなにかわからなくなる状態を（①　　　）という。
▶運動機能は正常だが目的をもった行動がとれない状態を（②　　　）という。
▶指示語が多くなったり簡単な言葉の理解ができない状態を（③　　　）という。

3 認知症の症状について，次の語群をA・Bに分類しなさい。

【分類】
A：認知機能障害　　B：行動・心理症状
【語群】
①妄想（　　）　②見当識障害（　　）
③異食（　　）　④実行機能障害（　　）
⑤記憶障害（　　）　⑥暴力行為（　　）

4 〔　〕内の正しい語に丸をつけなさい。

①高齢者の家族が認知機能の低下に気づいた場合，〔 様子をみる・早期に受診を行う 〕。
②認知症者が間違ったことを話したときは〔 訂正する・訂正しない 〕。
③認知症者が口に入れると危険なものは〔 手の届く・手の届かない 〕ところに移しておく。
④認知症者がもともと持っていない物をなくしたというときは〔 1人でさがしてもらう・一緒にさがす 〕。
⑤高齢者のリハビリテーションでは，患者が〔 主体的・客観的・消極的 〕に取り組めるようにはたらきかける。
⑥高齢者は異性への関心を〔 もちつづける・もたなくなる 〕。

5 次の内容がエンドオブライフケアで取り組む順番になるように1～5の番号をふりなさい。

（　　）Ⓐ苦痛の緩和
（　　）Ⓑ日常生活の維持の支援
（　　）Ⓒ本人や家族の意向の確認
（　　）Ⓓ家族の希望や宗教に合わせた更衣
（　　）Ⓔ看取りの援助

第8章 高齢者の在宅療養と看護

A 在宅看護の概念

1 在宅看護とは

1 在宅看護の定義

在宅看護は，疾病や障害をもつ個人とその家族が生活する地域で行われる看護をいう。生活の場は，一般的に自宅をさすことが多い。在宅看護では，在宅療養者がその人らしい生活を営めることを目的としており，治療の場である医療機関で提供される看護とは，性質が異なるという特徴がある。

介護保険制度が整備されて以降は，自宅だけでなく，介護老人福祉施設(特別養護老人ホーム)などで生活する人が増加している。これらの施設入居者のなかには，入居をきっかけに現住所を施設に移す人もいる。施設は自宅と同様にその人の生活の場となるため，その意味では入居施設で提供される看護も，在宅看護として扱われている。

在宅ケア 在宅看護と似た言葉に**在宅ケア**があり，両者は混同して使われることがある。在宅ケアとは，要介護者や障害児・者，終末期にある人などに対し，医療・福祉・就労・教育・住まいなど，あらゆる側面から複合的なケアを行うことをいう(➡図8-1)。

在宅看護は在宅ケアの一部を担っており，看護職者が医療・保健の視点から在宅療養者の生活を支援する。また，在宅看護は，訪問看護と同義に使われることがあるが，訪問看護は在宅看護を展開する手段の1つであり，一般的には保険給付により提供される看護をさす。

在宅医療への移行 近年，国は地域における医療・介護の連携を強化し，包括的かつ継続的な在宅医療・介護を推進している。その背景には，少子高齢化や平均在院日数の短縮，国民のニーズの変化などがある。医療施設(動態)調査・病院報告によると，2010(平成22)年に32.5日だった全病床の平均在院日数は，2019(令和元)年には27.3日となった(➡図8-2)。

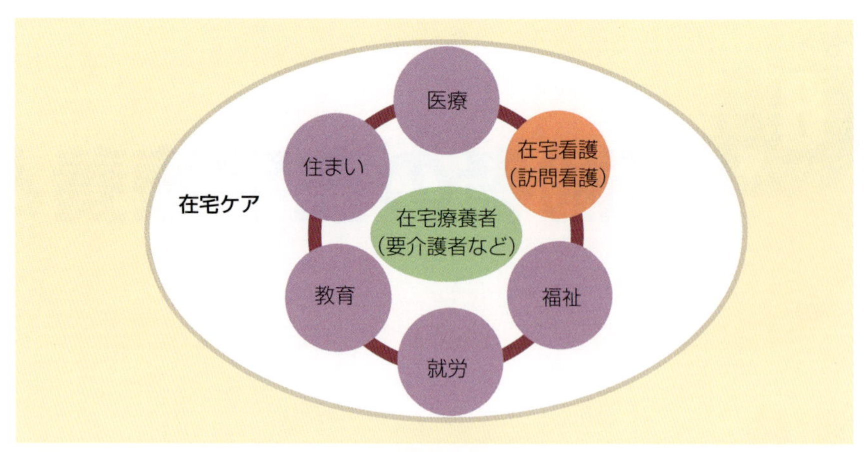

図8-1 在宅ケアにおける在宅看護の位置づけ

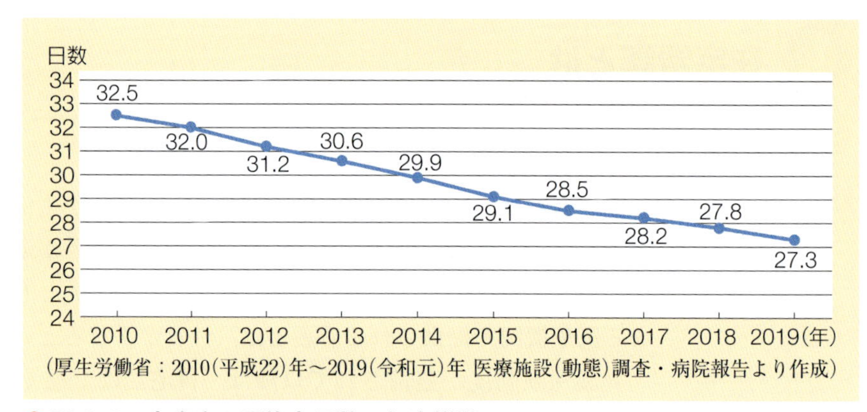

図8-2 全病床の平均在日数の年次推移

また，2012(平成24)年の「高齢者の健康に関する意識調査」で，「日常生活を送る上で，介護が必要になった場合，どこで介護を受けたいか」をたずねたところ，最も多かったのは「自宅で介護してほしい」の34.9％であった(図8-3)。これらのことをふまえると，今後，病院での看護から在宅での看護が進み，国民の在宅看護に対するニーズもいっそう高まると考えられる。

2 在宅看護の変遷

■在宅看護の原点

19世紀，イギリスのフローレンス＝ナイチンゲール Nightingale, F. は，「病院というものは，あくまでも文明の途中のひとつの段階を示しているにすぎない。(中略)しかし究極の目的は，すべての病人を家庭で看護することである」[1]という言葉を残している。つまり，この時代からナイチンゲールは，

1）薄井坦子編：ナイチンゲール言葉集――看護への遺産．p.105，現代社，1999.

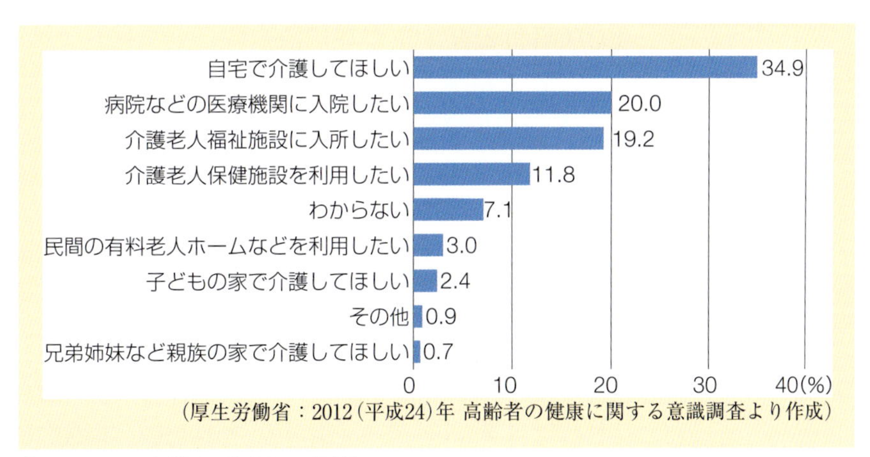

図 8-3 介護を受けたい場所

病人に対する看護として，在宅看護を提言している。

また，アメリカのリリアン＝ウォルド Wald, L. D. も，在宅看護を開拓した人物の1人である。ウォルドは，1893年にニューヨークでヘンリー－ストリート－セツルメントを創設した。セツルメントとは，「恵まれない人々が暮らす地域の状況の改善・向上を目ざし，教育的はたらきかけなどさまざまな活動を行う人たちが住む施設」[1)] をいう。当時，ニューヨークのヘンリー通りにはおおぜいの移民が押し寄せ，いたる所に大量のごみが散らばり，異臭が漂う劣悪(れつあく)な環境だった。ウォルドは友人のメアリー＝ブリュースターとともにヘンリー通りに移り住み，そこで生活する人々と一緒に暮らし，ヘルスプロモーションや疾病予防に力を注いだ。

わが国の在宅看護のはじまり

わが国の在宅看護のはじまりは，明治後期からといわれている。日本は，戦争や世界恐慌の影響も受け，国民の生活は窮乏(きゅうぼう)していた。1886(明治19)年，新島襄(にいじまじょう)は京都看病婦学校を設立し，1892(明治25)年に貧困者に対する巡回看護事業を始めた。また，1911(明治44)年には，社会事業家の生江孝之(なまえたかゆき)が在宅看護活動の必要性を説いている。

この後，大正から昭和初期にかけて，乳児死亡率や結核死亡率が非常に高いことを受け，東京賛育会が1919(大正8)年に巡回産婆事業を開始し，妊産婦や乳幼児への訪問指導を行った。1923(大正12)年の関東大震災では，済生会が巡回看護事業を臨時に始め，被災者の看護や母子保健活動などを行った。この事業は半年間で終了する予定であったが，社会から継続の強い要望があり，その後も継続されることになった。

1）リリアン＝ウォルド著，阿部里美訳：ヘンリーストリートの家．p.5，日本看護協会出版会，2004.

1927(昭和2)年，聖路加国際病院は，アメリカの公衆衛生看護婦ヌノ Nuno, C. M. を指導者としてまねき，公衆衛生看護部をたちあげ，乳幼児の健康相談や訪問指導を行った。1930(昭和5)年には，大阪朝日新聞社会事業団が保良(ほら)せきを迎え，公衆衛生訪問婦協会を設立した。この協会は，病人などに対する家庭訪問や健康相談，経済支援などを行った。その後，1937(昭和12)年に保健所法，1941(昭和16)年に「保健婦規則」が制定され，保健婦活動のなかで在宅看護が行われた。

■わが国の在宅看護の制度化

1963(昭和38)年に**老人福祉法**が制定され，老人の保健福祉施策が体系化された。1970年代になると，東京都や京都府の病院，一部の自治体で訪問看護が開始され，医療福祉機関との連携もはかられるようになった。

1982(昭和57)年に**老人保健法**が制定されると，翌年には退院後の寝たきり老人に対する訪問看護がはじめて診療報酬の対象となった。その後も診療報酬は改定され，精神科訪問看護や在宅患者訪問看護へと対象が拡大した。

■わが国の在宅看護の発展期

1989(平成元)年，**高齢者保健福祉推進十か年戦略**(**ゴールドプラン**)が策定され，高齢者のニーズに応じた在宅ケアサービスの整備目標が設定された。1990(平成2)年には，高齢者やその家族からの在宅介護に関する総合的な相談に応じる機関として，在宅介護支援センターが設置された。1992(平成4)年の老人保健法改正では，65歳以上の高齢者を対象とした老人訪問看護制度が創設され，老人訪問看護ステーションの設置が始まった。

1994(平成6)年には，健康保険法が改正され，訪問看護の対象者が高齢者だけでなく，すべての在宅療養者に拡大した。一方で，人口の高齢化が予想よりも早く進んだため，同年にゴールドプランを見直した，**新・高齢者保健福祉推進十か年戦略**(**新ゴールドプラン**)が策定された。このプランでは，訪問看護ステーションの5,000か所設置などの整備目標が引き上げられた。

1999(平成11)年度に新ゴールドプランは終了し，**ゴールドプラン21**が策定され，介護サービスの基盤整備に加え，介護予防・生活支援が推進された。2000(平成12)年には，介護保険法が施行され，在宅ケア体制は飛躍的に発展し，要介護度に合わせたより複合的なサービスを提供できるようになった。

3 在宅看護の特徴

在宅看護の特徴は，看護職者が在宅療養者の自宅などに出向き，生活に即した看護サービスを提供することである。看護職者は在宅療養者の生活の場に訪問するため，自身の接遇(せつぐう)や態度に十分注意し，療養者と信頼関係を築く必要がある。また，療養者は自分の人生や生活に対し，さまざまな思いや気持ちをいだいている。療養者が歩んできた人生や思いを尊重し，その人らしい生活が送れるような看護を考えていく。

在宅看護を行う看護職者に求められる能力

近年では，在宅酸素療法を行っている人や人工呼吸器を装着している人など，医療依存度が高い在宅療養者が増加している。このような療養者が生活する環境は，医療機関のように医療者がつねにいる状態ではない。また，在宅看護では看護職者が1人で訪問し，医療処置や看護を行うことが多い。そのため看護職者には，コミュニケーション能力に加え，ヘルスアセスメント能力，適切な医療・看護を提供できる能力，社会資源や制度に関する知識，多職種と連携できる能力などが求められる。

在宅療養者のケアには，看護職者以外に，医師，ケアマネジャー(介護支援専門員)，訪問介護員(ホームヘルパー)，リハビリテーション職者などの多くの専門職が携(たずさ)わる。なかでも，ケアマネジャーは，在宅療養者と社会資源とを結びつけ，社会資源がうまく機能するよう調整する重要な役割をもっている。

社会資源の1つである看護職者には，ケアマネジャーやそのほかの専門職とも連携をはかり，在宅療養者に対し全人的なアプローチを行うことが求められる(➲254ページ)。

2 地域包括ケアシステム

地域包括ケアシステムとは，「地域の実情に応じて，高齢者が，可能な限り，住み慣れた地域でその有する能力に応じ自立した日常生活を営むことができるよう，医療，介護，介護予防，住まい及び自立した日常生活の支援が包括的に確保される体制」[1)]をいう(➲図8-4)。この地域包括ケアシステムは，医療・介護・生活支援などの必要なサービスを，おおむね30分以内に住まい[2)]へ届けることができる日常生活圏域(中学校区の規模)を単位として想定している。

今後，ますます高齢化が進行するわが国では，高齢者の単独世帯・夫婦のみ世帯や認知症高齢者が増加すると想定される。とくに，団塊(だんかい)の世代が75歳以上となる2025年以降は，医療や介護の需要がさらに増加することが見込まれている。そのため，厚生労働省は2025年をめどに，地域で生活する高齢者を支えるしくみとして，地域包括ケアシステムの構築を目ざしている[3)]。

1）「持続可能な社会保障制度の確立を図るための改革の推進に関する法律」第4条第4項にて定義されている。
2）住まいには，住み慣れた自宅のほか，高齢者向け住宅や施設なども含まれる。
3）厚生労働省：地域包括ケアシステム(https://www.mhlw.go.jp/seisakunitsuite/bunya/hukushi_kaigo/kaigo_koureisha/chiiki-houkatsu/dl/link1-4.pdf)(参照2021-07-30)

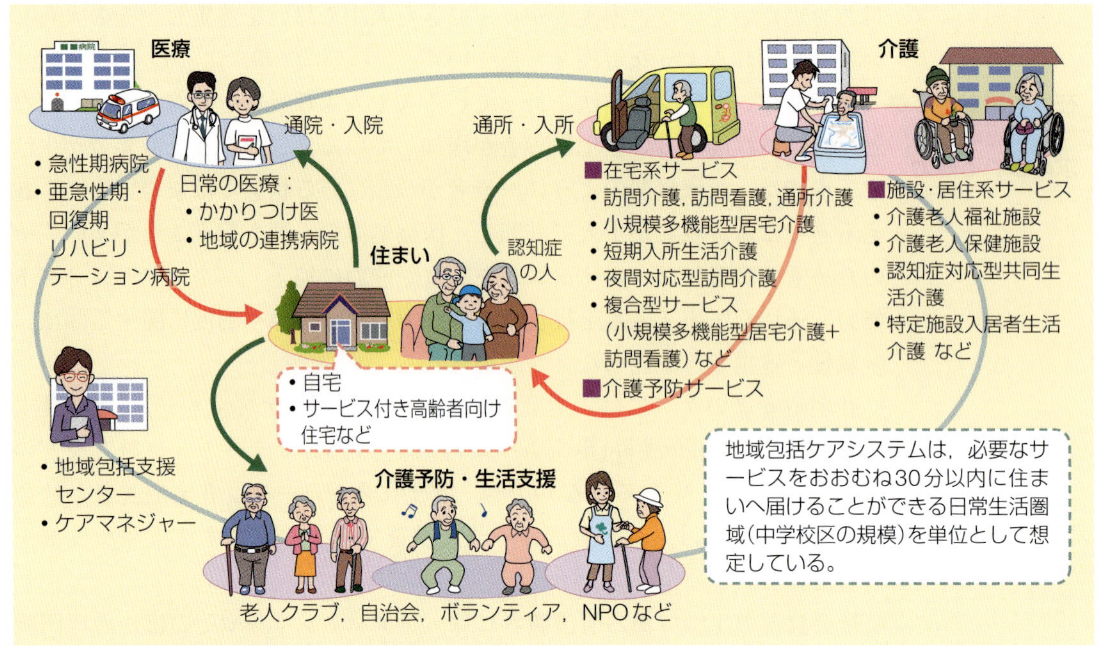

➲ 図 8-4　地域包括ケアシステムの姿

❶ 地域包括ケアシステムの基本理念

地域包括ケアシステムの基本となる理念は，介護保険制度の理念と同様に，尊厳の保持と自立生活の支援である。

尊厳の保持● 尊厳の保持とは，その人らしさを維持することを意味している。本人の自由な選択と意思決定を支援することで，高齢者がそれまでつちかってきた人間関係を保ちながら，住み慣れた地域でその人らしく暮らしつづけることを目ざすものである。

自立生活の支援● 自立生活の支援は，高齢者があらゆる日常生活行為や仕事・趣味などの社会活動をみずから行い，家庭や地域において役割を果たし，生きがいをもって生活することを目ざして行うものである。そのためには，身体面だけでなく，心理面・社会面での自立も視野に入れて支援をすることが重要となる。

❷ 地域包括ケアシステムの構成要素

地域包括ケアシステムは，おもに①住まい，②介護予防，③生活支援，④介護，⑤医療の 5 つの要素から構成されている。これらの要素が相互に関係し，連携しながら，高齢者みずからの努力を基本としつつ，必要な支援を過不足なく一体的に提供する体制を整えることを目ざしている（➲ 図 8-4）。

具体的には，まず生活の基盤となる住まいを中心とし，高齢者 1 人ひとりがみずからの健康増進や介護予防についての意識をもち，元気に自立した生活を送ることができるよう，主体的に介護予防に取り組むことが基本とな

（三菱 UFJ リサーチ＆コンサルティング：<地域包括ケア研究会>地域包括ケアシステムと地域マネジメント，地域包括ケアシステム構築に向けた制度及びサービスのあり方に関する研究事業 平成 27 年度厚生労働省老人保健健康増進等事業，2016.）

➲ 図 8-5　地域包括ケアシステムの「植木鉢」

る[1]。

そのうえで，生活に支援が必要となったときには，地域住民や自治会，ボランティアといった，多様な担い手による生活支援が行われ，介護が必要となったときには，介護サービスが提供される体制が必要となる。また，医療が必要となったときには，かかりつけ医や地域の病院への受診，急性期病院やリハビリテーション病院などへの入院による治療が必要となる。

治療が終わったあとは，再び高齢者が主体的に介護予防に取り組むことを基本としつつ，住み慣れた住まいで自立した生活を可能な限り維持していくことができるように，必要に応じて生活・介護・医療に対する支援を継続的に提供する体制を整えることが求められる。

各構成要素の関係性

このように地域包括ケアシステムの５つの構成要素は，相互に関係し連携しあいながら，途切れることなくつながっている。これら５つの構成要素の関係性は，植木鉢にたとえられる（➲ 図 8-5）。まず，地域で本人が望む生活を継続するためには，本人の選択が尊重されることが前提となり，それを可能にするための本人・家族の心構えが必要となる。これが地域包括ケアシステムの基礎となる受け皿になる。そのうえで，生活の基盤となる住まいと住まい方が植木鉢となり，介護予防・生活支援がその植木鉢の中を満たす土として，医療・看護・介護・保健・福祉などの専門的なサービスと密接に関係

1）介護保険法第４条第１項は，「国民は，自ら要介護状態となることを予防するため，加齢に伴って生ずる心身の変化を自覚して常に健康の保持増進に努めるとともに，要介護状態となった場合においても，進んでリハビリテーションその他の適切な保健医療サービス及び福祉サービスを利用することにより，その有する能力の維持向上に努めるものとする」と定めている。

し，連携し合いながら1つのチームとして本人が選択した生活を支援していくのである。

このように，地域包括ケアシステムにおいては，①高齢者の尊厳ある自分らしい暮らしを実現するために，本人の希望に基づき，家族が同じ気持ちで寄り添うこと，②住まいと地域の特性に応じた，生活にかかわる支援が提供されること，③医療・看護・介護などの専門職が効果的にかかわることが重要となる。とくに地域包括支援センターやケアマネジャーは，高齢者の在宅生活を可能にするための継続的・包括的支援の開始に向けた相談業務や各種サービスの調整という重要な役割を担う。

3 4つの「助」

前項で述べた5つの要素に加えて，地域包括ケアシステムを構築していくうえで大切になるのが，**自助・互助・共助・公助**という**4つの「助」**である（➲図8-6）。

自助● 自助は，自分で自分を支援することである。定期的に健康診断を受ける，みずから体操を行うなどの，介護予防のための活動がこれにあたる。ほかにも，家事代行や宅配弁当などの民間サービスの利用・購入も自助にあたる。

互助● 互助は，費用負担が制度化されていない自発的な支え合いのことである。たとえば，近隣の仲間どうしで互いの安否確認を行うしくみをつくったり，住民ボランティアが要支援者のごみ出しを手伝ったりすることが互助にあたる。

共助● 共助は，介護保険のように，リスクを共有する仲間である被保険者の負担により提供される支援である。相互に支え合っているという意味では互助と共通しているが，費用負担が制度的に裏づけられているという点が異なる。

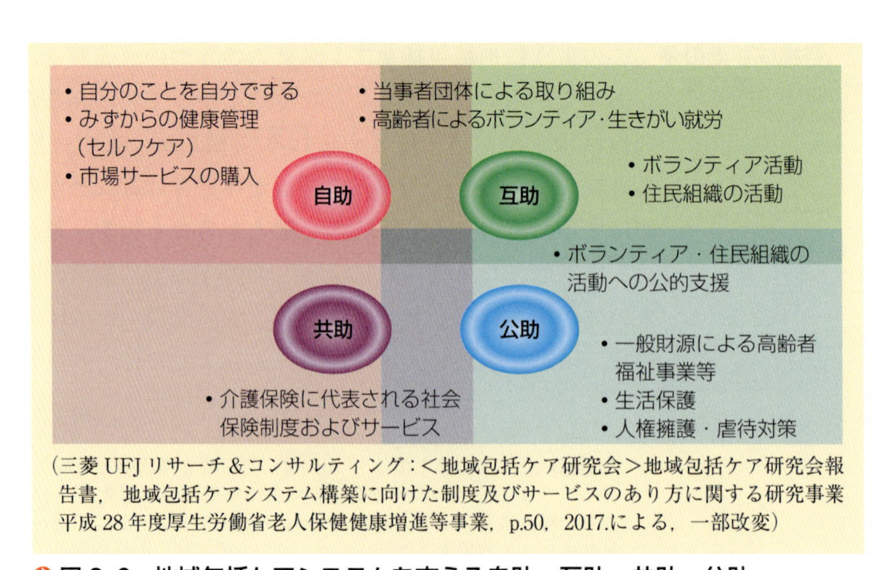

（三菱UFJリサーチ＆コンサルティング：<地域包括ケア研究会>地域包括ケア研究会報告書，地域包括ケアシステム構築に向けた制度及びサービスのあり方に関する研究事業 平成28年度厚生労働省老人保健健康増進等事業，p.50，2017.による，一部改変）

➲図8-6 地域包括ケアシステムを支える自助・互助・共助・公助

たとえば介護保険では，40 歳以上の被保険者から介護保険料が徴収されており，国・都道府県や保険者である市区町村の財源とあわせて，介護保険サービスを利用する要支援者・要介護者を支えている。

公助 公助は，高齢者福祉事業や生活保護など，行政が中心となり税金を使用して提供される公的な支援である。

地域における自助と互助 少子高齢化が急速に進行し，苦しい財政状況が続くわが国では，今後，公助と共助の大幅な拡充を期待することはむずかしい。そのため，自助と互助の果たす役割が大きくなると考えられる。しかし，高齢化の進行状況や地域資源の充足状況，支援の提供体制は，地域によって大きな差が生じている。そのため，それぞれの地域で，地域の特性に応じた包括的な支援・サービスの提供体制をつくりあげていく必要がある。

たとえば都市部では，地域のつながりが希薄なことが多く，強い互助を期待することはむずかしい。しかし，多様なニーズに対応する民間市場が充実しているため，各種サービスの購入による自助が可能である。一方，都市部以外の地域では，民間市場が限定的でサービスの選択肢が多くないため，地域住民どうしの結びつきによる互助の果たす役割が大きくなる。

いずれにしても，高齢者が住み慣れた地域での生活を継続していくためには，それぞれの地域の強みをいかして，自助と互助の不足部分を補い合うことが必要となる。

高齢者の社会参加 自助と互助の拡充において重要なカギとなるのが，生活支援サービスの充実と高齢者自身の社会参加の拡大である（➡ 図 8-7）。これは，高齢者が社会に積極的に参加し，生活支援サービスを提供する側として活躍することを目ざすものである。高齢者自身が生活支援の担い手となれば，地域における高齢者どうしの互助が拡充されるだけでなく，高齢者が社会的役割をもつこと

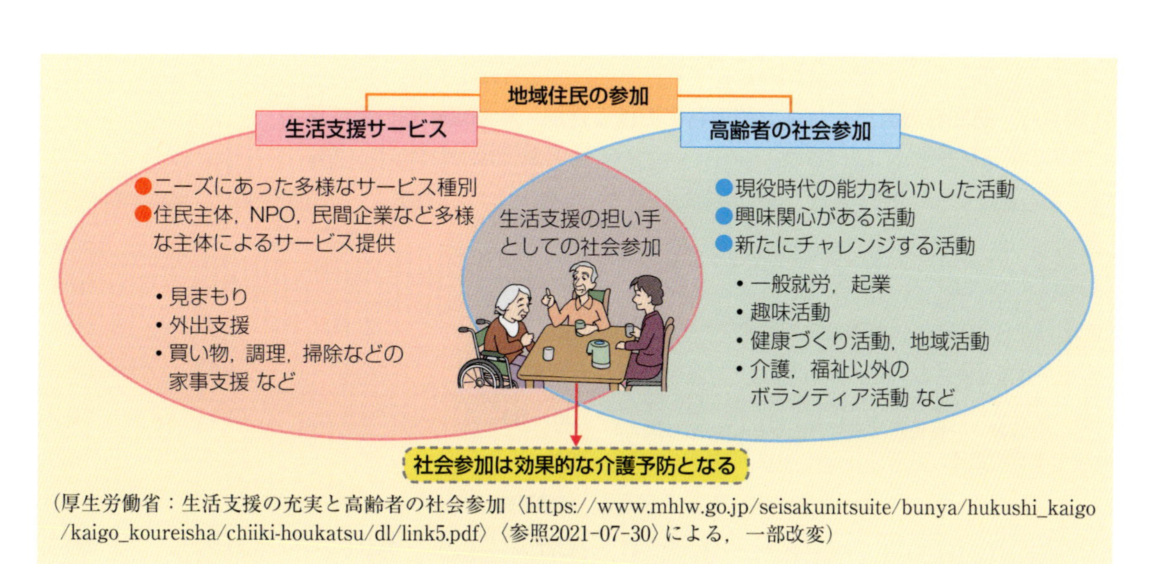

（厚生労働省：生活支援の充実と高齢者の社会参加〈https://www.mhlw.go.jp/seisakunitsuite/bunya/hukushi_kaigo/kaigo_koureisha/chiiki-houkatsu/dl/link5.pdf〉〈参照2021-07-30〉による，一部改変）

➡ 図 8-7 生活支援サービスの充実と高齢者の社会参加の拡大

にもつながる。これにより，高齢者の生きがいづくりや，自助としての介護予防活動を推進する効果も期待できる。

B 在宅看護の実際

1 在宅看護の対象

在宅看護では，あらゆる年齢や疾患，健康レベルの在宅療養者を対象としている。対象の特徴は，複数の疾患をもつ人や医療依存度が高い人，ターミナル期にある人など多様である。2019(令和元)年介護サービス施設・事業所調査によると，訪問看護ステーション利用者は，男女別では女性利用者が多い(➲表8-1-a)。また，年齢別では，介護保険法による利用者では80～89歳が，健康保険法等による利用者では40～64歳が最も多くなっている(➲表8-1-b)。また，訪問看護ステーション利用者の傷病(しょうびょう)別割合をみると，介護保険法による利用者では循環器系の疾患が，健康保険法等による利用者では精神および行動の障害が最も多い(➲図8-8)。

在宅療養者の家族 在宅看護の対象は，在宅療養者だけでなく，その家族や取り巻く環境も含まれる。2022(令和4)年の国民生活基礎調査によると，要介護者等がいる世帯構造は，核家族世帯が最も多く，ついで単独世帯が多くなっており，年々，核家族世帯の割合が上昇傾向にある(➲表8-2)。

同居介護者の続柄(つづきがら)をみると，配偶者が最も多く，ついで子，子の配偶者の順となっている(➲図8-9)。さらに，60歳以上の同居介護者は，全同居介

➲ 表8-1 訪問看護ステーション利用者における性別・年齢階級別の構成割合

a. 性別の構成割合(%)

	総数	介護保険法	健康保険法等[1]
男	42.0	39.5	47.4
女	58.0	60.5	52.6
合計	100.0	100.0	100.0

1，2)「健康保険法等」による利用者は，介護保険法の支払いがなく，後期高齢者医療制度の医療保険，公費負担医療などの支払いがあったものである。

b. 年齢階級別の構成割合(%)

年齢	総数	介護保険法	健康保険法等[2]
0～39	5.7	-	17.6
40～64	12.8	4.1	31.1
65～69	6.1	4.9	8.7
70～79	22.4	23.0	21.0
80～89	34.4	43.0	16.3
90～	17.4	23.8	4.0
年齢不詳	1.2	1.2	1.3
合計	100.0	100.0	100.0

(厚生労働省：2019(令和元)年 介護サービス施設・事業所調査より作成，一部改変)

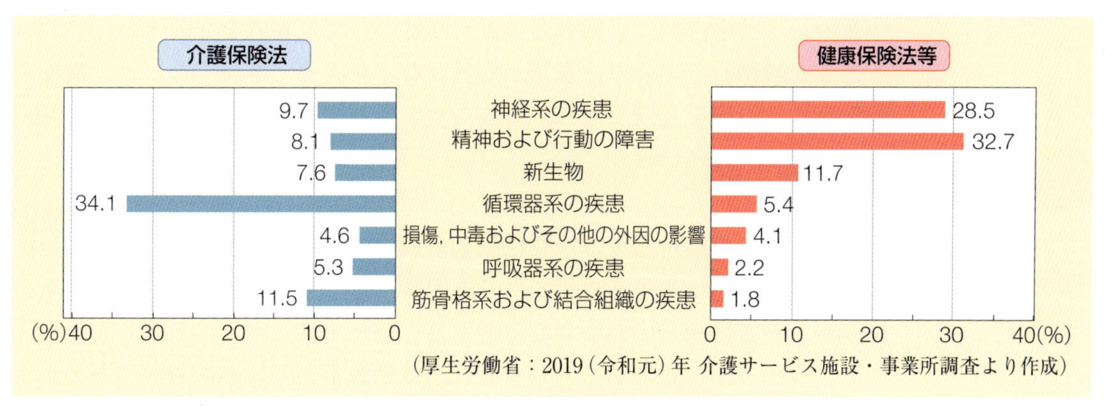

図 8-8 訪問看護ステーション利用者における傷病別の割合

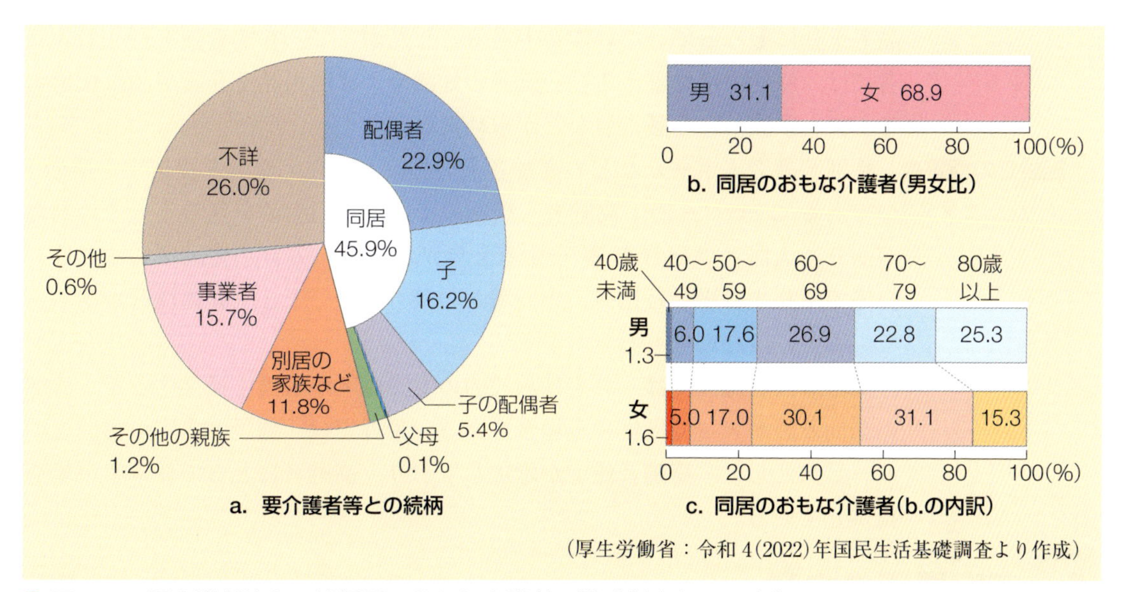

図 8-9 要介護者等との続柄別のおもな介護者の構成割合(2022年)

表 8-2 要介護者等がいる世帯構造の構成割合の年次推移(%)

年次	総数	単独世帯	核家族世帯		三世代世帯	その他の世帯	高齢者世帯(再掲)
				夫婦のみの世帯			
2004	100	20.2	30.4	19.5	29.4	20.0	40.4
2007	100	24.0	32.7	20.2	23.2	20.1	45.7
2010	100	26.1	31.4	19.3	22.5	20.1	47.0
2013	100	27.4	35.4	21.5	18.4	18.7	50.9
2016	100	29.0	37.9	21.9	14.9	18.3	54.5
2019	100	28.3	40.3	22.2	12.8	18.6	57.1
2022	100	30.7	42.1	25.0	10.9	16.4	61.5

※ 2016年の数値は，熊本県を除いたものである。

（厚生労働省：令和4(2022)年国民生活基礎調査より作成）

護者の約7割を占め，高齢の介護者が高齢の在宅療養者を介護する，いわゆる老老介護がおきている。家族が病気となり介護ができなくなると，療養者の健康にも影響を及ぼすため，家族の健康への支援が非常に重要となる。

2 在宅看護の場

自宅での療養● 在宅看護を提供する場は，在宅療養者の自宅であることが多い。在宅療養者にとって自宅は，生活の場であると同時に安心できる場であるが，自宅の環境が療養者に適していないこともある。たとえば，廊下に手すりがなかったり，トイレが和式であったりすると，運動器系に障害がある療養者の場合，生活に不便が生じることがある。

また，病院のようにつねに医療者がいるわけではないうえ，必要なケア用品も十分にそろっていないこともある。したがって，在宅看護を行う看護職者には，療養環境を整える社会資源の知識や，家庭用品を介護用品に代用する工夫，家族への介護指導などが求められる。

施設での療養● 特別養護老人ホームなどの高齢者入居施設も，在宅看護を提供する場の1つである(➡255ページ)。高齢者入居施設では，集団生活を送るうえでの制約があり，入居者はそれを遵守する必要がある。一方で，施設によっては，自宅で療養する場合と比べ，専門職との接点が多いことや介護機器がそろっているといった利点もある。

高齢者入居施設では，おもに施設内の看護職者が看護を提供するが，外部の訪問看護が入って提供する場合もある。最近では，施設と自宅の中間型のサービスとして，高齢者住宅が増加しており，高齢者にとって住みよい場を提供している。

3 在宅看護の内容

在宅看護では，健康状態の観察から日常生活の援助，医学的処置，リハビリテーションからターミナルケアまで多岐にわたる内容が行われる。

1 健康状態の観察

バイタルサイン(意識，呼吸，脈拍，血圧，体温)や栄養状況(食事内容，摂取量など)，排泄状況(排尿量，排便回数など)，活動状況，日常生活動作(ADL)の状況，睡眠状況，服薬状況，気分の変調などを観察する。これらの観察は在宅療養者だけでなく，その家族に対しても行う。

2 日常生活援助

日常生活を支える基本的な援助には，室温・湿度などの環境調整，食事の援助，排泄の援助，清潔の援助(清拭・洗髪・入浴・口腔ケア・陰部洗浄・寝衣交換)，活動・休息の援助などがある。自宅にケア用品がそろっていない場合は，別のもので代用するといった，コストをおさえる工夫が求められる。

❸ 医学的処置・管理

主治医の指示に基づき，吸引，経管栄養，膀胱留置カテーテル，創傷処置，点滴などを行う。また，酸素療法，人工呼吸療法，中心静脈栄養に関連する機器の操作・管理も行う。これらの機器の不適切な取り扱いは，重大な事故につながるため，在宅療養者だけでなく家族への指導も重要になる。

❹ リハビリテーション

高齢の在宅療養者は，加齢に伴い，筋力の低下や関節の拘縮などがみられる。また，疾病や傷害による安静が続くと，廃用症候群が引きおこされる(➡67ページ)。在宅療養者が自立した生活を送れるよう，アクティビティケアを通して，療養者の活動意欲を高めること(➡227ページ)や，リハビリテーション職者と連携し，関節可動域訓練や摂食・嚥下訓練などを行う。

❺ ターミナルケア

在宅療養者が終末期にあるときは，最期まで自分らしい療養生活を続けられるよう，呼吸困難や痛みなどに伴う苦痛の緩和に努める。また，療養者の最期と向き合う家族に対しては，心身のサポートや看取りの援助を行う。療養者が亡くなったあとは，遺族がその事実と向き合い，前に進んでいけるよう，精神的援助を行うことが重要である。このようなケアを**グリーフケア**という。

❻ 社会資源の活用

社会資源とは，在宅療養者の問題を解決するために利用できる，物的要素と人的諸要素の総称である。対象者が病院から在宅へ移行するときや，療養者の心身に変化があったときは，社会資源を適切に利用して療養者の生活を支援する。また，訪問看護師は医療機関に直接出向き，そこのスタッフと連携をはかり，退院する患者の在宅療養の準備や指導を行うこともある。

C 在宅療養を支える看護

1 訪問看護の概要

訪問看護とは，看護職者が在宅療養者の自宅などに訪問し，そこで提供する看護サービスをいう。疾病や障害がある人や医療機器を使用している人でも，住み慣れた場で最期まで生活できるよう支援する。

訪問看護を行う職種● 訪問看護には，訪問看護ステーションの看護職者(おもに看護師)が療養先を訪問する場合と，保健所や市町村の行政の看護職者(おもに保健師)が地域住民の自宅へ訪問し，指導する場合とがある。

保健所や市町村が行う訪問指導は，母子保健法や健康増進法，精神保健及び精神障害者福祉に関する法律などの法律に基づく看護サービスである。そのため，訪問看護指示書は必要なく，サービス費用も無料である。

2 訪問看護の制度とその対象

介護保険による訪問看護● 介護保険による訪問看護を利用する場合，市町村に要介護認定の申請を行い，要支援 1・2，要介護 1～5 のいずれかの要介護認定を受ける必要がある。2019 年の訪問看護ステーション利用者における要介護(要支援)別の割合は，要介護 2 が最も多く，ついで要介護 1 であった(➲ 表 8-3)。

本人や家族がかかりつけ医に相談し，訪問看護が必要と認められると，訪問看護指示書が交付される。その後，依頼を受けた訪問看護ステーションは，かかりつけ医が交付した訪問看護指示書に基づいて看護サービスを提供する。

医療保険による訪問看護● 医療保険による訪問看護は，条件はあるが小児から高齢者まで利用できる。基本的には介護保険による利用が優先されるが，疾病や病状により特別な医療管理を必要とする場合は，医療保険による訪問看護が優先される(➲ 表 8-4)。

介護保険による訪問看護と同様，本人や家族がかかりつけ医に依頼し，訪問看護が必要と認められると，訪問看護指示書が交付される。訪問看護ステーションは，それに基づいて看護サービスを提供する。

利用範囲● 訪問看護の利用には，訪問回数や訪問時間に定めがある。介護保険による訪問看護の場合，要介護度別の支給限度基準額や，ほかのサービスとの併用も考慮したうえで，訪問回数や訪問時間が計画される。認定された基準額を超過し利用した場合は，超過分は全額自己負担となる。

➲ 表 8-3　訪問看護ステーションの要介護(要支援)別利用者数の構成割合(2019 年)

要支援 1	要支援 2	要介護 1	要介護 2	要介護 3	要介護 4	要介護 5	申請中	定期巡回・随時対応型
4.8%	9.7%	20.0%	22.5%	14.7%	13.5%	12.9%	0.7%	1.1%

(厚生労働省：令和元年 介護サービス施設・事業所調査より作成)

➲ 表 8-4　医療保険が優先される訪問看護の対象

1. 厚生労働大臣が定める疾病など
末期の悪性腫瘍，多発性硬化症，重症筋無力症，スモン，筋萎縮性側索硬化症など
2. 特別訪問看護指示書の交付を受けた者
急性増悪などにより，患者の主治医が一時的に頻回の訪問看護の必要性をみとめた者など
3. 特別管理加算の対象者
在宅悪性腫瘍患者指導管理もしくは在宅気管切開患者指導管理を受けている状態にある者など

医療保険による訪問看護の場合，訪問回数は週3日まで，訪問時間は1回に30～90分である。ただし，厚生労働大臣が定める疾病等や気管カニューレなどの特別な管理を必要とする人，特別訪問看護指示書の交付を受けた人は，週4日以上の訪問が認められる。

3 訪問看護ステーション

1 訪問看護ステーションの現状

訪問看護ステーションは，都道府県知事または指定都市・中核市の市長の指定を受け，訪問看護を実施する事業所をいう。2021(令和3)年介護サービス施設・事業所調査によると，訪問看護ステーションは全国に13,554か所あり，2017(平成29)年と比較すると約3,250か所増加した。訪問看護ステーションの開設主体は，営利法人が59.2％と最も多く，ついで医療法人が21.9％であった。

2 訪問看護ステーションの運営

訪問看護ステーションの開設には，常勤換算で2.5人以上の看護職員を配置する必要があり，うち1名は常勤でなければならない。管理者は保健師，看護師，助産師と定められている。ただし，助産師の場合，健康保険法の指定訪問看護ステーションのみとなる。

訪問看護ステーションの従事者として，看護職者以外に理学療法士や作業療法士，言語聴覚士がいる事業所もある。近年，訪問看護ステーションで働くリハビリテーション職者の割合が増加しており，2019(令和元)年では全従事者数の22.2％を占めていた。また，訪問看護分野における認定看護師もおり，2022年12月末現在，日本看護協会に668名が登録されている。

4 訪問看護師に必要な能力

訪問看護師は，在宅療養者の自宅などに出向くため，身だしなみや言葉づかいなどを厳しく評価されることが多い。接遇によっては，在宅療養者に訪問を断られ，契約が解除となる場合がある。訪問看護師は，自身の接遇に十分に注意をはらい，在宅療養者に受け入れてもらえるよう努める必要がある。

信頼関係を形成することは，在宅療養者の思いを引き出し，看護サービスの満足度につながる。また，訪問看護師には，1人で在宅療養者の状態を把握し，必要な看護を判断していくことが求められる。そのため，コミュニケーション力に加え，観察力，アセスメント力なども必要不可欠である。

多職種連携● 在宅療養者のケアには，看護職以外にも多くの専門職が携わっている。近年では，地域包括ケアが推進されるようになったことを背景に，訪問看護師には在宅ケアチームの一員として，多職種と連携する能力が求められている。

各専門職の専門性を尊重し，連携を大切にしながら，療養者のニーズにそった支援を行う。

意思決定支援 在宅療養者に対する看護サービスは，一方的に提供するのではなく，在宅療養者の意思でサービスを選択できるように支援することが大切である。高齢者や認知症患者，障害児・者の場合，意思決定場面において弱者となりやすく，本人の意思が尊重されにくい。訪問看護師は，このような人々の代弁者となり，生命や権利をまもる役割も担っている。

5 多職種連携によるケアチーム

在宅ケアチームを構成するメンバーには，医師，薬剤師，看護師，理学療法士，介護福祉士などの専門職と，民生委員，児童委員，ボランティアなどの非専門職とがある。本人と家族を中心として，専門職と非専門職などで構成されたチームを**分野横断的チーム**という(➲図8-10-a)。また，専門職が連携して構成されたチームを**学術的チーム**という(➲図8-10-b)。

多職種が協働して在宅ケアを展開する際には，それぞれの職種の専門性を認識し，ケアの方針や進捗状況などを，チーム内で定期的に共有できる場を設ける必要がある。チームが効果的に機能するためには，チームで達成できる課題があること，チームメンバーがともに活動する必要がある課題であること，チームメンバーの心身状態が良好であることが必要である。したがって，チームリーダーには，メンバーとともに課題や目標を考え，メンバーの状態に配慮したチームビルディングを行うことが求められる。チームがもつ力を最大限に発揮できれば，療養者のケアにプラスの相乗効果を生み出す。

在宅ケアを支える保健・医療・福祉の専門職の業務については，「新看護学4 保健医療福祉のしくみ」「新看護学5 基礎看護[1]看護概論」を参照されたい。

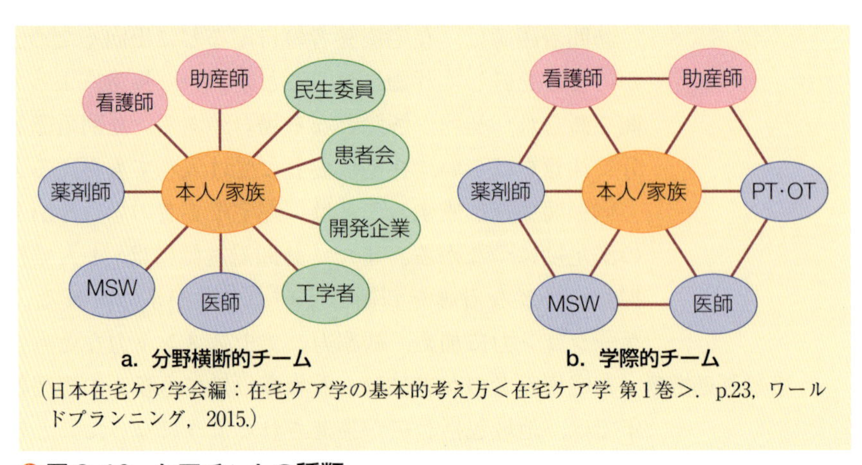

(日本在宅ケア学会編：在宅ケア学の基本的考え方＜在宅ケア学 第1巻＞. p.23, ワールドプランニング, 2015.)

➲図8-10 ケアチームの種類

6 施設内の看護

1 介護保険施設

介護保険施設には，介護老人福祉施設，介護老人保健施設，介護医療院などがある。対象者の状況や目的によって，利用できる施設は異なる。

■介護老人福祉施設（特別養護老人ホーム）

介護老人福祉施設とは，**特別養護老人ホーム**ともよばれ，入所する要介護者に対し，施設サービス計画に基づいて，入浴，排泄，食事などの介護その他の日常生活上の世話，機能訓練，健康管理および療養上の世話を行うことを目的とする施設[1)]である。

2015（平成27）年4月より，中等度の要介護者を重視する観点から，新規入所者は要介護3以上の者となった。ただし，特例として，認知症などで日常生活に支障がある人や，虐待を受けている人などは，要介護1または2でも入所できることがある。

2021（令和3）年の介護サービス施設・事業所調査によると，介護老人福祉施設数は8,414施設，定員は58万6061人となっている。

■介護老人保健施設

介護老人保健施設とは，要介護者に対し，施設サービス計画に基づいて，看護，医学的管理のもとにおける介護および機能訓練その他必要な医療ならびに日常生活上の世話を行うことを目的とする施設[2)]である。介護老人福祉施設との違いは，要介護高齢者にリハビリテーションなどを提供し，在宅復帰を支援している点である。そのため，入居期間はおおむね3～6か月と限定的になっている。しかし，リハビリテーションが進まないなどの理由から，その期間内に在宅復帰がむずかしい場合もある。

2021（令和3）年の介護サービス施設・事業所調査によると，介護老人保健施設数は4,279施設，定員は37万1323人となっている。

■介護医療院

介護医療院とは，要介護者に対し，施設サービス計画に基づいて，療養上の管理，看護，医学的管理のもとにおける介護及び機能訓練その他必要な医

1）介護保険法第8条第27項にて定義されている。
2）介護保険法第8条第28項にて定義されている。

療ならびに日常生活上の世話を行うことを目的とする施設[1]である。2018(平成 30)年 4 月より新設された施設で，日常的な医学管理や，看取りやターミナルケアにも対応している。2021(令和 3)年の介護サービス施設・事業所調査によると，介護医療院数は 617 施設，定員は 38,159 人となっている。

なお，前記の施設以外に，介護療養型医療施設も介護保険施設であるが，2023(令和 5)年度末までに廃止される。介護医療院は，介護療養型医療施設の廃止に伴い創設された。

2 介護保険施設の運営

介護保険施設の指定・開設にあたっては，人員および設備・運営基準を満たす必要がある(➲ 表 8-5)。

3 地域密着型サービス

■グループホーム(認知症対応型共同生活介護)

グループホームとは，「認知症の要介護者に対し，共同生活のための住居

➲ 表 8-5　介護保険施設

	介護老人福祉施設 (特別養護老人ホーム)	介護老人保健施設 (老人保健施設)	介護医療院
利用対象者	常時介護を必要とし，在宅での生活が困難な要介護者 →生活援助	病状安定期にあり，入院治療の必要はないが介護や機能訓練などを必要とする要介護者 →在宅復帰支援	長期にわたる療養が必要な要介護者 →医学的管理に基づく療養
根拠法規	介護保険法・老人福祉法	介護保険法	介護保険法・医療法
人員基準 (入所者：職員)	医師(非常勤可)　必要数 看護職員[1, 2] 入所者 30 以下：1 入所者 31 以上 50 以下：2 入所者 51 以上 130 以下：3 入所者 131 以上：3＋入所者が 50 増すごとに 1 介護支援専門員　100：1 機能訓練指導員　1 人以上 生活相談員　100：1　ほか	医師　100：1 薬剤師　適当数 看護職員[1]　看護・介護職員の総数の 2/7 程度 介護職員[1]　看護・介護職員の総数の 5/7 程度 介護支援専門員　100：1 理学療法士または作業療法士または言語聴覚士　100：1 支援相談員　100：1　ほか	医師　Ⅰ型入所者 48 人に 1 人，Ⅱ型入所者 100 人に 1 人の合計数以上 薬剤師　Ⅰ型入所者 150 人に 1 人，Ⅱ型入所者 300 人に 1 人の合計数以上 看護職員　6：1 介護職員　Ⅰ型入所者 5 人に 1 人，Ⅱ型入所者 6 人に 1 人の合計数以上 理学療法士または作業療法士　適当数　ほか
設備基準 (1 人あたり床面積)	居室：10.65 m^2 以上	療養室：8 m^2 以上	療養室：8 m^2 以上

注：1)介護・看護担当職員を合わせて入所者・入院患者 3 人に対して 1 人以上。
2)看護職員のうち 1 人は常勤。
※上記施設のほか，2023 年度まで経過措置により介護療養型医療施設が存続。
(福田素生ほか：社会保障・社会福祉<系統別看護学講座>，第 24 版．p.99，医学書院，2023 による)

1) 介護保険法第 8 条第 29 項にて定義されている。

において，家庭的な環境と地域住民との交流の下で，入浴，排泄，食事などの介護その他の日常生活上の世話や機能訓練を行う」サービスである[1)]。

グループホームでは，ユニットとよばれる5～9名で構成される小さな生活単位に分かれ，家事などを役割分担しながら共同生活を行う。環境の変化にうまく適応できない認知症高齢者であっても，同じメンバーと生活できるユニット型の環境は，職員や入所者どうしの関係性を築きやすい。また，ユニットのなかで自己の役割を見いだすことで，その人らしい生活を送ることにもつながる。

■看護小規模多機能型居宅介護

看護小規模多機能型居宅介護[2)]とは，小規模多機能型居宅介護に訪問看護の機能を加え，医療ニーズの高い利用者に対し，介護と看護を組み合わせたサービスを一体的に提供するサービスである。

サービスは「通い」「泊まり」「訪問」というかたちで提供され，がん末期などの看取り期における在宅療養の支援，家族のレスパイトケア[3)]などを行う。

D 在宅療養者の家族への看護

1 療養者にとっての家族

2017（平成29）年の高齢者の健康に関する調査によると，将来，介護が必要になった場合，介護を依頼したい相手として，配偶者が最も多く，ついでヘルパーなど介護サービスの人，子の順であった（➡図8-11）。

その一方で，介護が必要になった場合の不安なこととして，「家族に肉体的・精神的負担をかける」の割合が50.6％と最も多かった。つまり，療養者は家族に介護してほしいと思うと同時に，家族の負担に対する不安もいだいていることがわかる。

2 家族が行う介護

問題点● 年々，世帯人員は減少して家族が小規模になっていることから，家族成員1人が担う役割は増加している。家族介護者の状況はさまざまであるが，**多**

1）厚生労働統計協会：国民の福祉と介護の動向．2023/2024．
2）2012（平成24）年4月に，訪問看護と小規模多機能型居宅介護を組み合わせた「複合型サービス」が創設された。しかし，提供するサービスがイメージしにくいとの指摘があり，2015（平成27）年に看護小規模多機能型居宅介護へと名称を変更した。
3）介護者が一時的に介護から解放され，休息をとれるようにする支援をいう。

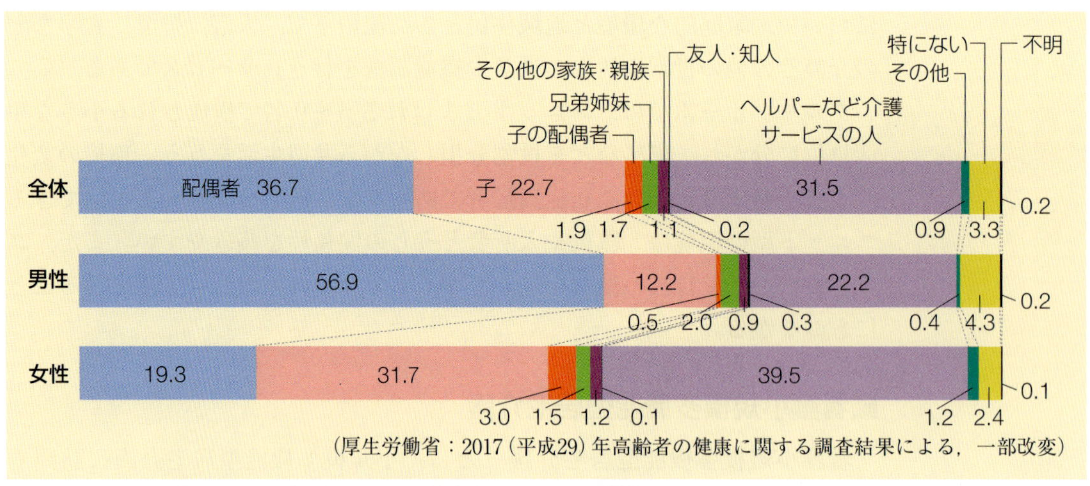

(厚生労働省：2017(平成29)年高齢者の健康に関する調査結果による，一部改変)

図 8-11 必要になった場合の介護を依頼したい人の割合(%)

重介護や**ダブルケア**などの課題がある。多重介護は1人で複数の要介護者を介護することであり，介護者の心身にかかる負担は大きく，健康をそこなう人も少なくない。ダブルケアは，同時期に育児と親の介護に直面することをいい，その背景には出産年齢の上昇が考えられる。

介護における虐待

近年，男性が介護を担うことが多くなったが，慣れない家事や介護で強いストレスをかかえている人もいる。男性は女性と比べて他者へ相談することが少なく，1人で介護をかかえ込む傾向にある。このような状況で介護を続けると，ストレスから被介護者への虐待に発展することがある。2021(令和3)年の調査[1)]では，被虐待高齢者のうち，要介護認定を受けていた人は約6割を占めていた。また，被虐待高齢者から見た虐待者の続柄は，息子が38.9%で最も多く，ついで夫が22.8%であった。

家族介護者に対する看護は，介護者がおかれている状況を把握し，社会資源を有効に活用して，介護者の負担を軽減することである。また，看護職者が家族の健康を気づかう姿勢は，介護者のストレスを軽減し，安心感につながる。最近では，家族介護者の思いや経験を語る家族会などが増えており，このようなインフォーマルサービスも介護者の大きな励みとなる。看護職者は家族介護者と真摯(しんし)に向き合い，介護をがんばる家族をあと押しできる存在でありたい。

1）厚生労働省：令和3年度「高齢者虐待の防止、高齢者の養護者に対する支援等に関する法律」に基づく対応状況等に関する調査結果(https://www.mhlw.go.jp/content/12304250/001029242.pdf)(参照 2023-09-22)

3 家族看護の展開

ここでは，家族介護者の事例を取り上げ，家族看護の具体的な展開について述べる。

■事例　胃瘻（いろう）を造設した患者の家族に対する看護

Aさん（68歳，男性，要介護3）は，1年前に脳梗塞を発症し，左片麻痺（まひ）と嚥下障害がある。脳梗塞を機に仕事を退職して，現在は妻（62歳）と2人暮らしである。長男（30歳）は同県に在住しており，週に1回実家に帰ってAさんの介護を手伝っている。長男には，妻と2人の子ども（3歳と6歳）がいる。

Aさんは，半年前に誤嚥性肺炎を繰り返し，胃瘻を造設することになった。胃瘻周囲から栄養剤がもれることがあり，妻が主治医にそのことを相談した結果，居宅サービスが導入されることになった。一方，Aさんは嚥下訓練に積極的に取り組み，「口から食べたい」と話している。

日中は妻が仕事で不在になるため，Aさんは訪問介護を利用している。また，以前から交流のある近隣住民もAさんのことを気にかけている。最近，ヘルパーから訪問看護師に「奥さんの顔に疲れが見える」との情報が入った。担当看護師が訪問すると，妻は「私に胃瘻の管理ができるのかしら」と不安そうに話した。

■家族看護のポイント

■キーパーソンや家族関係を把握する

家族関係は介護にも影響を及ぼすため，夫婦関係や親子関係，地域との関係をとらえる必要がある。事例の場合，おもにAさんの介護を担っているのは妻であるが，妻が介護を継続できているのは，長男の存在が大きいと考えられる。

■介護者が置かれている状況を把握する

妻は仕事と介護を両立している状況であり，休息をとれているかはわからないが，心身にかかる負担は大きいと考えられる。また，長男も父親の介護を担っているが，長男自身の家庭における役割もあわせると，複数の役割を背負っていることが分かる。

■継続可能な介護方法を検討する

現在の状態では妻と長男の負担が大きく，2人が病気になった場合はAさんの介護を継続することが困難になる。そのため，社会資源を活用して介護者の負担を軽減することの検討が必要である。また，Aさんはリハビリテーションに意欲的であることから，その強みをいかし，自立度を高めていくことも有益である。

E 在宅看護の事例

ここでは，自立度が異なる高齢者の3つの事例を通して，在宅療養支援の様子を紹介する。

地域包括ケアシステムにおける多職種連携を行ううえで，地域包括支援センターやケアマネジャーは，本人・家族の意向を聴取し，サービス調整を行う中心的役割を担っている。在宅療養支援で重要となるのは，本人の希望を実現することだけではない。本人・家族の思いを知るための対話や，それをもとにした関係機関との意思統一，過不足のない適切なサービス・支援につなげるためのアセスメントなども重要である。これらの点にも注目しながら事例を読み進めてもらいたい。

■事例1　自立度が高い高齢者への支援

Aさん(88歳，男性，要介護認定未申請)は，5年前に妻が他界して独居となった。自営業の社長として働いていたが，3年前に近隣に住む息子があとを継ぎ，引退した。

Aさんは過去に大きな病気の経験はなく，現在は降圧薬のみを自己管理で内服している。2年前に運転免許を返納し，移動はおもにタクシーかバスとなっているが，自宅の近くにスーパーがあるため買い物は徒歩で行くことができる。食事・排泄・入浴も自立しており，唯一の困りごとである掃除については，友人が毎週手伝いに来てくれている。この友人からは1日2回の安否確認連絡があり，Aさんと連絡がとれないときには息子に知らせて，息子が自宅を見に行くことになっている。

Aさんは，週に3回ほど通う近所の喫茶店で地域包括支援センターの情報を知り，「独居なので万が一のことが不安だ。ヘルパーなどに掃除が頼めると聞いたが可能だろうか」と電話で相談をした。相談を受け，地域包括支援センターの保健師と社会福祉士が自宅を訪問し，健康状態や生活状況などの確認を行った。

Aさんは血圧が少し高いが，認知レベルも健康状態もとくに問題はなく，ADLもほぼ自立していたため，要介護認定の申請をしても非該当(自立)という結果になることが明らかであった。そのため，介護保険サービスの導入ではなく，地域の民生委員の協力を得て，老人会サロンへの参加をすすめることとした。そのサロンでは，地域包括支援センターが介護予防に関する講話や体操を毎月行っているため，定期的にAさんの状況を把握しながら，Aさんにとっても相談しやすい環境を確保することができた。

事例1では，Aさんは介護保険サービス(共助)による訪問介護の導入を希望していたが，家族や友人による安否確認や掃除を含めた生活支援体制(互助)が整っており，みずから定期的な受診や外出機会の確保(自助)を継続していた。そのため，要介護認定の申請支援ではなく，自助・互助の充実に向けた支援が適切であると判断した。このように，独居であることへの不安に対して，老人会サロンへの参加を促したことで，地域住民(互助)や地域包括支援センターとのつながりを保持するとともに，介護予防(自助)への取り組みも強化できるように支援を行うことができた。また，A さんの不安の解消にもつながった。

事例 2 がんが進行し自立度が低下した高齢者への支援

B さん(75 歳，女性，要支援 2)は，夫が認知症のため施設入所中であり，1 人息子は遠方に住んでいるため，独居状態であった。夫は毎週末外泊し，自宅に戻って B さんと食事に出かけることを楽しみにしており，B さんにとっても夫の世話をすることが生きがいとなっていた。

B さんは，5 年前に肺がんと診断され摘出術を受けたが，1 年後に骨転移が見つかり抗がん薬治療が開始された。しかし，副作用が強く出現したため，抗がん薬治療は半年で中止することとなった。さらに翌年には肺内転移が見つかり，副作用が少ない抗がん薬の内服治療が開始された。

しかし，十分な効果が得られなかったため，点滴による抗がん薬治療を再開する目的で入院となった。入院中は治療の副作用により鼻出血と胃出血が続き，一時はヘモグロビン値が 4.9 g/dL まで下がったが，輸血を重ねることで回復し，退院することとなった。

B さんは約 1 か月間の入院で体重が 5 kg 以上減少し，退院後には易疲労感やふらつきの訴えがあった。自家用車を運転して通院や買い物に出かけることはできる状態であったが，体力・筋力の低下により，掃除や調理は困難な状況になっていた。しかし，本人は「体力が回復したら掃除は自分でする。いまは体力的に夫の世話をする自信はないが，週末は夫を自宅に迎えられるようになりたい」と話していた。

地域包括支援センター担当職員の保健師は B さんと面談を重ね，体調管理とリハビリテーションを目的とした訪問看護と，栄養管理と安否確認のための民間配食サービスの導入を決定した。その一方で，B さんの家事は自分でしたいという意思を尊重し，家事支援目的での訪問介護の利用は見送ることとした。また，B さんには，体力が回復するまで掃除は無理して行わないこと，転倒などの危険に備えてシャワー浴は昼間に座位で行うこと，体調がすぐれないときにはがまんせずに担当職員に連絡することについて説明し，同意を得た。

地域包括支援センター担当職員は，B さんから連絡があれば自宅を訪問し，訪問看護師とも情報共有を行いながら体調管理を継続した。遠方で働く息子とは日中に電話で話すことがむずかしかったため，メールでのやりとりを繰り返し，B さんの近況報告や病院との連絡調整の橋渡しを行った。息子が出張で B さんのもとへ立ち寄ることができた際には，担当職員は息子と面談を行い，今後も B さんの意思の尊重を優先するという息子の意思を確認した。また，夫の担当ケアマネジャーとも密に連携することで，B さんの体調にあわせて，短時間ではあったが夫との外出の機会を 2 度つくることができた。

B さんは約 1 か月間にわたり在宅療養を続けたが，体力の低下および呼吸状態の悪化が著しくなった。入院が必要と判断した地域包括支援センター担当職員は，病院の地域連携室担当看護師と連絡をとり，入院調整を行った。検査の結果，胸水の貯留がみとめられ，肺がんの進行も確認された。主治医は，肺がんに対するこれ以上の治療は困難であると考え，病院でカンファレンスが開催されることとなった。

カンファレンスには，Bさん，息子，主治医，病棟看護師，病院地域連携室担当看護師，病院医療ソーシャルワーカー，訪問看護師，地域包括支援センター担当職員，夫の担当ケアマネジャーが集まり，今後の治療や在宅での生活について話し合った。主治医からは，肺がんに対する治療継続は困難で，死期が迫っているとの説明があった。Bさんからは，夫と過ごす時間が大切であり，できる限り自宅で過ごしたいとの希望が語られたため，Bさんの意思を尊重して在宅療養を行うこととなった。

地域包括支援センター担当職員は，在宅療養を支援するための準備を開始し，体力が低下しているBさんの入浴介助を行うための訪問介護を追加し，訪問看護の頻度も増やすよう調整を行った。入院前に利用していた配食サービスについては，Bさんが自分で好きなものを食べたいと希望したため，利用を中止することとした。また，夫の担当ケアマネジャーと連携し，退院後にBさんが親子3人の時間をもてるよう調整を行った。

Bさんの退院に合わせて息子が休暇をとれたことで，退院後Bさんは，1週間ほどの短い期間ではあったが，夫と息子と3人で食事に出かけたり，部屋の整理をしたりしておだやかに過ごすことができた。

事例2は，自宅という住まいを中心に，医療・介護・生活支援の各種サービスを地域包括支援センターの担当職員が調整した事例である。在宅療養者を支える看護職や，その他の専門職がそれぞれの役割を果たしながら，Bさんの思いや希望を大切にしながら多職種連携チームとしてかかわった。

終末期に入ってからは，夫の担当ケアマネジャーや遠方に住む息子とも密に連絡を取り合い，離ればなれになっている家族への支援を強化した。Bさんの意思を尊重し，夫や息子と過ごす時間を確保できるよう，チームが一丸となり同じ目標に向かって支援を行うことができた。

■事例3 骨折により自立度が下がってしまった高齢者への支援

Cさん(70歳，男性，要介護1)は，パーキンソン病をわずらう妻と，隣県に勤務する息子と3人で暮らしている。3年前に糖尿病に起因する脳梗塞を発症し，1か月間の入院治療と2か月間の介護老人保健施設でのリハビリテーションを経て，在宅生活を再開した。そのころのCさんは，軽度の右片麻痺が残っているものの，杖(つえ)を使用することで歩行は可能な状態であった。また，毎日1時間の散歩と妻による徹底した食事管理を継続した結果，HbA1cは5.9％まで改善していた。

しかし半年前，散歩に出かけようと自宅を出たところで転倒したことをきっかけに，再転倒を心配する家族から散歩を禁止されてしまった。それからは，自宅では食事のために2階の自室と1階の食卓を1日に3往復するだけで，ほとんど動くことなく過ごすようになっていた。週2回の通所介護も利用していたが，毎回10分程度の機能訓練を行うのみで，運動への意欲も下肢筋力も低下する一方であった。

Cさんの状況を知った居宅介護支援事業所の担当ケアマネジャーは，運動の必要性を伝え，自宅内で安全にできる運動を提案した。また，通所介護事業所の生活相談員に，歩行練習を追加するよう依頼した。すると，これ以上の回復は無理だとあきらめていたＣさんも少しずつ前向きな気持ちになり，自宅での運動にも取り組むようになった。しかし，2週間が経過したころ，自宅の階段でバランスをくずして転落し，受診した結果，腰椎圧迫骨折と診断されたため，入院することとなった。

入院後，約1か月間のリハビリテーションを受けて退院が決定し，Ｃさん，妻，病院退院調整看護師，担当ケアマネジャーによる退院前カンファレンスが行われた。カンファレンスでは，歩行器に寄りかかり小きざみで不安定な歩行状態のＣさんを見た妻が，入院前のように杖歩行と階段昇降ができる状態でないと，自宅での介護はとてもできないと話し，Ｃさんも自宅へ戻ることは不安だと話した。

病院退院調整看護師が主治医にＣさんと家族の意向を伝えたところ，治療が必要な状態ではないためリハビリテーション病院への転院はできないが，自宅での再転倒の危険性が高いため，継続したリハビリテーションが望ましいとの見解が示された。

そこで，担当ケアマネジャーは個別リハビリテーションができる介護老人保健施設への入所を調整し，同施設のケアマネジャー，理学療法士，作業療法士，看護師に引き継ぎを行った。Ｃさんは介護老人保健施設でリハビリテーションに取り組み，3か月以内の在宅復帰を目ざすこととなった。

事例3は，通所介護を利用しながら自宅療養を継続していたＣさんが，階段から転落したことをきっかけに，担当ケアマネジャーが病院や施設との連携を行った事例である。このあとＣさんは，施設でのリハビリテーションにより歩行状態が回復したため自宅へ戻り，通所介護の利用を再開した。

この事例のように，在宅療養の中で身体状況に変化が生じたときには，入院や施設入所が必要になることがある。担当ケアマネジャーや地域包括支援センター担当職員には，地域包括ケアシステムにおける住まい・医療・介護の連携を継続しつつ，在宅復帰を目標として，必要な支援の調整を繰り返していくことが求められる。

まとめ

- 在宅看護とは地域で提供される看護の1つで，自宅や入居施設といった，療養者の生活の場で行われる。その人らしい人生や生活を営めることが目的とされ，本人だけでなく家族も看護の対象となる。訪問看護は在宅看護を展開する手段の1つである。
- 在宅ケアは，要介護者や障害児・者，終末期にある人などが対象となり，医療・福祉・就労・教育・住まいなど，あらゆる側面からの複合的なケアが行われる。
- 在宅看護は生活の場で行われるため，看護職者の接遇や態度が重要となる。療養者の人生や思いを尊重し，その人らしい生活ができる看護を行う。
- 訪問看護においては医療処置・看護を行う能力に加え，社会資源に関する知識や多職種との連携などが求められる。
- 地域包括ケアシステムは，介護保険制度と同様に，尊厳の保持と自立生活の支援を理念としており，おもに，住まい，介護予防，生活支援，介護，医療の5つの要素から構成される。

- 地域包括ケアシステムを構築するうえでは，自助・互助・共助・公助という4つの「助」が重要となる。今後の社会では共助・公助の大幅な拡大が望めないため，高齢者の社会参加などにより，地域の状況にあわせて自助・互助を拡充していく必要がある。
- 介護保険による訪問看護を利用するには，要介護認定を受けることと，かかりつけ医による訪問看護指示書の交付が必要となる。また，利用にあたっては回数や時間に定めがあり，超過分は自己負担となる。
- 施設内の看護が行われる場所に介護保険施設があり，介護老人福祉施設(特別養護老人ホーム)，介護老人保健施設，介護医療院などに分けられる。また，地域密着型サービスとして，グループホーム(認知症対応型共同生活介護)や看護小規模多機能型居宅介護などがある。
- 在宅療養者の家族が介護を行う場合，多重介護や虐待といった問題が生じる可能性がある。家族の看護にあたっては，キーパーソンや関係性を把握し，継続可能な介護方法を検討することが重要となる。

復習問題

1 次の文章の空欄を埋めなさい。

▶在宅看護の目的は，在宅療養者が(①　　　　　　)を営めるようにすることである。

▶在宅看護は療養者の生活の場に訪問して行うため，自身の(②　　　　　)に十分注意する。

▶訪問看護サービスは，かかりつけ医が交付する(③　　　　)書に基づいて提供される。

▶訪問看護ステーションの開設には，常勤換算で(④　　　　)人以上の看護職員を配置する必要がある。

▶在宅ケアチームのうち，専門職と非専門職が連携して構成されたチームは(⑤　　　　　)的チームとよばれる。

▶介護老人福祉施設は(⑥　　　　　)ともよばれ，新規入居ができるのは基本的には要介護(⑦　　　)以上の場合である。

▶介護老人保健施設は在宅復帰支援を行う施設であり，入居期間はおおむね(⑧　　　　)程度である。

▶グループホームは(⑨　　　　　)症の要介護者が利用する(⑩　　　　　)型サービスである。

▶家族が介護を行う場合，(⑪　　　　)介護や(⑫　　　)ケアといった問題が生じることがある。

2 〔　〕内の正しい語に丸をつけなさい。

①在宅看護では本人と家族の意思を〔 尊重・制限 〕する。

②近年では医療依存度の高い在宅療養者の数は〔 減少・増加 〕している。

③訪問看護ステーションの管理者となれるのは〔 医師・薬剤師・保健師 〕または看護師，助産師である。

3 地域包括ケアシステムを構成する要素を5つあげなさい。

答(　　　　　　　　　　　　　　)

数字・欧文

和文